Danielle Steel

A BON PORT

Roman

Traduit de l'anglais (Etats-Unis)
par Marie-Pierre Malfait

PRESSES
DE LA CITÉ

Titre original : *Safe Harbour*

© Danielle Steel, 2001
© Presses de la Cité, 2005, pour la traduction française
ISBN 2-258-6270-5

A mes merveilleux, mes extraordinaires enfants, Beatrix, Trevor, Todd, Sam, Victoria, Vanessa, Maxx, Zara et Nick, vous qui me comblez de bonheur, d'amour et de sérénité, vous que j'aime tant... Restez toujours un port d'attache, les uns pour les autres.

Je dédie aussi ce livre aux anges de « Yo ! Angel ! » : Randy, Bob, Jill, Cody, Paul, Tony, Younes, Jane et John.

Avec tout mon amour,
d.s.

La Main de Dieu

Toujours avec un sentiment
d'euphorie,
d'excitation,
de peur,
le jour arrive
où nous allons vers elles
ces âmes de Dieu, égarées,
oubliées, glacées,
sales, sobres parfois,
nouvelles dans la rue,
avec les cheveux encore propres,
bien coiffés,
les visages rasés de près,
à peine un mois plus tard
nous constatons les ravages
du temps qui passe,
les mêmes visages
plus tout à fait semblables,
les vêtements en lambeaux,
les âmes qui s'étiolent
comme les chemises,
les habits
les chaussures
et les regards...
à la messe, je prie pour eux,

puis nous repartons
comme des matadors entrent dans l'arène,
jamais sûrs
de ce que la nuit apportera,
réconfort ou désespoir,
danger ou mort,
pour nous ou pour eux,
mes prières,
à la fois silencieuses et ferventes,
enfin, nous partons,
autour de nous
les rires résonnent comme des crécelles,
nous guettons les visages,
les silhouettes,
les regards qui nous cherchent,
ils nous connaissent maintenant,
ils courent à notre rencontre,
encore, encore et encore,
nous traînons derrière nous
de lourds paquets
grâce auxquels nous leur offrons
un jour de plus,
encore une nuit dans la pluie,
encore une heure... dans le froid.
j'ai prié pour vous...
où étiez-vous ?
je savais que vous viendriez !
chemises plaquées sur leurs corps,
dégoulinants de pluie,
leur souffrance et leur joie
se mêlent aux nôtres,
nous sommes des wagons
remplis d'espoir
dans une mesure qui nous échappe,
leurs mains frôlent les nôtres,
leurs regards nous transpercent,
que Dieu vous bénisse,

entonnent leurs voix
tandis qu'ils s'éloignent,
une jambe, un bras, un œil,
un soir,
une vie qu'ils partagent
avec nous pour un temps
là, dans la rue,
ils resteront à jamais
gravés dans nos mémoires,
le visage de cette fille
couvert de plaies,
le jeune unijambiste
sous la pluie battante,
sa mère aurait hurlé de douleur
en le voyant ainsi,
et cet homme qui sanglotait
tête baissée,
trop faible pour accepter
le paquet qu'on lui tendait,
et aussi tous les autres
qui nous font peur,
qui s'approchent à pas de loup,
aux aguets,
encore hésitants,
faut-il bondir ou coopérer,
agresser ou remercier ?
nos regards se croisent,
leurs mains effleurent les miennes,
leurs vies se mêlent aux nôtres
irrémédiablement,
profondément,
et alors, enfin
la confiance s'instaure,
elle est notre seul lien,
leur seul espoir,
notre seul bouclier tandis que
nous leur faisons face,

l'apparente futilité de tout ça,
chassée par ces quelques instants
où jaillit l'espoir,
accompagné d'un colis de vêtements,
de victuailles,
une lampe de poche, un sac de couchage,
un jeu de cartes et quelques pansements,
un peu de dignité retrouvée,
leur humanité est la nôtre
et tout à coup
un regard dans un visage,
si désespéré, si bouleversant
que votre cœur cesse de battre,
le temps vole en éclats,
nous sommes comme eux,
aussi brisés, aussi entiers,
nos différences s'évanouissent,
nous ne sommes plus qu'un,
tandis que ce regard cherche le mien
me reconnaîtra-t-il comme l'un des siens
ou me sautera-t-il à la gorge
car l'espoir sera déjà trop loin,
insaisissable...
pourquoi faites-vous tout ça pour nous ?
parce que je vous aime,
ai-je envie de répondre,
mais les mots m'échappent
alors je lui tends le paquet,
il y trouvera mon cœur,
mon espoir et ma foi
se répandent en vous tous,
au bout de la nuit
apparaît soudain le visage
le plus terrifiant
après ceux plus joyeux,
ceux tellement affaiblis
qu'ils ne peuvent plus parler,

ce dernier, c'est toujours le mien,
celui que je ramène chez moi
dans mon cœur,
une couronne d'épines encercle sa tête,
ce visage meurtri
c'est le plus répugnant,
le plus effrayant de tous,
il est là devant moi,
il darde sur moi son regard fixe, intense,
torturé,
à la fois menaçant et désespéré,
je le vois venir,
il fonce droit sur moi,
j'aimerais m'enfuir
mais je ne peux pas, je ne veux pas,
je n'ose pas,
je goûte à la peur,
nous voilà face à face,
les yeux dans les yeux,
savourant chacun
la terreur de l'autre
comme des larmes
se mêlent sur un visage,
et soudain, je sais,
je me souviens,
si c'était ma dernière chance
d'aller vers Dieu,
de tendre la main et de le toucher,
d'être touchée en retour,
si c'était ma dernière chance
de lui prouver
mon dévouement et mon amour,
si c'était ma dernière chance,
prendrais-je mes jambes à mon cou ?
je ne bouge pas,
je sais qu'il se présente à nous
sous de multiples apparences,

des visages différents,
enveloppé d'odeurs pestilentielles,
parfois même des regards hostiles,
je lui tends le paquet,
le courage m'a désertée,
je retiens mon souffle,
je me souviens des raisons
qui m'ont poussée à braver la nuit,
pourquoi je suis venue,
pour qui je suis ici...
nous sommes là, face à face,
égaux dans notre solitude,
la mort plane au-dessus de nous,
il prend le paquet, enfin,
et murmure « que Dieu vous bénisse »
avant de disparaître,
ce soir-là, alors que nous rentrons chez nous,
hagards et victorieux,
je sais une fois de plus
que nous avons été touchés
par la main de Dieu.

refuge

jadis brisée,
je reprends goût à la vie,
je pense à toi
tel un refuge,
tes balafres,
mes cicatrices,
l'héritage de ceux
qui nous ont aimés,
nos victoires et nos défaites
convergent lentement,
nos histoires ne font plus qu'une
dans le soleil d'hiver,
je recolle peu à peu les morceaux,
enfin, je me retrouve, entière,
coupe fissurée,
pleine d'une beauté fanée,
les mystères de la vie
n'ont plus besoin de réponses
et toi, mon tendre ami,
ma main blottie dans la tienne
comme nous pansons nos plaies,
un nouveau départ,
une nouvelle vie,
un hymne d'amour et d'allégresse
qui ne s'éteint jamais.

1

C'était une de ces journées fraîches et brumeuses, typiques de l'été en Californie du Nord, lorsque le vent balaie les longs croissants de plage, soulevant sur son passage une nuée de sable fin. Une petite fille en short rouge et sweat-shirt blanc marchait à pas lents sur la grève, le visage fouetté par la brise marine ; à côté d'elle, un chien reniflait les algues abandonnées par la marée.

De courtes boucles rousses auréolaient son visage parsemé de taches de rousseur dans lequel brillaient deux grands yeux couleur de miel, délicatement pailletés d'ambre. Elle devait avoir entre dix et douze ans. Sa petite silhouette gracile se découpait sur le ciel voilé, ses jambes étaient longues et fines. Son chien, un labrador chocolat, ne la lâchait pas d'une semelle. Tous deux avaient quitté le clos résidentiel et descendaient sans se presser vers la plage publique, de l'autre côté de la baie. Il n'y avait presque personne ce jour-là, sans doute à cause de la fraîcheur. Mais la fillette s'en moquait, elle continuait à avancer, talonnée par son chien qui aboyait de temps en temps après les petits tourbillons de sable emportés par le vent. Il courait ensuite jusqu'au bord de l'eau et recommençait à japper furieusement dès qu'il voyait un crabe, pour le plus grand bonheur de la fillette qui riait de bon cœur. Quelque chose dans leur façon de marcher côte à côte évoquait une vie solitaire et complice, comme s'ils avaient souvent parcouru le même chemin ensemble.

Il arrivait parfois qu'un chaud soleil baignât la plage – quoi de plus normal pour un mois de juillet ? –, mais le brouillard s'invitait souvent, traînant dans son sillon le froid et l'humidité. On le voyait dérouler ses volutes depuis le large, gagner lentement du terrain puis conquérir enfin les flèches du pont du Golden Gate, dont la silhouette élancée était parfois visible depuis la plage. Située à trente-cinq minutes au nord de San Francisco, la petite bourgade de Safe Harbour était essentiellement composée d'une résidence fermée dont les maisons s'étalaient derrière les dunes, tout le long de la plage. Un gardien veillait à la tranquillité de leurs occupants. L'accès à la plage se faisait uniquement par les maisons qui la bordaient. A l'autre extrémité de la baie se trouvait la plage publique, ourlée d'une rangée de modestes bungalows. Les jours de très beau temps, la plage était bondée, mais cet afflux d'estivants restait exceptionnel. Quant à la plage privée, il était rare d'y croiser âme qui vive.

La fillette venait d'arriver au bout de la plage publique, là où se côtoyaient les maisonnettes faites de bric et de broc. Elle aperçut alors un homme assis sur un tabouret pliant, devant une toile posée sur un chevalet. Elle s'immobilisa et plissa les yeux pour l'observer. Détectant dans la brise une odeur qui parut l'intéresser, le labrador gambada vers les dunes. La fillette s'assit alors sur le sable, les yeux rivés sur le peintre, qui n'avait pas remarqué sa présence. Elle le contempla un long moment, fascinée par l'impression de solidité et de familiarité qui émanait de lui. Le vent ébouriffait ses cheveux bruns, coupés court. Elle aimait observer les gens et restait parfois des heures à regarder les pêcheurs s'affairer sur la plage, attentive à leurs moindres gestes. Le temps passa, l'artiste continuait à peindre, complètement absorbé par sa tâche. Sur la toile, des bateaux voguaient sur les flots, tout droit sortis de l'imagination du peintre. Au bout d'un moment, le chien reparut et vint s'asseoir près de l'enfant. Elle le caressa d'une main distraite, tandis que son regard allait de l'océan à l'homme assis devant son chevalet.

Soudain, elle se leva et s'approcha un peu, s'arrêtant à quelques pas de lui, tout en veillant à ne pas le déranger. Elle eut ainsi une vue plus nette de son travail. Les couleurs qu'il avait choisies étaient magnifiques, à l'instar du coucher de soleil qui irisait le fond de la toile. Le chien se leva à son tour, comme s'il attendait un ordre de sa jeune maîtresse. Quelques minutes passèrent avant que la fillette ne se décide à avancer. Elle vint se poster à côté du peintre. Au même instant, le chien bondit jusqu'à eux, soulevant une gerbe de sable blond. L'homme leva les yeux, surpris par cette intrusion inopinée. Il découvrit alors la petite fille. Leurs regards se croisèrent. Sans rien dire, il se remit à sa peinture. Une demi-heure plus tard, lorsqu'il tourna la tête pour mélanger ses couleurs, il parut étonné de la trouver au même endroit, parfaitement immobile, les yeux rivés sur la toile.

Ils ne prononcèrent pas un mot. Elle continua à l'observer et finit par se rasseoir sur le sable. Le vent était moins frais à cette hauteur-là. Le peintre portait un sweat-shirt, comme elle, avec un jean et une vieille paire de chaussures bateau. Son visage était tanné par le soleil et le vent ; il avait de belles mains. Il devait avoir le même âge que son père, une quarantaine d'années. Leurs regards se fixèrent de nouveau, mais aucun d'eux ne sourit.

— Tu aimes dessiner ? demanda-t-il finalement, intrigué par cette petite fille à l'air totalement captivé – une artiste en herbe, peut-être ?

— De temps en temps, répondit-elle d'un ton circonspect.

Après tout, elle ne connaissait pas cet homme, et sa mère lui avait interdit d'adresser la parole à des inconnus.

19

— Qu'aimes-tu dessiner ? demanda-t-il en nettoyant soigneusement son pinceau.

Il avait un beau visage, avec des traits fermement ciselés et le menton creusé d'une fossette. De près, l'impression de force et de calme qu'il dégageait était presque palpable : il avait de longues jambes musclées et des épaules carrées. Même assis sur son tabouret, on voyait qu'il était grand.

— J'aime bien dessiner mon chien. Comment faitesvous pour dessiner des bateaux qui n'existent pas pour de vrai ?

Cette fois, il se tourna vers elle en souriant.

— Je les imagine. Tu veux essayer ?

Il lui tendit un carnet de croquis et un crayon de papier. Après quelques secondes d'hésitation, elle se leva, s'approcha de lui et prit le carnet et le crayon.

— Est-ce que je peux dessiner mon chien ?

Son délicat minois était empreint de gravité.

— Bien sûr. Dessine ce que tu veux.

Sans prendre le temps de se présenter, ils s'attelèrent chacun à leur ouvrage. Elle avait l'air extrêmement concentrée, penchée sur sa feuille.

— Comment s'appelle-t-il ? demanda l'homme au bout d'un moment, alors que le chien s'élançait à la poursuite des mouettes.

— Mousse, répondit-elle sans lever les yeux de son dessin.

— *Moose ?* Il ne ressemble pas vraiment à un élan[*]... mais c'est quand même un joli nom, conclut-il en retouchant légèrement son tableau, sourcils froncés.

— C'est *Mousse,* en français. Comme une mousse au chocolat, vous savez, le dessert...

— Je crois que ça ira comme ça, murmura-t-il tandis que son visage s'éclairait d'un sourire satisfait.

---

[*] *Moose* : élan, en anglais.

20

Il était plus de 4 heures de l'après-midi ; il avait travaillé sans interruption depuis midi.

— Tu parles français ? demanda-t-il, davantage pour meubler la conversation que par réel intérêt.

A sa grande surprise, la fillette opina du chef. Cela faisait des années qu'il n'avait pas discuté avec un enfant et il ne savait pas trop quoi lui dire. Manifestement, son silence ne l'avait pas découragée. Il glissa un regard furtif dans sa direction. Mis à part ses boucles rousses, elle ressemblait un peu à sa fille. Au même âge, Vanessa avait de longs cheveux blonds et raides, mais il y avait une certaine similitude dans leurs attitudes, leur port de tête. En plissant les yeux, il réussissait presque à l'imaginer.

— Ma maman est française, ajouta-t-elle en examinant son dessin d'un œil critique.

Comme d'habitude quand elle dessinait Mousse, les pattes arrière lui semblaient ridicules.

— Fais-moi voir ça, dit-il en tendant la main vers le carnet, comme s'il avait deviné son désarroi.

Elle lui remit la feuille.

— Je n'arrive jamais à dessiner son arrière-train, expliqua-t-elle en faisant la grimace.

Le dessin créa un lien instantané entre eux, à la manière de ce qui unit le maître à son élève. De plus, sans qu'elle puisse expliquer pourquoi, elle se sentait à l'aise en compagnie du peintre.

— Attends, je vais te montrer comment faire… si tu es d'accord, bien sûr… ?

Comme elle acquiesçait d'un signe de tête, il rectifia le dessin de quelques traits de crayon, à la fois légers et précis. Avant même qu'il y apportât sa contribution, c'était un portrait tout à fait fidèle du labrador.

— Tu as fait du bon travail, déclara-t-il en lui tendant la feuille.

— Merci de m'avoir aidée. Je n'arrive jamais à dessiner cette partie-là.

— Tu y arriveras la prochaine fois, fit-il en commençant à ranger son matériel.

Il faisait plus frais, tout à coup, mais aucun d'eux ne semblait s'en soucier.

— Vous rentrez chez vous ? demanda-t-elle, visiblement déçue.

Lorsqu'il croisa son regard ambré, il fut surpris d'y lire une grande solitude. Quelque chose en elle le touchait profondément.

— Il se fait tard, dit-il simplement en jetant un bref coup d'œil au brouillard qui avançait sur la mer. Tu habites ici ou tu es venue pour les vacances ?

— Je passe l'été ici, répondit-elle sans enthousiasme.

Elle manquait d'entrain, pour une petite fille de son âge, et elle ne souriait presque jamais. Déjà, il se posait mille et une questions à son sujet. Elle était arrivée sur la pointe des pieds, comme une voleuse, et, aussi étrange que cela puisse paraître, un lien s'était tissé entre eux, indéfinissable.

— Dans le clos résidentiel ? ne put-il s'empêcher de demander.

Elle hocha la tête.

— Et vous, vous habitez ici ?

D'un signe de tête, il désigna un des bungalows qui se dressaient derrière eux.

— Vous êtes peintre ?

— Je suppose. Comme toi, ajouta-t-il dans un sourire en jetant un coup d'œil au portrait de Mousse qu'elle tenait dans sa petite main.

Ils ne semblaient pas pressés de se séparer, mais l'heure tournait... Il fallait absolument qu'elle rentre à la maison avant le retour de sa mère. En début d'après-midi, elle avait échappé à la surveillance de la baby-sitter qui roucoulait au téléphone depuis des heures avec son petit copain. Cette dernière se moquait bien qu'elle aille se promener sur la plage sans la prévenir. La plupart du temps, elle ne remarquait même pas sa disparition, sauf quand sa mère rentrait plus tôt et qu'elle la bombardait de questions, folle d'inquiétude.

— Mon père dessinait, lui aussi.

Il fronça légèrement les sourcils. Que signifiait cet usage du passé ? Son père avait-il cessé de dessiner ou bien les avait-il quittées, sa mère et elle ? Cette éventualité était plus que probable. On sentait qu'elle venait d'une famille brisée et qu'elle recherchait avidement une présence masculine pour compenser ce vide. Il connaissait tellement bien ce sentiment...

— C'est un artiste, lui aussi ?

— Non, un ingénieur. Il a inventé plein de trucs.

Elle poussa un petit soupir résigné.

— Je ferais mieux de rentrer, maintenant.

Au même instant, Mousse se matérialisa à côté d'elle.

— Nous nous croiserons peut-être une autre fois, dit-il pour lui remonter le moral.

Le mois de juillet était à peine entamé, ils auraient d'autres occasions de se rencontrer. C'était la première fois qu'il la voyait de ce côté-ci de la plage ; sans doute ne s'y aventurait-elle pas souvent.

— Merci de m'avoir permis de dessiner en votre compagnie, reprit-elle poliment.

Cette fois, un sourire éclairait son regard, mais la mélancolie qu'il y décela l'emplit d'une vive émotion.

— Tout le plaisir fut pour moi, déclara-t-il avant de lui tendre la main. Je m'appelle Matthew Bowles.

Elle lui serra la main d'un air solennel. Ses bonnes manières et sa réserve polie l'impressionnèrent. C'était une petite fille tout à fait remarquable ; il était sincèrement heureux de l'avoir rencontrée.

— Et moi, je m'appelle Pip Mackenzie.

— Pip ? Comme c'est original... Serait-ce un diminutif ?

— Oui... je déteste mon vrai prénom, expliqua-t-elle en souriant. Je m'appelle Philippa, en souvenir de mon grand-père. C'est moche, n'est-ce pas ?

23

Elle esquissa une grimace dégoûtée qui le fit sourire. Elle était adorable avec ses boucles rousses et ses taches de rousseur. La sympathie qu'il éprouvait spontanément pour elle ne cessait de l'étonner, lui qui n'était plus sûr du tout d'apprécier les enfants... En général, il faisait tout pour éviter leur présence. Mais celle-ci était différente, c'était une sorte de fée sortie de nulle part...

— Je trouve ça plutôt joli, répondit-il sans se départir de son sourire. Philippa... Tu l'aimeras peut-être, un jour.

— Franchement, ça m'étonnerait. C'est un prénom ridicule. Je préfère mille fois qu'on m'appelle Pip.

— Très bien, je m'en souviendrai la prochaine fois.

La conversation se prolongeait, comme s'ils n'avaient pas envie de se dire au revoir.

— Je reviendrai par ici quand ma mère ira en ville, dit-elle en haussant les épaules. Jeudi, peut-être.

Ses paroles laissaient entendre qu'elle s'était éclipsée de chez elle sans prévenir. Heureusement, son chien l'accompagnait. Tout à coup, pour une raison qu'il ne put s'expliquer, il se sentit responsable d'elle.

Il plia son tabouret et son chevalet et ramassa la vieille boîte en bois dans laquelle il rangeait ses tubes de peinture. Ils se considérèrent un long moment en silence.

— Merci encore, monsieur Bowles.

— Tu peux m'appeler Matt. Merci d'être passée par là. Au revoir, Pip.

— Au revoir ! répondit-elle en lui adressant un petit signe de la main.

Puis elle s'éloigna en sautillant, aussi légère qu'une feuille emportée par le vent, se retourna un instant pour lui faire un dernier signe et se mit à courir le long de la plage, talonnée par Mousse.

Il la suivit des yeux un long moment, perdu dans ses pensées. La reverrait-il ? Cela avait-il une réelle importance ? Après tout, ce n'était qu'une enfant. Il baissa légèrement la tête pour se protéger du vent et gravit la dune en direction de son petit cottage battu par les embruns. Il ne fermait jamais la porte à clé. Lorsqu'il pénétra à l'intérieur et déposa son matériel dans la cuisine, il ressentit un curieux pincement au cœur... une douleur brève et fulgurante qu'il n'avait pas éprouvée depuis des années. C'était bien là le problème avec les enfants, songea-t-il en se servant un verre de vin. Ils trouvaient toujours le chemin de votre âme, comme ça, sans en avoir l'air, telle l'écharde qui se glisse sous l'ongle, et ça faisait un mal de chien quand il s'agissait de les déloger. D'un autre côté, cette rencontre était peut-être providentielle. Il y avait vraiment quelque chose d'unique chez cette fillette... Son regard dériva vers le portrait qu'il avait peint des années plus tôt, le portrait d'une petite fille qui lui ressemblait étonnamment. C'était sa fille Vanessa, quand elle avait à peu près le même âge que Pip. Il gagna le salon, où il se laissa tomber dans un vieux fauteuil en cuir élimé, et se perdit dans la contemplation du brouillard qui déroulait ses longues banderoles au-dessus de l'océan.

Bientôt, une autre image se superposa à celle des flots pris dans la brume : celle d'un visage constellé de taches de rousseur et auréolé de boucles cuivrées dans lequel brillaient des yeux d'ambre, empreints d'une étrange mélancolie.

2

Au volant de son break, Ophélie Mackenzie négocia le dernier virage et entra lentement dans la petite ville de Safe Harbour. On y trouvait deux restaurants, une librairie, un magasin spécialisé dans le matériel de surf, une épicerie et une galerie d'art.

L'après-midi qu'elle venait de passer en ville s'était révélé éprouvant. Elle détestait ces réunions qui se tenaient deux fois par semaine. D'un autre côté, elle était bien obligée de reconnaître qu'elles lui étaient d'une aide précieuse. Elle avait entamé cette thérapie de groupe au mois de mai et devait la suivre deux mois encore. Comme elle avait accepté d'assister aux réunions durant l'été, elle s'était arrangée pour laisser Pip aux bons soins de la fille de la voisine pendant qu'elle s'absentait. Agée de seize ans, Amy aimait garder les enfants – du moins le prétendait-elle – et désirait surtout gagner un peu d'argent de poche. Ophélie trouvait l'arrangement idéal ; quant à Pip, elle semblait apprécier la jeune fille. Malgré tout, ces trajets bihebdomadaires répugnaient à Ophélie, même s'il ne lui fallait qu'une demi-heure, quarante minutes maximum, pour rallier San Francisco. Mis à part la série de virages en épingle à cheveux qui séparaient la voie rapide de la plage, la route était agréable. Elle aimait conduire à flanc de falaise, la vue de l'océan lui procurait un incroyable sentiment de quiétude.

Ce jour-là, toutefois, elle se sentait épuisée. C'était parfois tellement fatigant d'écouter les autres ! Et puis, sa situation n'avait guère avancé depuis le mois d'octobre ; ses problèmes existaient toujours, plus pesants qu'avant. Mais au moins avait-elle trouvé quelqu'un à qui les confier… les membres du groupe. Avec eux, elle n'avait pas besoin de jouer la comédie, elle pouvait tout dire, avouer son désespoir sans pudeur. Chose qu'elle ne s'autorisait pas à faire avec Pip ; il eût été injuste d'accabler une enfant de onze ans du lourd fardeau qui pesait constamment sur son cœur.

Juste à la sortie de la ville, Ophélie tourna à gauche, dans l'impasse qui menait à la résidence fermée de Safe Harbour. Elle était à peine visible de la route, mais elle connaissait le chemin par cœur, à présent, un peu comme si elle conduisait en pilotage automatique. Elle se félicitait d'avoir choisi cet endroit pour les vacances d'été. Le calme et la tranquillité qui y régnaient lui faisaient un bien fou. Ainsi que la solitude. Le silence. Elle aimait aussi la longue plage de sable blanc, tantôt enveloppée d'une brume fantomatique, tantôt baignée d'un soleil ardent.

La fraîcheur et le brouillard ne la dérangeaient guère. A vrai dire, ils correspondaient davantage à son humeur que le ciel bleu et le soleil brûlant si prisés des autres estivants. Certains jours, elle ne sortait même pas de la maison. Elle restait au lit ou s'asseyait dans un coin du salon, prétendument absorbée par la lecture d'un roman, alors que mille et une pensées tourbillonnaient dans sa tête, l'entraînant dans un passé où tout était différent. C'était peu avant le mois d'octobre. Neuf mois s'étaient écoulés depuis. Une vie.

Ophélie franchit au pas le portail du clos privé. De sa cahute, le gardien lui adressa un petit signe, auquel elle répondit par un hochement de tête. Un soupir s'échappa de ses lèvres comme elle poursuivait lentement son chemin en direction de la maison, franchissant avec prudence les ralentisseurs. Elle croisa plusieurs enfants à vélo, quelques chiens et une poignée de promeneurs. C'était une de ces résidences où tout le monde se connaissait mais gardait néanmoins ses distances. Pip et elle y séjournaient depuis plus d'un mois et elle n'avait encore rencontré personne – tel était son désir. Elle s'engagea enfin dans l'allée, coupa le moteur et resta immobile un long moment, trop fatiguée pour bouger, pour retrouver Pip, pour préparer le repas. Pourtant, il fallait bien réagir. C'était terrible, cette incontrôlable léthargie qui la paralysait... A peine si elle avait le courage de se coiffer le matin ou de passer quelques coups de téléphone indispensables...

Sa vie était finie. Elle avait l'impression d'avoir cent ans, alors qu'elle n'en avait que quarante-deux et qu'elle n'en paraissait que trente, avec ses longs cheveux soyeux et bouclés, blonds comme les blés, et ses yeux ambrés pailletés d'or, semblables à ceux de sa fille. Elle possédait la même silhouette mince et menue que Pip. Une silhouette de danseuse. Enfant, elle avait fait de la danse classique et avait essayé de transmettre sa passion à Pip dès son plus jeune âge, mais la fillette avait jugé l'activité ardue et ennuyeuse. Les exercices à la barre, la discipline rigide, ses compagnes tellement avides de perfection, les sauts, les pliés, les battements... tout l'insupportait ! Devant son manque d'enthousiasme, Ophélie n'avait pas insisté, préférant la laisser choisir librement une autre activité. C'est ainsi que la fillette avait suivi des cours d'équitation pendant un an, en même temps qu'elle s'initiait à la poterie à l'école. En dehors de ça, elle passait le plus clair de son temps libre à dessiner. De nature solitaire, Pip aimait aussi rêver et jouer avec Mousse. A cet égard, elle ressemblait à sa mère, qui avait connu une enfance similaire. Parfois, Ophélie se demandait s'il était sage de laisser Pip toute seule aussi souvent ; d'un autre côté, la fillette semblait heureuse ainsi. Elle trouvait toujours quelque chose à faire, même depuis que sa mère s'occupait moins d'elle, prisonnière de sa dépression. Rien ne serait jamais plus comme avant.

Ophélie rangea les clés de la voiture dans son sac, sortit et claqua la portière derrière elle. Inutile de verrouiller les portes, ici. En entrant dans la maison, elle aperçut Amy qui chargeait le lave-vaisselle d'un air affairé... ce qui signifiait qu'elle n'avait rien fait de tout l'après-midi et qu'elle s'empressait de rattraper le temps perdu, comme d'habitude. De toute façon, il n'y avait pas grand-chose à faire dans cette maison accueillante et propre, avec ses meubles de style contemporain et son parquet de bois blond. Une baie vitrée courait tout le long de la maison offrant une vue imprenable sur l'océan. Equipée d'un salon de jardin, une terrasse en bois longeait la façade. C'était exactement la maison qu'il leur fallait. Calme, facile à entretenir, agréable à vivre.

— Bonjour, Amy. Où est Pip ? demanda Ophélie d'une voix lasse.

On devinait à peine ses origines françaises, tant elle parlait bien anglais, avec un accent américain proche de la perfection. C'était seulement quand elle était épuisée ou très émue que certaines intonations la trahissaient.

— Je ne sais pas, répondit Amy, perplexe.

Ophélie la considéra avec attention, sourcils froncés. Elles avaient déjà eu ce genre de conversation. Amy ne savait jamais où se trouvait Pip ! Agacée, Ophélie devina aussitôt que la jeune fille avait passé l'après-midi au téléphone avec son petit copain... une fois de plus. C'était toujours la même rengaine, toujours les mêmes reproches ! Combien de fois avait-elle été obligée de mettre les choses au point, insistant pour qu'Amy garde toujours un œil sur Pip ? L'océan était tout proche, Ophélie tremblait à l'idée de tout ce qui pouvait arriver à sa fille.

— Elle doit être en train de lire dans sa chambre, bredouilla la baby-sitter. C'est là que je l'ai vue tout à l'heure, en tout cas.

29

En vérité, Pip n'avait pas mis les pieds dans sa chambre depuis qu'elle s'était levée. Ophélie alla jeter un coup d'œil. La pièce était vide, bien entendu. A cet instant précis, Pip courait sur la plage en direction de la maison, Mousse gambadant joyeusement à côté d'elle.

— Est-elle descendue à la plage ? demanda Ophélie d'un ton inquiet en regagnant la cuisine.

Elle était sur les nerfs depuis le mois d'octobre, ce qui ne lui était jamais arrivé auparavant. En peu de temps, sa vie avait basculé. Amy venait de mettre en route le lave-vaisselle et s'apprêtait à partir, visiblement peu concernée par le sort de sa protégée. Elle possédait toute l'assurance et la confiance de la jeunesse. Ophélie, elle, ne jouissait plus de ces privilèges. La vie s'était chargée de lui ouvrir les yeux sur ses dures réalités.

— Je ne crois pas, non. Elle me l'aurait dit, sinon, ajouta la jeune fille avec une désinvolture tout à fait remarquable.

Une bouffée d'angoisse et de colère envahit Ophélie. Même si la résidence et sa plage privée avaient la réputation d'être des endroits sûrs, elle ne comprenait pas qu'on puisse laisser une petite fille de onze ans sans surveillance. Et si elle s'était blessée... si elle s'était fait renverser par une voiture ? Personne n'aurait été au courant ! Elle avait pourtant ordonné à Pip de signaler à Amy le moindre de ses déplacements, mais ni sa fille ni l'adolescente ne tenaient compte de ses consignes.

— A jeudi ! lança Amy en s'élançant vers la porte d'un pas léger.

Ophélie se déchaussa et sortit sur la terrasse. Un pli soucieux barrait son front tandis qu'elle scrutait la plage. Soudain, elle l'aperçut. Pip courait vers la maison, tenant à la main quelque chose qui claquait au vent, une feuille de papier peut-être... Submergée par une vague de soulagement, Ophélie descendit la dune pour aller à sa rencontre. Elle continuait à imaginer le pire, au lieu de se raccrocher à une explication aussi simple que plausible. Il était presque 17 heures, le vent froid devenait de plus en plus vif.

Ophélie agita la main et quelques instants plus tard Pip la rejoignit, à bout de souffle, un sourire heureux aux lèvres. Mousse gambadait autour d'elles en jappant joyeusement. Mais l'inquiétude se lisait toujours sur le visage d'Ophélie.

— Où étais-tu passée ? demanda-t-elle en fronçant les sourcils.

Elle était furieuse contre Amy. Malheureusement, elle n'avait trouvé personne d'autre pour surveiller sa fille pendant ses absences... Elle était coincée.

— Je suis allée me balader avec Mousse. On est allés tout là-bas, ajouta-t-elle en pointant son index vers la plage publique, et on a mis un peu plus de temps que prévu pour rentrer... Il chassait les mouettes, fit-elle en haussant les épaules.

Ophélie ne put s'empêcher de sourire, rassurée. Pip était une fillette adorable. En la regardant, elle se remémorait souvent sa propre enfance à Paris et les étés qu'elle passait en Bretagne. Le climat n'était pas très différent d'ici. Comme elle avait apprécié tous ces étés à la plage ! A tel point qu'elle n'avait pas résisté à l'envie d'y retourner plus tard, alors que Pip était encore toute petite.

— Qu'est-ce que c'est ? demanda-t-elle en jetant un coup d'œil à la feuille que sa fille tenait à la main.

— Un dessin de Mousse. J'arrive à faire les pattes arrière, maintenant.

Pip se garda toutefois de dire à sa mère qui lui avait appris à les dessiner, sachant pertinemment que cette dernière lui aurait reproché d'avoir adressé la parole à un inconnu, si sympathique fût-il. Sa mère avait toujours été formelle à ce sujet : interdiction de parler aux gens qu'on ne connaissait pas. Ophélie n'était que trop consciente de la beauté innocente de sa fille, même si celle-ci n'en avait cure.

— J'ai du mal à croire qu'il soit resté tranquille pendant que tu le dessinais, fit-elle observer d'un ton amusé.

Un sourire ponctua ses paroles, éclairant son visage aux traits finement ciselés, dévoilant des dents parfaites. C'était un sourire magnifique, qui sublimait sa beauté et illuminait son regard. Hélas, depuis le mois d'octobre, ce miracle se produisait rarement. Et le soir venu, la mère et la fille échangeaient à peine quelques mots, perdues l'une et l'autre dans leur propre monde. Malgré tout l'amour qu'elle portait à sa fille, Ophélie ne faisait plus aucun effort pour trouver un sujet de conversation. C'était au-dessus de ses forces. Tout lui coûtait désormais : parler... parfois même respirer. A la nuit tombée, elle se réfugiait dans sa chambre et s'allongeait dans le noir, incapable de trouver le sommeil. Pip s'enfermait elle aussi dans sa chambre, souvent avec Mousse, son fidèle compagnon.

— J'ai ramassé des coquillages pour toi, annonça Pip en plongeant la main dans la poche de son sweat-shirt. J'avais trouvé un oursin plat, mais il était cassé.

— Ils le sont presque toujours, fit observer Ophélie en prenant les jolis coquillages que Pip lui tendait.

Elles regagnèrent la maison côte à côte. Ophélie n'avait même pas embrassé sa fille. Mais Pip ne se formalisait plus de ces petits oublis. Elle semblait avoir compris que le moindre contact, le moindre effleurement était devenu douloureux pour cette mère qui avait érigé de grands murs tout autour d'elle, comme pour se protéger du monde extérieur. La maman que Pip avait connue durant ses onze années d'existence avait bel et bien disparu, et celle qui avait pris sa place, bien qu'apparemment semblable, était en réalité une femme brisée, extrêmement fragile. C'était comme si quelqu'un avait enlevé Ophélie, par une nuit sans lune, et l'avait remplacée par un robot. Sa voix, sa peau, son odeur, son apparence, tout était pareil et pourtant, au fond d'elle, rien n'était plus comme avant. Sa manière de penser, ses réactions, ses émotions avaient été définitivement endommagées, elles en étaient conscientes toutes les deux. Pip n'avait pas d'autre choix que d'accepter cette nouvelle situation, bon gré mal gré.

Elle avait beaucoup mûri en l'espace de neuf mois, atteignant une sagesse rare pour une enfant de son âge. Elle avait également acquis une perception très fine des gens qui l'entouraient, particulièrement de sa mère.

— Tu as faim ? demanda soudain Ophélie d'un air inquiet.

Préparer à manger constituait désormais une corvée rituelle qu'elle abhorrait. Et la simple idée d'absorber de la nourriture l'emplissait de dégoût. Cela faisait une éternité qu'elle n'avait pas éprouvé de sensation de faim. La mère et la fille avaient beaucoup maigri en neuf mois... neuf mois de repas qu'elles touchaient à peine.

— Pas vraiment. Tu veux que je réchauffe une pizza, ce soir ? proposa Pip.

C'était un des plats qu'elles aimaient par-dessus tout faire mine de manger, bien qu'aucune ne soit dupe du manège de l'autre.

— Pourquoi pas, fit Ophélie d'un ton absent. Je peux préparer quelque chose, sinon.

Elles avaient décongelé une pizza quatre soirs d'affilée... le congélateur en était rempli. Tout le reste leur aurait coûté trop d'efforts et le jeu n'en valait pas la chandelle. Autant se contenter de pizzas surgelées quand les assiettes restaient désespérément intactes.

— Non, je n'ai pas vraiment faim, tu sais.

La même conversation revenait tous les soirs. Parfois, Ophélie faisait cuire malgré tout un poulet et préparait une salade à laquelle elles touchaient à peine. Que d'efforts pour pas grand-chose ! Pip se nourrissait presque exclusivement de sandwichs au beurre de cacahouète et de pizzas. Quant à Ophélie, elle mangeait à peine, comme en témoignait sa mince silhouette.

De retour à la maison, Ophélie alla s'allonger dans sa chambre, tandis que Pip gagnait la sienne. Elle posa le portrait de Mousse contre le pied de sa lampe de chevet et le contempla un long moment, ses pensées tournées vers Matthew. Elle avait hâte de le revoir le jeudi suivant. Elle le connaissait à peine, mais il lui était déjà sympathique. Et le dessin était vraiment superbe avec les changements qu'il avait apportés aux pattes arrière ! Mousse ressemblait enfin à un vrai chien et non à la créature hybride, mi-chien, mi-lapin, qu'elle dessinait jusqu'alors... Pas de doute, Matthew était un artiste de talent !

Il faisait nuit quand elle se rendit dans la chambre de sa mère pour lui proposer de préparer le repas. Mais Ophélie s'était endormie. En contemplant sa silhouette parfaitement immobile, Pip fut assaillie par une sourde angoisse. Elle s'approcha du lit et se détendit en voyant sa poitrine se soulever au rythme régulier de sa respiration. Avec des gestes très doux, elle remonta la couverture qui gisait au pied du lit. Sa mère se plaignait toujours d'avoir froid – probablement parce qu'elle avait beaucoup maigri, à moins que ce ne fût le chagrin qui lui glaçait le sang. Elle dormait beaucoup depuis quelque temps.

Pip se dirigea vers la cuisine. D'un geste mécanique, elle ouvrit le réfrigérateur et se prépara un sandwich au beurre de cacahouète qu'elle mangea devant la télévision. Mousse vint s'installer à ses pieds. Epuisé par leur course sur la plage, il s'endormit en ronflant légèrement et ne se réveilla que lorsque Pip éteignit la télévision puis les lumières du salon. Elle se brossa consciencieusement les dents, enfila son pyjama et alla se coucher.

Dans son lit, elle repensa à Matthew Bowles, s'efforçant de ne pas songer aux bouleversements qui avaient perturbé sa vie depuis le mois d'octobre. Elle s'endormit quelques minutes plus tard. Ophélie ne se réveillerait pas avant le lendemain matin.

3

Le mercredi matin, un beau soleil baignait Safe Harbour, invitant ses habitants à lézarder paresseusement sur la plage. Il faisait déjà chaud quand Pip se leva. Elle trouva sa mère à la cuisine, attablée devant une tasse de thé fumante, les traits tirés malgré sa longue nuit de sommeil. Ophélie n'arrivait pas à se reposer. Au réveil, elle jouissait d'un bref instant de répit, avant que la réalité la frappe en plein cœur, cruelle et douloureuse. Ce bref instant où la mémoire lui faisait défaut était un pur délice... puis brusquement, tout basculait, l'horreur refaisait surface, tandis que les souvenirs affluaient. Entre ces deux moments se trouvait une sorte de passage oppressant, comme un pressentiment qu'il s'était produit quelque chose de terrible. Et lorsque Ophélie se levait, le choc du réveil l'avait déjà épuisée. C'était tous les jours ainsi.

— Tu as bien dormi ? demanda gentiment Pip en se servant un verre de jus d'orange.

Elle glissa ensuite une tranche de pain dans le toasteur. Inutile d'en proposer à sa mère : elle ne prenait plus de petit déjeuner.

— Je suis désolée de m'être endormie aussi vite hier soir, déclara Ophélie en éludant la question de sa fille. J'avais l'intention de me lever, pourtant. Tu as tout de même mangé quelque chose ?

Une inquiétude sincère perçait dans sa voix. Comme elle s'en voulait de ne pas pouvoir s'occuper davantage de sa fille ! Mais c'était au-dessus de ses forces, elle se sentait trop accablée pour réagir, malgré le sentiment de culpabilité qui la tenaillait sans répit. Pip hocha la tête. Elle se moquait bien de devoir préparer elle-même ses repas. En fait, elle préférait manger toute seule devant la télévision plutôt que s'attabler en face de sa mère, murée dans un silence pesant. Cela faisait des mois qu'elles n'échangeaient plus rien, toutes les deux. En période scolaire, les choses étaient plus faciles : elle avait toujours l'excuse des devoirs pour quitter la table plus rapidement.

Le toast sauta bruyamment du grille-pain. Pip étala une fine couche de beurre et mordit dedans sans prendre la peine de le poser sur une assiette. Mousse s'occuperait de ramasser les miettes... c'était son aspirateur canin ! Puis elle sortit sur la terrasse et s'installa sur une chaise longue, au soleil. Quelques minutes plus tard, Ophélie la rejoignit.

— Andrea a dit qu'elle passerait nous voir avec le bébé, déclara-t-elle en s'asseyant à côté de Pip.

La nouvelle emplit la fillette de joie. Elle adorait le fils d'Andrea, William, un beau bébé de trois mois, qui symbolisait à ses yeux l'indépendance et le courage de sa mère. Agée de quarante-quatre ans, Andrea avait renoncé à rencontrer le prince charmant et décidé d'avoir recours à l'insémination artificielle pour concevoir un enfant. Le résultat était magnifique : avec ses yeux bleus rieurs, ses bonnes joues roses et ses cheveux bruns, William était à croquer. Ophélie était sa marraine et Andrea celle de Pip.

Les deux femmes étaient devenues amies dix-huit ans plus tôt, quand Ophélie était venue s'installer en Californie avec Ted, son mari. Avant cela, ils avaient vécu deux ans à Cambridge, dans le Massachusetts, à l'époque où Ted enseignait les sciences physiques à Harvard. Ted était un véritable génie, dont l'intelligence hors du commun était reconnue de tous. C'était un homme brillant, calme et posé, un brin taciturne, qui savait toutefois se montrer doux et tendre... aimant, à une époque. Les difficultés de la vie avaient fini par l'endurcir, par le rendre méfiant et amer. Ils avaient connu des années difficiles où rien n'allait comme il le souhaitait, où l'argent leur faisait cruellement défaut. Les cinq dernières années lui avaient finalement apporté gloire et réussite. Deux de ses inventions avaient connu un succès retentissant, les mettant pour toujours à l'abri du besoin. Mais son esprit et son cœur s'étaient refermés à jamais.

Oh, il aimait Ophélie et ses enfants, tous le savaient bien, du moins le prétendaient-ils... Malheureusement, il ne leur témoignait aucune marque de cet amour, trop occupé à se torturer les méninges pour découvrir de nouvelles inventions, trouver des solutions à tous les problèmes... Ses efforts avaient fini par payer : il avait fait fortune en vendant des brevets dans le secteur de l'énergie. Célèbre dans le monde entier, il jouissait également de la reconnaissance de ses pairs. Mais, dans sa quête du succès, il avait totalement oublié sa femme et ses enfants... Le travail, rien d'autre ne comptait pour lui. Malgré tout, Ophélie n'avait jamais douté de son amour. Un lien profond les unissait, même s'il n'était pas évident aux yeux de tous. Ophélie se souvenait d'avoir confié un jour à Andrea : « J'imagine que Mme Beethoven n'a pas eu une vie facile, elle non plus. » Jamais elle n'avait songé à lui reprocher son irascibilité ou sa nature solitaire, même s'il lui arrivait souvent de regretter les premières années de leur mariage, plus tendres et sereines.

Et puis, à quoi bon le nier, l'arrivée de Chad avait définitivement altéré leur relation. Peu à peu, Ted s'était détaché de son fils et d'Ophélie, comme s'il la tenait pour responsable des troubles qui accablaient leur enfant. Tout petit déjà, leur fils témoignait d'un caractère particulièrement difficile. Au bout d'un long parcours, semé de souffrance et d'incompréhension, le diagnostic était tombé lorsque Chad avait quatorze ans : leur fils souffrait de psychose maniaco-dépressive. Dès lors, pour son propre salut et sa tranquillité d'esprit, Ted s'était totalement désintéressé de lui, laissant à Ophélie le soin de s'en occuper seule.

— A quelle heure doit-elle venir ? demanda Pip lorsqu'elle eut terminé sa tartine.

— Dès que William sera prêt, répondit Ophélie, arrachée à ses pensées. Elle m'a simplement dit qu'elle passerait dans la matinée.

Ophélie se réjouissait elle aussi de la visite de son amie. Le bébé apportait toujours une bouffée d'air frais, surtout pour Pip, qui l'adorait. Malgré son âge et son manque d'expérience en la matière, Andrea était une mère plutôt décontractée. Elle laissait volontiers Pip se promener avec le bébé dans les bras, et celle-ci ne se lassait pas de le câliner ou de lui chatouiller les pieds. De bonne composition, le petit William était un véritable rayon de soleil dans leurs vies. Même Ophélie se sentait revigorée par sa présence.

A la stupéfaction générale, Andrea, brillante avocate, avait décidé de prendre une année sabbatique pour s'occuper de son bébé. A l'entendre, William était la meilleure chose qui lui soit jamais arrivée, et elle ne regrettait pas un seul instant sa décision. Certains de ses amis l'avaient pourtant mise en garde : son nouveau statut de mère l'empêcherait probablement de trouver un compagnon, mais c'était là le cadet de ses soucis. La naissance de son fils l'avait comblée de bonheur et le rêve se poursuivait au fil des jours. Ophélie avait assisté à sa venue au monde, un moment exceptionnel qui les avait émues aux larmes. L'accouchement s'était merveilleusement bien passé et, lorsque l'obstétricien lui avait tendu le bébé pour qu'elle le donne à Andrea, un lien puissant, indéfectible, s'était tissé entre les deux femmes. Bouleversant et unique, ce souvenir resterait à jamais gravé dans leur mémoire, symbolisant un tournant décisif de leur amitié.

La mère et la fille restèrent un moment au soleil, dans un silence détendu. Lorsque la sonnerie du téléphone retentit, Ophélie se leva pour répondre. C'était Andrea : le bébé venait de téter, elle s'apprêtait à partir. Ophélie alla prendre une douche, pendant que Pip enfilait son maillot de bain. Elle prévint sa mère qu'elle descendait à la plage avec Mousse. Elle était encore en train de barboter dans l'eau quand Andrea arriva, trois quarts d'heure plus tard. Comme d'habitude, elle envahit la maison telle une tornade. Quelques minutes après son arrivée, paquets de couches, couvertures et jouets jonchaient le parquet du salon dans un joyeux désordre. Ophélie gravit la dune pour faire signe à Pip de rentrer. Celle-ci ne se fit pas prier : de retour à la vitesse de l'éclair, elle se mit aussitôt à jouer avec le bébé, tandis que Mousse jappait autour d'eux. Les visites d'Andrea égayaient toujours l'atmosphère. Au bout de deux heures, William réclama de nouveau le sein et le calme se fit soudain dans la maisonnée. Après avoir avalé un sandwich, Pip retourna à la plage. Confortablement installée dans le canapé, Andrea sirotait à petites gorgées un verre de jus d'orange. Ophélie esquissa un sourire attendri.

— Il est tellement mignon… Comme tu as de la chance de l'avoir, murmura-t-elle avec une pointe d'envie.

La présence du bébé leur apportait une note d'apaisement et de joie. Avec lui, pas de fin tragique mais plutôt un nouveau départ plein d'espoir et d'optimisme, bien loin des désillusions, du chagrin et de l'abattement. Du jour au lendemain, l'existence d'Andrea était devenue l'antithèse de la sienne. Car Ophélie continuait à penser que sa vie à elle était bel et bien terminée.

— Alors, dis-moi, comment vas-tu ? Tu te sens bien, ici ?

Depuis les événements d'octobre, Andrea s'inquiétait pour son amie. Le bébé au sein, elle s'adossa plus confortablement en allongeant ses longues jambes devant elle. Elle dévoilait sa poitrine sans fausse pudeur, fière de son nouveau rôle de mère. C'était une femme d'une beauté saisissante, avec des yeux noirs perçants et de longs cheveux bruns qu'elle portait nattés. Assumant pleinement sa maternité, elle avait abandonné sans regret les tailleurs chics qu'elle arborait au tribunal. Ce jour-là, elle portait un dos-nu rose et un short blanc. Même pieds nus, elle dépassait Ophélie d'une bonne tête et mesurait plus d'un mètre quatre-vingts quand elle chaussait ses escarpins. Malgré sa taille, elle dégageait une incroyable sensualité.

— Ça va un peu mieux, répondit Ophélie.

Après tout, ce n'était qu'un demi-mensonge. Au moins, la maison ne contenait aucun souvenir tangible, mis à part ceux qu'elle avait emportés dans sa tête.

— J'ai parfois l'impression que cette thérapie collective me déprime davantage qu'elle ne m'aide... et d'autres fois, c'est l'inverse. La plupart du temps, je ne sais pas vraiment ce qu'elle m'apporte.

— Du bon et du mauvais, sans doute. C'est ça, la vie, finalement : un subtil mélange de positif et de négatif. Ce qui est bien, c'est que tu puisses parler avec des gens qui traversent le même genre d'épreuve que toi. Les autres ont plus de mal à comprendre ce que tu ressens, et je fais partie de ceux-là.

Bizarrement, l'aveu d'Andrea lui mit du baume au cœur. Ophélie en avait plus qu'assez de tous ces gens qui prétendaient comprendre sa peine, alors qu'en réalité ils étaient à mille lieues d'imaginer ce qu'elle éprouvait. Comment auraient-ils pu savoir, d'ailleurs ?

— Tu as peut-être raison. Je ne te souhaite pas de connaître ça, ajouta Ophélie en esquissant un pâle sourire.

Andrea dégagea l'autre sein. Le bébé tétait encore avidement mais, dans quelques minutes à peine, il s'endormirait, enfin rassasié.

— Je me sens tellement coupable vis-à-vis de Pip, reprit Ophélie. Je n'arrive plus à communiquer avec elle. J'ai parfois l'impression de flotter au-dessus de la terre, quelque part entre les nuages.

Malgré tous ses efforts, elle ne parvenait pas à reprendre contact avec le quotidien.

— Elle n'a pourtant pas l'air malheureuse, fit observer Andrea. Ta présence doit malgré tout la rassurer. C'est une gamine pleine de ressources, elle a déjà surmonté pas mal d'épreuves... comme toi, d'ailleurs.

Au cours des années passées, Chad avait considérablement perturbé le climat familial, et l'indifférence glaciale de son père n'avait rien fait pour arranger les choses. Dans ce contexte difficile, Pip apparaissait en effet comme une enfant équilibrée. Jusqu'au mois d'octobre, Ophélie l'était aussi. Grâce à elle, la cellule familiale avait résisté aux nombreux traumatismes qui l'avaient heurtée de plein fouet. Elle ne s'était effondrée qu'à l'automne dernier. Pour sa part, Andrea était convaincue qu'elle finirait par reprendre le dessus et, en attendant des jours meilleurs, elle se tenait près de son amie.

Leur amitié datait de presque vingt ans. Elles s'étaient rencontrées par l'intermédiaire d'amis communs et avaient aussitôt sympathisé, malgré leurs caractères très différents. Ne dit-on pas que les contraires s'attirent ? A l'inverse d'Ophélie, qui possédait une nature calme et douce, Andrea était plutôt exubérante et très sûre d'elle, allant jusqu'à afficher des opinions presque masculines. Séductrice, parfois un tantinet aguicheuse, elle menait les hommes à la baguette. De son côté, Ophélie dégageait une délicatesse toute féminine. Encore très européenne dans ses valeurs et sa conception de la vie, elle s'était volontiers soumise à l'autorité de son mari sans juger cela réducteur. Maudissant la docilité de son amie, Andrea l'avait maintes fois encouragée à acquérir une certaine autonomie, à devenir plus américaine dans sa façon de voir les choses. Les deux femmes partageaient la même passion pour l'art, la musique et le théâtre. A une ou deux reprises, elles étaient allées ensemble à New York assister à la première d'une pièce. Une année, Andrea avait accompagné Ophélie en France. Détail essentiel à leur amitié, Ted et Andrea s'entendaient également à merveille. Ils formaient un trio harmonieux. Andrea avait passé une maîtrise de sciences physiques à l'Institut de technologie du Massachussetts, avant d'intégrer la faculté de droit de Stanford, décision qui avait motivé son installation en Californie, d'où elle n'était plus repartie. L'idée de retrouver les longs hivers neigeux de Boston, sa ville natale, ne la séduisait guère. La Californie était devenue sa région d'adoption et elle n'avait aucune envie d'en bouger. Trois ans après son installation sur la côte Ouest, Ophélie et Ted déménageaient à leur tour. Ce dernier avait trouvé en elle une interlocutrice de choix ; à la fois impressionné et séduit par ses connaissances en physique, il aimait lui confier ses projets et ses nouvelles idées. Andrea le comprenait mille fois mieux qu'Ophélie, qui se réjouissait de leur entente.

Avocate, Andrea s'était spécialisée dans les affaires opposant de grandes entreprises au gouvernement fédéral. Elle avait choisi de ne défendre que les plaignants, décision qui reflétait assez bien sa personnalité incisive. C'était aussi cette facette de son tempérament qui la poussait à s'opposer à Ted de temps en temps. Contre toute attente, l'admiration de ce dernier n'en était que plus grande. A certains égards, elle savait mieux le prendre que sa propre femme. Evidemment, les enjeux n'étaient pas les mêmes : Andrea n'avait rien à perdre, elle. Jamais Ophélie n'aurait osé dire à Ted la moitié de ce que lui disait Andrea. Mais celle-ci ne vivait pas avec eux au quotidien. Elle n'avait pas à composer tous les jours avec Ted, qui se considérait comme le génie de la maisonnée, respecté et adulé par tous les membres de sa famille... à l'exception de Chad, bien sûr ; Chad qui, à l'âge de dix ans, avait tout bonnement décrété qu'il détestait son père. Il ne supportait pas son autorité toute-puissante ni cet air de supériorité qu'il arborait en toutes circonstances, sous prétexte qu'il possédait une intelligence hors du commun. En réalité, Chad s'était avéré aussi brillant que son père ; son cerveau refusait simplement d'établir certaines connexions – malheureusement essentielles.

De son côté, Ted n'avait pas accepté que son fils ne fût pas parfait. Malgré les efforts d'Ophélie, Ted avait toujours eu honte de Chad, qui connaissait parfaitement les sentiments de son père à son égard. Au fil des ans, le climat familial s'était détérioré. Par miracle, Pip avait réussi à se tenir à l'écart des tensions et des disputes. Toute petite déjà, elle donnait l'impression d'être une fée gracile qui, planant au-dessus d'eux, les touchait délicatement du bout de sa baguette magique, dans l'espoir d'apaiser les discordes. C'était précisément ce côté insaisissable, presque féerique, qu'Andrea appréciait chez la petite fille. On eût dit qu'elle transformait tout ce qu'elle touchait en poudre d'or. Et aujourd'hui encore, elle faisait preuve d'une patience et d'une compréhension infinies à l'égard de sa mère, incapable de lui donner quoi que ce soit – pas même des repas décents. Elle lui pardonnait tout, contrairement à Ted ou Chad qui n'auraient jamais toléré la moindre faiblesse de la part d'Ophélie, eût-elle été causée par leur propre comportement. Ted, en tout cas, ne l'aurait pas supporté. Aveuglée par l'amour et l'admiration qu'elle portait à son mari, Ophélie avait toujours refusé d'ouvrir les yeux sur sa vraie nature. Elle avait incarné l'épouse idéale : dévouée, amoureuse, docile, patiente et compréhensive. Elle l'avait toujours soutenu, tel un bon petit soldat, même dans les années de doutes et de privations.

— Raconte-moi un peu, reprit Andrea tandis que son fils s'endormait tranquillement, quelles sont tes distractions ici ?

— Oh, je ne fais pas grand-chose. Je lis. Je dors. Je me promène sur la plage.

— En d'autres mots, tu fuis la réalité, souligna Andrea sans ambages.

— C'est si terrible que ça ? C'est peut-être ce qu'il me faut pour le moment.

— Peut-être. Mais ça va bientôt faire un an. Il faudra bien que tu reviennes sur terre à un moment ou à un autre, Ophélie. Tu ne pourras pas te cacher toute ta vie.

Même le nom de la petite ville où elle avait choisi de passer l'été résumait ses aspirations les plus profondes : Safe Harbour... Port tranquille. Un petit havre de paix à l'abri des tempêtes qui l'avaient terrassée depuis le mois d'octobre, et plus longtemps encore.

— Pourquoi pas ?

Le désespoir qui voilait ses traits transperça le cœur d'Andrea. Comme son amie avait souffert, ces derniers temps !

— Parce que ce n'est pas bon. Ni pour toi ni pour Pip. Ta fille a besoin de te sentir réellement présente, de nouveau prête à assumer tes responsabilités. Tu ne peux pas continuer à fuir la réalité, c'est dangereux, tu sais. Il faut que tu tournes la page, que tu repartes de zéro. Il faut que tu sortes, que tu rencontres des gens... un homme, peut-être, à plus long terme. Tu ne vas tout de même pas passer le restant de ta vie à te morfondre seule !

Au fond d'elle, Andrea souhaitait que son amie trouve du travail, mais elle n'avait pas encore osé aborder le sujet. C'était encore trop tôt. Ophélie arrivait tout juste à survivre ; il fallait lui laisser encore un peu de temps.

Le dégoût s'inscrivit sur le visage d'Ophélie.

— Un homme ? Quelle horreur !

Comment aurait-elle pu sortir avec un homme alors qu'elle se sentait encore mariée à Ted ? Peu importait ce qui s'était passé, peu importait le caractère difficile de son époux, elle continuerait à l'aimer toute sa vie. Aucun autre ne le remplacerait dans son cœur ; la simple idée de partager sa vie avec un autre homme que Ted lui donnait la nausée.

— Tu n'es pas obligée de commencer par ça, répliqua Andrea. Tu pourrais d'abord... te coiffer, par exemple. Une fois de temps en temps, au moins.

Ophélie s'abstint de tout commentaire. Son amie avait raison : si elle prenait le soin de se doucher, elle se contentait en revanche d'enfiler un jean et un vieux pull et se passait juste la main dans les cheveux pour leur donner un semblant de forme. Elle accordait davantage de soin à son apparence quand elle sortait mais, à part ses réunions avec le groupe, elle ne mettait guère les pieds dehors. Ce laisser-aller commençait à agacer Andrea. A ses yeux, il était grand temps qu'Ophélie se reprenne. C'était elle qui avait encouragé la mère et la fille à passer l'été à Safe Harbour. Elle leur avait même trouvé une maison, grâce à un de ses amis, agent immobilier. Andrea ne regrettait pas sa décision : à l'évidence, Pip se plaisait ici et Ophélie semblait malgré tout plus en forme. Pour une fois, ses cheveux étaient à peu près coiffés et, bien qu'elle semblât s'en moquer, elle était ravissante avec son teint hâlé.

— Que comptes-tu faire après les vacances ? Tu ne vas pas passer tout l'hiver enfermée chez toi.

— Pourquoi pas ? répliqua Ophélie. Je peux faire ce que je veux, maintenant.

C'était la vérité. Ted lui avait laissé une fortune colossale – clin d'œil ironique aux années de vaches maigres qu'ils avaient connues au début de leur mariage, à l'époque où ils vivaient dans un deux-pièces miteux, niché dans un quartier malfamé. Les enfants partageaient l'unique chambre à coucher, tandis que Ted et Ophélie dépliaient chaque soir le convertible du salon. Ted avait transformé le garage en laboratoire. Aussi bizarre que cela puisse paraître, ces années avaient été les plus heureuses de leur vie de couple. En fait, les choses s'étaient passablement compliquées lorsque Ted était sorti de l'ombre. La célébrité s'était avérée pour lui une énorme source de stress.

— Je te préviens, Ophélie, il est hors de question que tu t'enterres de nouveau, déclara Andrea avec une pointe de menace dans la voix. Je serai là pour te secouer, tu peux me faire confiance. D'abord, je t'obligerai à nous accompagner au parc, William et moi. Et puis, on pourrait peut-être prévoir une petite escapade à New York, pour la nouvelle saison du Met.

Passionnées d'opéra, elles s'y étaient déjà rendues plusieurs fois ensemble.

— Je te tirerai par les cheveux s'il le faut, ajouta-t-elle, tu peux compter sur moi !

Lové contre sa poitrine, le bébé s'agita dans son sommeil, avant de s'apaiser en émettant de drôles de petits gargouillis. Les deux femmes le contemplèrent en souriant. C'était là qu'il était le plus heureux : niché contre le sein de sa mère.

— Je te fais confiance, répliqua simplement Ophélie.

Quelques minutes plus tard, Pip fit son apparition, Mousse sur les talons. Elle posa délicatement sur la table basse sa récolte de galets et de coquillages, le tout accompagné d'une bonne quantité de sable. Ophélie la regarda faire sans broncher.

— C'est pour toi, Andrea, déclara la petite fille en désignant fièrement ses trésors. Tu peux les emporter chez toi, si tu veux.

— Avec plaisir, merci, Pip ! Puis-je prendre le sable aussi ? plaisanta Andrea. Alors, dis-moi, à quoi occupes-tu tes journées ? As-tu rencontré d'autres enfants ?

Pip haussa les épaules. Il était rare qu'elle croisât du monde à la plage, et le comportement de sa mère n'incitait guère aux échanges.

— Si je comprends bien, je vais être obligée de venir plus souvent par ici pour faire bouger un peu les choses, reprit Andrea. Il doit bien y avoir des enfants de ton âge dans le voisinage. Ne t'inquiète pas, je les chercherai à ta place.

— Mais je suis très bien comme ça, objecta Pip d'un ton sincère.

Elle ne se plaignait jamais. A quoi bon ? Sa mère n'aurait pu lui donner davantage pour le moment. Les choses s'amélioreraient peut-être un jour, mais pas tout de suite. Alors Pip attendait, résignée. Elle témoignait d'une grande sagesse pour une fillette de son âge. Les neuf derniers mois l'avaient obligée à quitter le doux cocon de l'enfance pour entrer dans le monde des adultes.

Andrea partit en début de soirée, juste avant l'heure du dîner et l'arrivée du brouillard. Elles avaient ri, bavardé et plaisanté ensemble, confortablement installées sur la terrasse inondée de soleil. Pip avait passé un long moment avec le bébé ; elle avait joué avec lui, l'avait couvert de caresses et de câlins. Ç'avait été un après-midi joyeux et détendu. Malheureusement, aussitôt après le départ d'Andrea et de son fils, la maison redevint triste et vide. La jeune femme possédait une aura tellement puissante que son absence leur parut soudain écrasante. Pip adorait se repaître de l'énergie qu'elle dégageait, et sa mère appréciait au moins autant qu'elle son exubérance et sa joie de vivre. N'était-ce pas un peu grâce à Andrea qu'elle continuait à s'accrocher, envers et contre tout ? Malgré le vide qu'elle laissait derrière elle, sa visite leur avait apporté un nouveau souffle.

— Tu veux que j'aille louer un film ? proposa Ophélie pour la première fois depuis des mois.

— C'est bon, maman. Je vais regarder la télé, ne t'en fais pas, répondit Pip.

— Tu es sûre ?

Elle acquiesça d'un signe de tête. C'était l'heure du dîner et de la sempiternelle question : qu'allons-nous manger ce soir ? Contre toute attente, Ophélie suggéra de préparer des hamburgers et de la salade. La viande s'avéra trop cuite au goût de Pip, qui s'abstint néanmoins de

47

toute critique : n'était-ce pas meilleur qu'une pizza surgelée qu'elles auraient contemplée sans y toucher ? Pip vida toute son assiette pendant que sa mère s'attaquait d'abord à la salade, avant d'entamer son hamburger dont elle ne laissa que la moitié. Décidément, la venue d'Andrea leur avait fait un bien fou, à toutes les deux !

En allant se coucher ce soir-là, Pip regretta que sa mère ne vienne plus la border comme elle le faisait jadis. C'eût été trop lui demander pour le moment... Malgré tout, l'idée lui réchauffa le cœur. Son père aussi venait la border quand elle était petite, mais il en avait vite perdu l'habitude. En fait, cela faisait une éternité que personne n'était venu l'embrasser dans son lit. Son père était souvent absent ; quant à sa mère, elle était bien trop occupée avec Chad. Il y avait toujours une crise à gérer alors, et maintenant que la tension avait disparu, Ophélie semblait s'être volatilisée à son tour. Pip se glissa dans son lit, résignée. Personne ne viendrait la border, lui chanter des chansons ou réciter des prières à son chevet. Mieux valait s'y habituer. Dommage, ç'aurait été agréable dans une autre vie, un autre monde... Sa mère était allée se coucher tout de suite après le repas, alors qu'elle regardait encore la télévision. Mousse vint lui lécher le visage puis, bâillant bruyamment, s'installa par terre, près du lit. Pip sortit une main de sous les draps et lui caressa l'oreille.

Comme elle sombrait dans le sommeil, un sourire éclaira son visage. Sa mère devait retourner en ville le lendemain... Elle pourrait descendre à la plage voir Matthew Bowles. A cette pensée, son sourire s'épanouit. Elle ne tarda pas à s'endormir et rêva d'Andrea et du bébé.

4

Le brouillard était de retour le jeudi matin et Pip dormait encore à moitié quand sa mère partit à San Francisco. Ophélie avait rendez-vous avec son avocat avant sa séance de thérapie ; elle voulait être en ville avant 9 heures. Après avoir préparé le petit déjeuner, Amy prit son téléphone portable, comme d'habitude, laissant Pip devant les dessins animés qui passaient à la télévision. Il était presque midi quand la fillette descendit à la plage. Elle y serait volontiers allée plus tôt, mais elle craignait de devoir attendre trop longtemps : elle soupçonnait Matthew de ne descendre à la plage que l'après-midi.

— Où vas-tu ? demanda Amy en voyant Pip s'éloigner de la terrasse.

C'était bien la première fois qu'elle se souvenait de ses responsabilités. La fillette lui jeta un regard innocent par-dessus son épaule.

— Je descends à la plage avec Mousse.

— Tu veux que je vienne avec toi ?

— Non, merci, ça va aller, répondit Pip.

La conscience tranquille, Amy reprit son téléphone. Au moins, elle s'était acquittée de son devoir. L'instant d'après, la fillette et son chien gambadaient joyeusement sur la plage.

Elle courut longtemps, avant de l'apercevoir enfin. Il était exactement au même endroit, assis sur son tabouret pliant devant son chevalet. En entendant les aboiements de Mousse, il se retourna. Il avait espéré voir Pip la veille, mais elle n'était pas venue. La vue de son petit minois hâlé et souriant lui réchauffa le cœur.

— Bonjour ! lança-t-elle comme si elle retrouvait un ami de longue date.

— Salut ! Comment allez-vous, Mousse et toi ?

— Très bien. Je serais bien venue plus tôt, mais j'avais peur de ne pas vous trouver.

— Je suis là depuis 10 heures du matin.

A l'instar de Pip, il avait attendu ce moment avec impatience, bien qu'aucun d'eux n'ait promis quoi que ce soit à l'autre. Ils avaient juste envie de se revoir, c'était l'essentiel.

— Vous avez commencé un autre bateau, fit observer Pip en examinant le tableau. C'est très joli, j'aime beaucoup.

C'était un petit bateau de pêche rouge qui flottait à l'horizon, près du soleil couchant, et sa présence apportait une autre dimension à l'ensemble.

— Comment faites-vous pour les imaginer aussi précisément ? demanda-t-elle avec une pointe d'admiration dans la voix.

Mousse partit vagabonder dans les dunes parsemées d'herbes folles.

— J'ai vu de nombreux bateaux dans ma vie, répondit-il en souriant.

Un élan de sympathie gonfla le cœur de Pip. Elle aimait beaucoup cet homme et, même si elle le connaissait à peine, il ne faisait aucun doute qu'il était son ami.

— J'ai même un petit voilier amarré dans le lagon. Je te le montrerai un jour, si tu veux.

C'était une vieille embarcation sans prétention, à laquelle il était néanmoins très attaché. Il avait l'âge de Pip quand il avait commencé à faire de la voile et c'était vite devenu une véritable passion.

— Qu'as-tu fait hier ? demanda-t-il en observant la fillette avec intérêt.

Sans qu'il puisse s'expliquer pourquoi, il s'était pris d'affection pour cette gamine ; il aimait l'écouter et parler avec elle. Déjà, il rêvait de faire son portrait.

— Ma marraine est venue nous voir avec son bébé. Il s'appelle William et il a trois mois. Il est adorable ! Elle m'autorise même à le porter et il n'arrête pas de gazouiller dans mes bras. Il n'a pas de père, ajouta-t-elle d'un ton neutre.

— Comme c'est triste, observa prudemment Matthew en posant son pinceau. Comment cela se fait-il ?

— Ma marraine n'est pas mariée. Elle a eu son bébé dans une banque ou un truc comme ça, je n'ai pas tout compris. Ça m'a l'air un peu compliqué. De toute façon, maman dit que ça n'a pas d'importance. Il n'a pas de papa, c'est tout.

Les paroles de la fillette l'intriguèrent. S'il comprenait mieux la situation qu'elle, il n'en éprouvait pas moins un certain malaise. C'était une démarche tellement moderne, pour lui qui croyait encore à la tradition du mariage et aux valeurs familiales classiques, avec un homme et une femme qui décidaient de fonder une famille. La vie se chargeait parfois de brouiller les cartes, certes, mais c'était un concept auquel il demeurait attaché. Un bon départ, lui semblait-il. Bizarrement, il avait l'impression que Pip ne vivait plus avec son père. Malgré la curiosité qui le tenaillait, il n'osait lui poser la question, de peur de briser leur amitié naissante, empreinte de respect et de délicatesse.

— As-tu envie de dessiner, aujourd'hui ? demanda-t-il.

Elle lui faisait penser à un petit elfe égaré sur la plage, tellement menue et légère que ses pieds semblaient à peine effleurer le sable.

— Oui, s'il vous plaît, répondit-elle poliment.

Il lui tendit un carnet et un crayon noir.

51

— Et que vas-tu dessiner ? Mousse ? Maintenant que tu sais faire les pattes arrière, ça ne devrait plus te poser de problème.

Elle contempla son tableau d'un air songeur.

— Vous croyez que je pourrais dessiner un bateau ? demanda-t-elle finalement, un brin hésitante.

— Bien sûr, pourquoi pas ? Tu veux essayer de copier les miens ? A moins que tu préfères dessiner un voilier ? Je peux te faire un modèle, si tu veux.

— Non, je vais copier ceux de votre tableau, si ça ne vous dérange pas.

Elle ne voulait surtout pas le déranger, ce désir d'éviter de gêner était inhérent à sa nature discrète et réservée. Elle s'était toujours montrée d'une extrême prudence avec son père et sa réserve avait été largement récompensée. Contrairement à son frère Chad, elle n'avait jamais essuyé les foudres paternelles. A la vérité, à partir du moment où ils avaient emménagé dans une grande maison, son père ne s'était plus vraiment intéressé à elle. La plupart du temps, il travaillait au bureau, rentrait tard le soir et voyageait beaucoup. Il avait même appris à piloter le petit avion qu'il s'était offert. Il l'emmenait souvent en vol, au début, l'autorisant même à prendre Mousse avec la permission de Chad. Heureusement, le chien s'était toujours très bien comporté.

— Tu vois suffisamment d'où tu es ?

Assise à ses pieds, Pip hocha la tête, tandis qu'il déballait son sandwich. Du haut de son tabouret, il lui en proposa une moitié.

— Tu as faim ?

— Non, merci, monsieur Bowles. Et ne vous inquiétez pas, je vois très bien d'ici.

Son ton poli, légèrement guindé, lui arracha un sourire.

— Tu peux m'appeler Matt, tu sais. Tu as déjà mangé ?

— Non, mais je n'ai pas faim, merci.

Un moment plus tard, alors qu'elle était concentrée sur son dessin, elle reprit la parole.

— Ma mère ne mange pas. Enfin, pas grand-chose. Elle a beaucoup maigri, ajouta-t-elle d'un ton qui trahissait son inquiétude.

— Comment cela se fait-il ? Elle est malade ?

— Non. Juste triste.

Ils continuèrent à dessiner en silence. Au prix d'un effort, Matt se retint de l'interroger sur sa vie, ses parents. Il avait le sentiment qu'elle finirait par se confier, quand elle se sentirait prête. A quoi bon vouloir accélérer les choses ? C'était comme si leur amitié flottait dans l'air, indifférente au temps qui passe. Bizarrement, Matt avait l'impression de connaître Pip depuis longtemps.

Au bout d'un moment, une question franchit malgré tout le barrage de ses lèvres.

— Tu étais triste, toi aussi ?

Sans lever les yeux de sa feuille, elle acquiesça d'un signe de tête. Matt ne chercha pas à connaître les raisons de sa tristesse, devinant que des souvenirs douloureux la tourmentaient. Il résista aussi à l'envie d'effleurer ses cheveux et de lui prendre la main. Il n'avait aucune envie de l'effrayer par des gestes qu'elle aurait pu trouver trop familiers.

— Et maintenant, comment te sens-tu ? demanda-t-il simplement.

Cette fois, elle leva les yeux sur lui.

— Mieux. Je passe de bonnes vacances ici. Et je crois que ma mère se sent bien aussi.

— Tant mieux. Elle retrouvera bientôt l'appétit.

— C'est exactement ce qu'a dit ma marraine. Elle s'inquiète beaucoup pour maman, elle aussi.

— Tu as des frères et des sœurs, Pip ? demanda Matt, restant délibérément sur un terrain neutre.

Mais la tristesse qu'il lut dans ses yeux lui déchira le cœur.

— Je... oui...

Elle hésita un moment, incapable d'articuler le moindre mot. Puis, fixant sur lui ses grands yeux d'ambre, elle reprit :

— Non... enfin, si... C'est difficile à expliquer. Mon frère s'appelait Chad. Il a quinze ans. Enfin... il avait quinze ans... il a eu un accident au mois d'octobre.

A cet instant, Matt s'en voulut terriblement d'avoir cédé à sa curiosité. En même temps, il comprit pourquoi sa mère était si triste, pourquoi elle refusait de s'alimenter. Même s'il avait du mal à l'imaginer, il savait qu'il n'y avait rien de pire que la mort d'un enfant.

— Je suis vraiment désolé, Pip... murmura-t-il, désemparé.

— Ce n'est pas grave. Mon frère était très intelligent, comme mon père.

Les mots qu'elle prononça ensuite achevèrent de le terrasser, tout en apportant la réponse à toutes ses interrogations.

— L'avion de mon père s'est écrasé... ils étaient tous les deux... ils sont morts tous les deux. L'avion a explosé dans les airs, ajouta-t-elle d'une voix étranglée.

Un mélange de douleur et de soulagement la submergea alors. Elle était heureuse de lui avoir confié sa triste histoire. Un long silence accueillit ses paroles. Finalement, Matt murmura :

— C'est terrible... Je suis sincèrement désolé, Pip. Ta mère a beaucoup de chance de t'avoir auprès d'elle.

— Sans doute, admit la fillette d'un ton qui manquait de conviction. Mais elle est folle de chagrin. Elle passe le plus clair de son temps enfermée dans sa chambre.

Il lui était même arrivé de se demander si sa mère n'aurait pas préféré qu'elle meure, elle, à la place de Chad. Restée sans réponse, la question continuait à la hanter régulièrement. Ophélie avait toujours été si proche de Chad que sa disparition brutale l'avait précipitée au fond d'un abîme de désespoir.

— Je crois que je ferais la même chose, à sa place.

Les séparations qu'il avait lui-même vécues avaient bien failli l'anéantir, même si elles n'avaient rien à voir avec le drame vécu par Pip et sa mère. C'étaient des épreuves beaucoup plus ordinaires, des accidents de parcours qu'on finissait par accepter, si l'on voulait continuer à avancer. Surmonter le décès d'un mari et d'un fils lui semblait en revanche inconcevable. Et Pip... Où avait-elle trouvé le courage d'encaisser un tel choc ? Comment réussissait-elle à vivre avec la dépression de sa mère ?

— Maman s'est inscrite à une thérapie de groupe et elle va régulièrement en ville assister aux réunions, reprit-elle à mi-voix. Mais je ne suis pas sûre que ça l'aide beaucoup. Apparemment, les participants sont tous très tristes.

L'idée parut quelque peu morbide à Matthew, même si aller confier ses malheurs à d'autres personnes censées partager la même détresse était un comportement très en vogue. Comment pouvait-on sérieusement envisager de remonter la pente au milieu de gens malheureux comme les pierres, qui tentaient eux aussi de surmonter leur chagrin après la disparition d'un être cher ?

— Mon père était une sorte d'inventeur. Il fabriquait des trucs avec l'énergie, je ne sais pas trop quoi, mais il était très fort. Avant, on n'avait pas beaucoup d'argent et puis, quand j'ai eu six ans, on a acheté une grande maison et mon père s'est offert un petit avion.

Matthew hocha la tête. C'était un résumé légèrement confus, qui laissait planer le mystère sur la profession de son père, mais qui lui apportait malgré tout quelques éclaircissements.

— Chad était aussi intelligent que papa, insista-t-elle. Moi, je ressemble plus à maman.

— Que veux-tu dire par là ? fit Matt en fronçant les sourcils. Toi aussi, tu es intelligente, Pip. Très intelligente. Je suis sûr que tes deux parents sont brillants et tu dois être comme eux.

Manifestement, Pip avait vécu dans l'ombre d'un frère aîné surdoué, sans doute passionné par les travaux du père, quels qu'ils soient. Cette attitude typiquement machiste le révoltait. A ses yeux, aucun parent n'avait le droit de privilégier un enfant sous prétexte qu'il était plus doué, plus intelligent... Ce type d'attitude pouvait se révéler destructeur pour celui qu'on délaissait.

— Mon papa et mon frère se disputaient beaucoup, ajouta Pip, visiblement heureuse de pouvoir se confier à quelqu'un. Chad disait qu'il détestait papa, mais je crois qu'il exagérait. Il disait ça quand il était furieux.

— Tous les adolescents de quinze ans en passent par là, commenta Matt en esquissant un sourire.

Il n'avait pourtant pas eu le temps de vivre ce genre de situation. Son fils Robert avait douze ans la dernière fois qu'il l'avait vu, et Vanessa, dix. Six ans s'étaient écoulés depuis.

— Vous avez des enfants ? demanda Pip comme si elle avait deviné ses pensées.

— Oui, deux. Vanessa et Robert. Ils ont seize et dix-huit ans et vivent en Nouvelle-Zélande.

Cela faisait plus de neuf ans qu'ils étaient partis là-bas ; il lui en avait fallu presque trois avant d'abandonner tout espoir. Leur silence avait eu raison de sa ténacité.

— C'est où, ça ? demanda Pip d'un air intrigué.

Elle n'avait jamais entendu parler de la Nouvelle-Zélande... ou peut-être si, une fois, mais elle ne savait pas du tout où c'était. En Afrique, peut-être, quelque chose dans ce goût-là... ? Elle préféra se taire, par peur du ridicule.

— C'est très loin d'ici, répondit Matt. Il faut à peu près vingt heures d'avion pour s'y rendre. Ils habitent dans une ville qui s'appelle Auckland. J'imagine qu'ils sont heureux, là-bas.

— Ça doit être triste pour vous, de les savoir si loin. Ils doivent vous manquer. Mon père et Chad me manquent beaucoup, à moi, avoua-t-elle en essuyant furtivement la larme qui glissait sur sa joue.

Matt eut un pincement au cœur. Ils avaient beaucoup parlé, cet après-midi-là. Tellement parlé qu'ils n'avaient rien dessiné depuis plus d'une heure.

— Mes enfants me manquent aussi, admit Matt.

Il quitta son tabouret et vint s'asseoir près d'elle. Ses petits pieds s'enfouissaient nerveusement sous le sable. Elle se tourna vers lui, un pâle sourire aux lèvres.

— A quoi ressemblent-ils ?

C'était à son tour de poser des questions, et Matt répondit de bonne grâce.

— Robert est brun et il a les yeux marron, comme moi. Quant à Vanessa, c'est le portrait craché de sa mère : une belle blonde aux yeux bleus. Et toi, es-tu la seule rousse de la famille ?

Pip hocha la tête, tandis qu'un sourire timide éclairait son visage.

— Mon papa était brun comme vous, avec les yeux bleus, comme Chad. Mais ma maman est blonde. Mon frère n'arrêtait pas de m'appeler Pousse de Carotte, à cause de mes jambes toutes maigres et de mes cheveux.

— Comme c'est gentil, plaisanta Matt en ébouriffant gentiment les courtes boucles de la fillette. Tu ne ressembles pourtant pas à une jeune carotte.

— Mais si, objecta-t-elle avec une pointe de fierté dans la voix.

Ce sobriquet lui était devenu cher à présent ; il lui rappelait tant son frère disparu ! Maintenant qu'il n'était plus là, elle regrettait tout chez lui, y compris ses sautes d'humeur et ses railleries. A l'avenant, Ophélie se languissait aussi du mauvais caractère de son époux. C'était étrange, cette façon de regretter jusqu'aux pires travers des défunts.

— Et si nous dessinions un peu, ça te dit ? proposa soudain Matthew.

Ils avaient échangé suffisamment de confidences douloureuses pour aujourd'hui… Une pause leur ferait le plus grand bien. A en juger par le soulagement qui se peignit sur le visage de la fillette, elle partageait son avis.

— Oui, ce serait super, approuva-t-elle en reprenant son carnet tandis que Matt regagnait son tabouret.

Durant les deux heures qui suivirent, ils se contentèrent d'échanger quelques plaisanteries et banalités. Ils appréciaient simplement d'être ensemble, d'autant plus qu'ils en savaient désormais davantage l'un sur l'autre.

Alors qu'elle travaillait à son dessin et lui à son tableau, les nuages cédèrent la place au soleil. Le vent ne tarda pas à tomber et ce fut en fin de compte un bel après-midi. Il était déjà 17 heures quand Matt consulta sa montre. Le temps avait passé sans qu'ils s'en aperçoivent. Pip eut l'air soucieuse en apprenant l'heure.

— Crois-tu que ta maman sera déjà rentrée ? demanda-t-il, inquiet à son tour.

Il ne voulait surtout pas que l'après-midi qu'ils avaient passé ensemble fût source de problèmes. En même temps, il était heureux d'avoir pu échanger toutes ces choses avec elle. Peut-être se sentirait-elle mieux, à présent.

— Sans doute, oui. Je ferais mieux d'y aller. Elle risque de se mettre en colère, sinon.

— Ou de s'inquiéter, renchérit Matt, hésitant quant à la conduite à tenir.

Devait-il la raccompagner pour rassurer sa mère ? Mais ne serait-ce pas pire si celle-ci la voyait rentrer en compagnie d'un inconnu ? Baissant les yeux sur le dessin de Pip, il émit un sifflement admiratif.

— C'est magnifique ! Tu as fait du bon travail. Allez, rentre vite chez toi. A bientôt.

— Je reviendrai peut-être demain, si ma mère fait une sieste. Vous serez là, Matt ?

Leur conversation les avait beaucoup rapprochés, ils étaient comme deux vieux amis, désormais.

— Je suis là tous les après-midi. File, maintenant, et fais attention à toi.

— Promis !

Elle s'immobilisa un instant et le gratifia d'un sourire éclatant, puis, avec un petit signe, s'éloigna en courant, son dessin à la main et Mousse sur les talons. Elle était déjà loin lorsqu'elle virevolta pour lui faire signe à nouveau. Matthew la suivit des yeux, minuscule silhouette sur la plage. Au bout d'un moment, il ne vit plus que le chien qui gambadait joyeusement autour d'elle.

Pip arriva enfin à la maison, hors d'haleine. Sa mère était en train de lire sur la terrasse. Quant à Amy, elle était invisible. En l'entendant approcher, Ophélie leva la tête et fronça les sourcils.

— Amy m'a dit que tu étais descendue à la plage. Je t'ai cherchée, mais je ne t'ai vue nulle part, Pip. Où étais-tu passée ? T'es-tu fait de nouveaux amis ?

Elle était davantage inquiète qu'en colère. Une boule d'angoisse lui nouait la gorge. Elle avait interdit à Pip d'aller chez des gens qu'elle ne connaissait pas et jusqu'à présent, sa fille avait toujours respecté cette règle d'or.

— J'étais tout là-bas, expliqua-t-elle en montrant du doigt l'extrémité de la plage. J'étais en train de dessiner un bateau et je n'ai pas vu le temps passer. Je suis désolée, maman.

— Promets-moi de ne plus t'éloigner, Pip. Je ne veux pas que tu t'aventures sur la plage publique. On ne sait pas quel genre d'individus rôde là-bas.

Pip garda le silence. Elle aurait aimé parler de Matt à sa mère, lui dire à quel point il était gentil, mais elle sentait d'instinct que celle-ci ne comprendrait pas.

— Tu resteras dans les parages, la prochaine fois, insista Ophélie.

Pip avait pris quelques libertés, ces derniers temps. Sans doute en avait-elle assez de rester toute la journée à la maison ou de descendre seule à la plage avec son chien. Rongée par l'inquiétude, Ophélie ne lui demanda pas de lui montrer son dessin. Pip gagna sa chambre et déposa la feuille sur sa table de chevet, à côté du portrait de Mousse. Ils lui rappelaient tous les deux les beaux après-midi qu'elle avait passés en compagnie de Matt. Oh, elle n'était pas amoureuse de lui, non. Elle appréciait seulement le lien spécial qui s'était tissé entre eux, en si peu de temps.

— Tu as passé une bonne journée ? demanda-t-elle à sa mère en revenant sur la terrasse.

Comme à chaque fois qu'elle rentrait de ses réunions de groupe, Ophélie avait l'air épuisé.

— Dans l'ensemble, oui.

Elle avait rencontré son avocat pour discuter de l'héritage de Ted. Il y avait encore des impôts à payer, et le dernier versement de l'assurance avait été viré. Il restait mille et une choses à régler, cela risquait de prendre beaucoup de temps. Heureusement, Ted avait laissé ses affaires en ordre et Ophélie avait hérité d'une somme énorme – plus d'argent que ce dont elle aurait jamais besoin. Elle en léguerait une grande partie à Pip, le jour venu. Ophélie n'avait jamais été d'une nature dépensière. A certains égards, elle regrettait l'époque des fins de mois difficiles. La réussite de Ted avait apporté discorde et tension au sein de leur famille. Sans parler de l'avion qui avait causé la perte du père et du fils.

Chaque jour, Ophélie luttait inlassablement contre les souvenirs qui venaient la hanter. Le terrible appel téléphonique qui avait fait basculer sa vie, en ce jour fatidique. N'était-ce pas elle qui avait obligé Ted à emmener Chad avec lui ? Son mari avait eu l'intention de se rendre seul aux réunions qui l'attendaient à Los Angeles, mais elle avait insisté pour qu'il prenne Chad, arguant que cela leur ferait du bien de passer un peu de temps tous les deux. Chad allait mieux alors, c'était l'occasion pour eux de se retrouver un peu. Pourtant, ni le père ni le fils n'était emballé à l'idée de ce voyage. Ophélie ne cessait de se reprocher les raisons égoïstes qui l'avaient poussée à insister. Leur fils réclamait tellement d'attention, il s'était montré si fragile les mois précédents qu'elle avait eu envie de faire une pause, de profiter d'un après-midi de tranquillité en compagnie de Pip, qu'elle avait tendance à négliger pour se consacrer au bien-être de son frère. C'était la première occasion qui se présentait à elle depuis longtemps. Et maintenant, Pip était tout ce qui lui restait. Elles étaient seules au monde, désormais. Leur vie, leur famille, leur bonheur, tout avait volé en éclats. La fortune que Ted avait laissée derrière lui semblait tellement dérisoire ! Ophélie aurait volontiers tout donné pour qu'on lui rende son mari et son fils.

Malgré les moments difficiles que Ted et elle avaient connus, l'amour qu'elle lui portait était toujours demeuré intact. Les tempêtes s'étaient pourtant succédé, souvent causées par l'attitude de Chad. Mais c'était fini maintenant. Leur fils avait enfin trouvé la paix. Quant à Ted, il avait disparu lui aussi, emportant avec lui son intelligence exceptionnelle, ses sautes d'humeur et son charme irrésistible. Le soir, elle déroulait des heures durant le film de leur vie, s'efforçant de coller le plus possible à la réalité, savourant les bons moments et effleurant à peine les mauvais. Il lui restait à la fin le souvenir d'un homme qu'elle avait profondément aimé, quels qu'aient été ses défauts. Le souvenir d'un amour aveugle et inconditionnel.

L'éternel dilemme du dîner fut résolu par quelques sandwichs. Pour une fois, Pip avait une faim de loup et elle attaqua avec appétit le sandwich à la dinde que sa mère lui avait préparé. Le silence qui pesait sur la maison était assourdissant. Elles ne mettaient jamais de musique ; elles échangeaient à peine quelques mots pendant les repas. Tout en mangeant, la fillette pensa à Matt. Où donc se trouvait la Nouvelle-Zélande ? Comme cela devait être dur pour lui de vivre si loin de ses enfants ! Elle était heureuse de lui avoir parlé de Chad et de son père, bien qu'elle ait délibérément passé sous silence les troubles de son frère... par loyauté envers ce dernier, sans doute. La maladie de Chad avait toujours constitué un secret bien gardé. Et puis, à quoi bon l'évoquer maintenant ? Chad n'était plus de ce monde.

Malgré tout, sa maladie l'avait profondément marquée, comme le reste de la famille. Vivre à ses côtés s'était avéré une expérience particulièrement traumatisante. Tout comme son frère, Pip avait eu conscience de la rancœur que nourrissait son père vis-à-vis de Chad et de ses troubles mentaux. Un jour, alors que Chad séjournait à l'hôpital, elle avait tenté d'aborder le sujet, mais son père était entré dans une colère noire, arguant qu'elle ignorait de quoi elle parlait. C'était faux, bien sûr. Pip comprenait très bien la gravité de la maladie dont souffrait Chad. Ophélie en avait conscience elle aussi. Seul son père continuait à nier la réalité, comme si sa fierté l'empêchait d'admettre que son fils souffrait d'une maladie mentale. Malgré les conseils de leur entourage et les avis des médecins, Ted s'obstinait à tenir Ophélie pour responsable : selon lui, il aurait suffi à sa femme de se montrer plus sévère pour que leur fils change d'attitude, c'était aussi simple que ça. Chad n'était pas malade ; ses problèmes provenaient juste d'une carence d'autorité et c'était à Ophélie d'y remédier. Le sujet était clos. Malgré les preuves et les symptômes manifestes, il continuait à fermer les yeux.

Le week-end s'écoula paisiblement. Andrea avait promis de passer les voir, mais elle dut annuler sa visite : le petit William avait attrapé un rhume. Le dimanche après-midi, Pip brûlait d'envie d'aller retrouver Matt. Sa mère s'était assoupie sur la terrasse. Elle la regarda dormir pendant près d'une heure puis, n'y tenant plus, descendit à la plage avec Mousse. Elle n'avait pas réellement l'intention d'aller jusqu'à la plage publique, elle se laissait juste guider par ses pas, mais, avant même qu'elle s'en aperçoive, elle avait parcouru plusieurs centaines de mètres et elle se mit soudain à courir, impatiente de le voir. Elle le trouva au même endroit que les fois précédentes, en train de peindre tranquillement. Il avait commencé une nouvelle aquarelle : un coucher de soleil avec une petite fille rousse et menue qui portait un short blanc et un corsage rose. Au loin, on distinguait la silhouette d'un chien couleur chocolat.

— Est-ce que c'est Mousse et moi ? demanda-t-elle dans un murmure.

Il sursauta au son de sa voix. Il ne l'avait pas entendue arriver. Quand il se tourna vers elle, un sourire illuminait son visage. Il ne pensait pas qu'elle viendrait pendant le week-end.

— Ça se pourrait bien, ma jeune amie. Quelle bonne surprise ! ajouta-t-il.

— Maman fait la sieste. Comme je n'avais rien à faire, j'ai eu envie de venir vous voir.

— J'en suis très heureux. Mais ne crois-tu pas que ta mère risque de s'inquiéter quand elle se réveillera ?

Pip secoua la tête.

— Il lui arrive de dormir toute la journée. Je crois qu'elle préfère tuer le temps comme ça.

Ses paroles ne surprirent pas Matt. La mère de Pip était en pleine dépression, c'était évident. Qui ne le serait pas après avoir perdu mari et fils dans le même accident ? Malheureusement, le désespoir dans lequel elle semblait s'enliser condamnait Pip à la solitude. A part son chien, la fillette n'avait aucune compagnie.

Elle s'assit dans le sable et le regarda peindre un long moment. Puis elle alla ramasser des coquillages au bord de l'eau. Mousse lui emboîta le pas et Matt fit une pause pour la regarder. Elle était tellement menue et délicate, aussi fine qu'une brindille emportée par le vent, aussi gracieuse qu'une fée qui danserait sur la plage. Il était tellement absorbé dans sa contemplation qu'il ne vit pas la femme qui avançait dans sa direction. Elle n'était plus qu'à quelques mètres de lui lorsqu'il se retourna en sursautant. Qui était-elle ?

— Pourquoi regardez-vous ma fille comme ça ? Et que fait-elle dans votre tableau ?

Ophélie avait aussitôt fait le lien entre l'homme qui se tenait devant elle et les dessins que Pip avait rapportés à la maison. Elle était allée jusqu'à la plage publique avec la ferme intention de découvrir ce que fabriquait sa fille lorsqu'elle disparaissait plusieurs heures d'affilée. Sans qu'elle puisse s'expliquer pourquoi, elle avait deviné d'instinct que cet homme n'était pas étranger aux escapades à répétition de Pip. Et ses soupçons s'étaient confirmés dès qu'elle avait posé les yeux sur l'enfant et le chien qui figuraient sur la toile.

— Vous avez une petite fille adorable, madame Mackenzie. Vous devez être très fière d'elle, répondit Matt avec un calme qu'il était loin de ressentir.

Le regard perçant qu'elle dardait sur lui le mettait horriblement mal à l'aise. Devinant sans peine ce qu'elle était en train d'imaginer, il voulut la rassurer mais se ravisa : ne risquait-il pas d'éveiller en elle des soupçons encore plus sordides, en tentant de se dédouaner de la sorte ?

— Savez-vous qu'elle n'a que onze ans ?

Personne n'aurait pu lui en donner davantage, au contraire : on la croyait souvent plus jeune. Pourquoi diable cet homme s'intéressait-il à Pip ? Et si la peinture n'était qu'une couverture, si cette activité ne lui servait qu'à dissimuler d'odieuses pulsions ? Après tout, elle se trouvait peut-être face à un kidnappeur d'enfants ou pire encore... Et la pauvre Pip était beaucoup trop naïve pour le deviner.

— Oui, répondit-il sur le même ton posé. Elle me l'a dit.

— Puis-je savoir pourquoi vous avez parlé avec elle ? Pourquoi vous dessinez avec elle ?

De justesse, Matt se retint de lui dire que Pip se sentait désespérément seule, qu'elle avait un immense besoin de compagnie. La fillette venait d'apercevoir sa mère et elle remonta rapidement vers eux, les mains pleines de coquillages. Elle chercha le regard d'Ophélie et comprit aussitôt la situation. Un mélange d'inquiétude et de colère voilait le visage de cette dernière. Sans hésiter, Pip vola au secours de son nouvel ami.

— Maman, je te présente Matt, déclara-t-elle d'un ton solennel.

— Matthew Bowles, compléta ce dernier en tendant la main à Ophélie.

Au lieu de l'accepter, elle fixa sa fille de son regard d'ambre, étincelant de rage. Pip frissonna légèrement. Sa mère s'emportait rarement contre elle, surtout depuis quelque temps, mais cette fois, pas de doute : elle était furieuse.

— Je croyais t'avoir demandé à maintes reprises de ne jamais adresser la parole à un inconnu. Jamais, tu m'entends ?

Sur ce, elle se tourna vers Matt, qu'elle foudroya du regard.

— Plusieurs termes pourraient décrire votre attitude et aucun n'est particulièrement glorieux. Vous devriez avoir honte de vous servir de vos soi-disant talents d'artiste pour sympathiser avec une enfant. Je préfère vous prévenir : si jamais vous vous approchez encore de ma fille, j'appellerai la police. Et ce ne sont pas des paroles en l'air !

Matt se rembrunit, blessé par les sous-entendus de cette femme. Offusquée, Pip prit aussitôt sa défense.

— Matt est mon ami ! Nous dessinons ensemble, c'est tout. Il n'a jamais cherché à m'attirer nulle part. C'est moi qui suis descendue à la plage parce que j'avais envie de le voir.

Mais Ophélie ne voulut rien savoir. Elle ne connaissait que trop bien les méthodes de ce genre d'individus : une fois qu'il aurait apprivoisé Pip, Dieu seul sait quel sort il lui réserverait...

— Tu ne mettras plus les pieds ici, est-ce clair ? *Tu m'entends ? Je te l'interdis !*

Sa langue maternelle prit le dessus, tandis qu'un nouveau flot de colère la submergeait. En donnant libre cours à sa fureur, elle sembla tout à coup très latine. C'était la peur qui la faisait sortir de ses gonds, Matt le comprit aussitôt.

— Ta mère a raison, Pip. Tu ne dois pas parler à des inconnus. Je vous prie de m'excuser, ajouta-t-il à l'adresse d'Ophélie. Je n'avais pas l'intention de vous offenser. Je peux vous assurer que nos échanges sont purement amicaux. Je comprends parfaitement votre inquiétude ; j'ai moi-même deux enfants à peine plus âgés que votre fille.

— Et où sont-ils ? s'enquit Ophélie d'un ton ouvertement dubitatif.

— En Nouvelle-Zélande, répondit Pip.

Son intervention n'arrangea pas les choses. Il était évident qu'Ophélie n'en croyait pas un mot.

— J'ignore qui vous êtes, j'ignore aussi les raisons qui vous ont poussé à adresser la parole à ma fille, mais je tiens à ce que les choses soient claires : je n'hésiterai pas à prévenir la police si je vous surprends de nouveau en sa compagnie !

— C'est très clair, en effet, fit Matt avec une pointe d'irritation dans la voix.

En d'autres circonstances, il n'aurait pas hésité à la remettre à sa place. Après tout, elle n'avait pas le droit de proférer de telles accusations à son encontre. D'un autre côté, il ne voulait pas contrarier Pip en se montrant trop dur avec sa mère. A sa décharge, elle avait récemment subi un terrible traumatisme. Toutefois, l'indulgence de Matt avait des limites et ses insultes commençaient à l'agacer.

Les yeux rivés sur Pip, Ophélie lui fit signe de partir. La fillette jeta un dernier regard par-dessus son épaule.

Des larmes roulaient sur ses joues. Au prix d'un effort, Matt résista à l'envie de la serrer dans ses bras.

— Ce n'est rien, Pip, murmura-t-il d'un ton apaisant. Je comprends.

— Je suis désolée, dit-elle entre deux sanglots tandis que sa mère continuait à pointer l'index en direction de la plage privée.

Même Mousse s'était calmé, comme s'il avait senti que quelque chose n'allait pas. Finalement, Ophélie prit sa fille par la main et l'entraîna d'un pas ferme. Matt les suivit des yeux, le cœur lourd. Il avait de la peine pour la fillette qu'il avait si rapidement prise en affection. L'espace d'un instant, il eut envie de courir derrière elles et de raisonner sa mère. Ses craintes n'étaient pas fondées, bon sang ! Ne voyait-elle pas que Pip avait besoin de se confier à quelqu'un ? Cette petite était en mal d'écoute et d'affection, c'était pourtant évident !

Il rangea sa toile et ses couleurs, replia son tabouret et son chevalet et regagna son cottage, les épaules basses, le visage fermé. Après avoir déposé ses affaires, il prit la direction du lagon. Une promenade en bateau lui éclaircirait les idées, il en avait toujours été ainsi.

Sur le chemin de la plage privée, Ophélie se mit en devoir de questionner sa fille.

— C'est lui que tu allais rejoindre chaque fois que tu disparaissais ? Comment l'as-tu rencontré ?

— Je l'ai regardé peindre, un jour, répondit Pip en pleurant. C'est quelqu'un de bien, je le sais.

— Tu ne sais rien de lui, au contraire ! Nous ne connaissons pas cet homme. Qui te dit qu'il ne t'a pas menti de A à Z ? T'a-t-il demandé de le suivre jusque chez lui ? demanda Ophélie, paniquée à l'idée de ce qui aurait pu arriver à sa fille.

— Non ! Non, bien sûr que non ! Il n'a pas non plus essayé de me tuer. Il m'a juste appris à dessiner les pattes arrière de Mousse, c'est tout. Oh, non... il m'a aussi montré comment faire les bateaux.

Ophélie secoua la tête. Les explications de Pip n'entamaient pas sa détermination. A onze ans, pleine de candeur et d'innocence, sa fille était incapable de mesurer les dangers potentiels de ce genre de rencontres. Elle aurait pu être enlevée, violée, torturée... Une nouvelle bouffée de terreur l'envahit.

— Tu n'iras plus le voir, déclara-t-elle d'un ton ferme. A partir d'aujourd'hui, je t'interdis de quitter la maison sans être accompagnée d'un adulte. Si tu refuses d'obéir, nous rentrerons à San Francisco.

— Tu as été très impolie avec mon ami, rétorqua Pip.

La tristesse avait brusquement cédé la place à la colère. Elle avait perdu tellement d'êtres chers, ces derniers temps ! Matt était le premier ami qu'elle se faisait depuis très longtemps.

— Ce n'est pas ton ami, martela sa mère. C'est un inconnu. Ne l'oublie pas. Et cesse de discuter.

Elles firent le reste du chemin en silence. De retour à la maison, Ophélie envoya Pip dans sa chambre, puis elle décida d'appeler Andrea. D'une voix qui trahissait son inquiétude, elle raconta toute l'histoire à son amie, qui l'écouta avec attention. Quand elle eut enfin terminé, Andrea l'interrogea d'un ton très professionnel.

— As-tu l'intention d'avertir la police ?

— Je ne sais pas. Tu crois que je devrais ? Objectivement, il semble tout à fait respectable. Cela dit, l'habit ne fait pas le moine... C'est peut-être un tueur en série, qui sait ? Crois-tu que je pourrais obtenir une injonction pour l'obliger à se tenir à l'écart ?

— Tu n'as pas de raison valable de formuler une telle demande. Il ne l'a ni menacée ni molestée, n'est-ce pas ? Il ne l'a pas non plus obligée à le suivre quelque part ?

— Pip m'a affirmé que non. Mais il était peut-être en train de préparer le terrain...

Malgré les protestations véhémentes de Pip – ou précisément à cause de celles-ci –, Ophélie n'arrivait pas à croire que les intentions de cet homme étaient louables.

Pourquoi aurait-il eu envie de sympathiser avec une fillette de onze ans ?

— J'espère que tu te trompes, fit Andrea d'un ton pensif. Qu'est-ce qui te fait croire qu'il pensait à mal ? Tu viens de me dire qu'il n'avait rien d'un marginal, n'est-ce pas ?

— Qu'est-ce qu'un marginal, de nos jours ? Bon, c'est vrai, il a l'air plutôt normal. Il prétend même avoir des enfants. Mais il peut très bien mentir.

— Il voulait peut-être juste être gentil avec elle ?

— Quel intérêt trouverait un homme à une petite fille de cet âge ? C'est exactement le genre de proie que recherchent ces types-là : jeune et complètement innocente !

— Là, tu marques un point. Mais tu ne sais pas s'il s'agit d'un pédophile. Est-ce qu'il est mignon ? demanda soudain Andrea avec un sourire dans la voix.

Ophélie émit un petit cri offusqué.

— Tu es répugnante !

— Plus important encore, portait-il une alliance ? Il est peut-être célibataire…

— Arrête ça tout de suite, tu veux ? Dois-je te rappeler que ce type copinait tranquillement avec ma fille ? Il est quatre fois plus âgé qu'elle, bon sang, je ne vois pas ce qui peut le pousser à se lier d'amitié avec une gamine. S'il est aussi respectable qu'il en a l'air, il devrait en être conscient, surtout s'il a lui-même des enfants. J'aimerais bien voir comment il réagirait si un homme qu'il ne connaissait pas tentait d'aborder sa fille…

— Pourquoi n'irais-tu pas lui poser la question ? Pour être franche, je le trouve de plus en plus intéressant, ton suspect. Sans le savoir, Pip t'aura peut-être rendu un immense service…

— Certainement pas. Elle s'est mise en danger et il est hors de question que je la laisse se promener sans moi, maintenant. Je ne plaisante pas, tu sais.

— Interdis-lui d'aller le voir ; elle t'obéira.

— C'est déjà fait. Et j'ai prévenu ce type que je n'hésiterais pas à prévenir la police si jamais il s'approchait encore d'elle.

— Si c'est un homme honnête, tes insinuations ont dû beaucoup lui plaire, railla Andrea. Ne t'emballe pas, Ophélie...

Pour une raison qu'elle ignorait, le fameux Matt lui était de plus en plus sympathique. Etait-ce l'intuition féminine ? Toujours est-il que, contrairement à son amie, elle avait la nette impression que cet homme n'avait rien à se reprocher. Il était même probable que les accusations à peine voilées d'Ophélie avaient dû considérablement le contrarier.

— Tu sais, j'ai la ferme intention de rester ici. Je ne supporterais pas qu'il arrive quoi que ce soit à Pip, ajouta-t-elle d'une voix tremblante tandis que des larmes embuaient son regard.

— Je comprends, murmura Andrea, radoucie. Garde un œil sur elle... elle doit se sentir très seule, tu sais.

Un silence accueillit ses paroles. A l'autre bout du fil, Ophélie se laissa tomber sur une chaise et fondit en larmes.

— Je sais, oui... mais je n'y peux rien... Chad est parti, son père est parti... Quant à moi, je vis comme un automate. On n'arrive même plus à communiquer, toutes les deux.

— C'est peut-être pour cette raison qu'elle est allée chercher du réconfort auprès d'un inconnu, fit remarquer Andrea.

— Il semblerait qu'ils dessinent ensemble, expliqua Ophélie en proie à une soudaine lassitude.

L'épisode l'avait bouleversée.

— Je ne vois rien de mal à ça. Et si tu l'invitais à prendre un verre chez toi ? Ce serait l'occasion pour vous de faire connaissance. C'est peut-être un type bien. Il se pourrait même que tu te prennes d'affection pour lui, qui sait ?

Ophélie secoua la tête.

— Je doute qu'il accepte de m'adresser la parole après toutes les horreurs que j'ai proférées aujourd'hui, dit-elle sans pour autant éprouver le moindre regret.

— A ta place, j'irais lui présenter des excuses, dès demain. Explique-lui que tu sors d'une période difficile et que tu es encore sur les nerfs.

— Arrête tes bêtises, Andrea... c'est au-dessus de mes forces. Et de toute façon, qui me dit que je n'ai pas vu juste sur toute la ligne ?

— Très bien, fais comme tu voudras. Si tu veux mon avis, ton dangereux individu est en réalité quelqu'un de tout à fait respectable, qui passe ses après-midi à peindre bien tranquillement sur la plage et qui apprécie la compagnie des enfants, sans aucune arrière-pensée. Ce qui expliquerait pourquoi Pip l'a pris en amitié.

— Ce qui explique également pourquoi je l'ai consignée dans sa chambre.

— Pauvre gosse. C'était juste un moyen pour elle de se distraire un peu, rien de plus.

— Eh bien, à partir d'aujourd'hui, il faudra qu'elle trouve de quoi se distraire autour de la maison.

Ses paroles résonnèrent dans son esprit longtemps après qu'elle eut raccroché. A la vérité, ça ne devait pas être très drôle pour Pip de rester ici toute la journée. Elle n'avait pas de camarades de son âge et elles n'entreprenaient jamais rien ensemble. Leur dernière sortie remontait au jour du décès de Ted et Chad. Depuis, Ophélie n'avait rien fait avec sa fille.

Elle alla frapper à la porte de Pip. Comme elle n'obtenait aucune réponse, elle tourna la poignée, mais quelque chose bloquait l'entrée de la chambre.

— Pip ?

Toujours pas de réponse ; elle frappa de nouveau.

— Pip ? Puis-je entrer, s'il te plaît ?

Après un long silence, une petite voix pleine de larmes s'éleva de l'autre côté de la porte.

71

— Tu as été méchante avec mon ami... tu as été odieuse ! Je te déteste. Va-t'en.

Ophélie demeura immobile, en proie à un terrible sentiment d'impuissance. Mais elle ne regrettait pas sa conduite. Après tout, il était de son devoir de protéger sa fille, que celle-ci le comprenne ou non.

— Je suis désolée, Pip, mais tu ne sais pas qui est cet homme.

— Si, je le sais. C'est quelqu'un de bien. Il a deux enfants qui habitent en Nouvelle-Zélande.

— Il t'a peut-être menti, insista Ophélie, soudain lasse d'argumenter devant une porte close. Sors de là, j'aimerais que nous parlions un peu, toutes les deux.

— Je n'ai rien à te dire. Je te déteste.

— Allons dîner quelque part, nous discuterons en mangeant.

La ville comptait deux restaurants où elles n'avaient jamais mis les pieds.

— Je ne sortirai plus jamais avec toi, rétorqua Pip.

Ophélie se retint de lui faire remarquer qu'elles n'avaient plus personne au monde. Pip n'avait plus que sa mère et elle n'avait plus que sa fille. C'eût été trop bête de se fâcher. Elles avaient besoin l'une de l'autre.

— Ouvre au moins la porte... Je n'entrerai pas, si tu n'en as pas envie. Tu n'as aucune raison de te barricader comme ça...

— Si, justement, répondit Pip d'un ton buté.

Le visage baigné de larmes, elle tenait à la main le dessin de Mousse qu'elle avait fait avec Matt. Il lui manquait déjà et elle était bien décidée à aller le rejoindre les jours où Amy la garderait. Comme elle avait honte des insinuations de sa mère !

Ophélie insista encore un peu, avant de s'avouer vaincue. A son tour, elle se réfugia dans sa chambre. Elles ne dînèrent pas ce soir-là et ce fut finalement la faim qui poussa Pip hors de sa tanière, le lendemain matin. Sans adresser un seul mot à sa mère, elle se prépara une tartine et un bol de céréales qu'elle s'empressa d'emporter dans sa chambre.

De son côté, Matt n'avait pas fermé l'œil de la nuit. Il pensait à Pip, s'inquiétait pour elle. Il aurait aimé aller s'excuser auprès de sa mère, dans l'espoir qu'elle se radoucisse. Malheureusement, il ne savait même pas où elles habitaient. L'idée que Pip sorte de sa vie l'emplissait de tristesse. Il la connaissait à peine, mais elle lui manquait.

La guerre entre Pip et sa mère dura jusqu'au début de l'après-midi, lorsqu'elles s'attablèrent pour un autre repas silencieux. Devant l'expression de sa fille, Ophélie finit par exploser.

— Pour l'amour du ciel, Pip, peux-tu me dire ce que tu lui trouves de spécial ? Tu ne le connais même pas, à la fin !

— Si, je le connais. J'aime bien dessiner avec lui. Ma présence ne le gêne pas. Des fois, on parle, d'autres fois, on ne dit rien. J'apprécie sa compagnie.

— C'est précisément ce qui m'inquiète, Pip. Il pourrait être ton père. Pourquoi un homme de son âge rechercherait-il la compagnie d'une enfant ? Je ne trouve pas ça sain.

— Peut-être que ses enfants lui manquent. Je ne sais pas, moi. Il me trouve peut-être sympa. J'ai l'impression qu'il se sent seul, conclut-elle, évitant d'ajouter qu'elle connaissait bien ce sentiment.

— Si tu tiens vraiment à retourner dessiner avec lui, je pourrais venir avec toi, suggéra Ophélie. En même temps, je doute qu'il soit très heureux de me voir.

Après tout ce qu'elle lui avait jeté à la figure, il n'y avait aucune raison qu'il lui réserve un accueil chaleureux... Comment lui en tenir rigueur ? Elle s'était emportée un peu trop vite, probablement... Aveuglée par une terreur sans nom, elle l'avait accusé à demi-mot de pédophilie. C'était sa fibre maternelle qui avait parlé, certes, mais il n'en demeurait pas moins que ses conclusions avaient été quelque peu hâtives.

Le visage de Pip s'éclaira instantanément.

— Alors j'ai le droit d'aller le voir, maman ? Je te promets que je n'irai pas chez lui... De toute façon, il ne m'a jamais invitée...

Pourquoi l'aurait-il fait ? Ils dessinaient aussi bien sur la plage.

— On verra. Donne-moi un peu de temps pour y penser. Après tout ce que je lui ai dit, il ne voudra peut-être plus te voir, fit observer Ophélie. Il n'a pas dû apprécier, si tu veux mon avis.

— Je lui présenterai des excuses de ta part, promit Pip avec un sourire radieux.

— Demande à Amy de t'accompagner. Ou bien je descendrai avec toi un peu plus tard et je lui présenterai des excuses moi-même. Je crois qu'il le mérite bien.

— Merci, maman ! s'écria Pip, les yeux brillants d'excitation.

Elle venait de regagner le droit de rendre visite à son seul ami.

En fin d'après-midi, la mère et la fille descendirent ensemble à la plage. Folle de joie, Pip sautillait au bord de l'eau, Mousse sur les talons, tandis qu'Ophélie la suivait de loin, plongée dans ses pensées. C'était vraiment pour sa fille qu'elle faisait un tel effort.

Mais lorsqu'elles arrivèrent à l'endroit où Pip le trouvait d'habitude, il n'y avait personne. Aucune trace de Matt ; son chevalet et son tabouret étaient eux aussi invisibles. Encore sous le choc de l'épisode de la veille, il était resté chez lui avec un livre, malgré le ciel bleu. Il n'avait même pas eu le cœur d'aller faire un tour en bateau, ce qui ne lui ressemblait guère.

Assises sur la plage, Ophélie et Pip parlèrent de lui un long moment avant de rebrousser chemin, main dans la main. Pour la première fois depuis longtemps, Pip se sentait de nouveau très proche de sa mère. Et elle se réjouissait que celle-ci ait finalement décidé de s'excuser auprès de Matt.

Posté devant la baie vitrée de son salon, Matt contempla la plage déserte. Des oiseaux survolaient les flots, tandis qu'un chalutier avançait doucement à l'horizon. De vieilles planches de bois flotté avaient encore échoué sur la grève. Il ne vit pas Pip et sa mère assises sur le sable, il ne les vit pas non plus s'éloigner lentement, main dans la main. Elles étaient parties depuis longtemps et la plage était triste et vide. A l'image de sa vie.

5

Peu avant midi le lendemain, Pip annonça à Amy qu'elle allait rejoindre des amis à la plage. Cette fois, elle prit des sandwichs et une pomme, bien décidée à demander pardon à Matt de la part de sa mère. Quand Amy lui demanda si sa mère était d'accord, Pip répondit sans se démonter par l'affirmative. Elle se mit donc en route, tenant à la main un petit sac en papier brun contenant les menus présents qu'elle destinait à Matt, espérant de tout son cœur le trouver à sa place habituelle, après la déception de la veille. Que s'était-il passé ? Son absence était-elle liée à l'intervention de sa mère ? Elle obtint la réponse à sa question dès qu'elle l'aperçut, à l'instant même où elle croisa son regard. Les mots étaient inutiles ; malgré les deux jours écoulés, il semblait encore distant et contrarié.

— Je suis désolée, Matt, débita Pip d'un trait. Ma mère est venue vous présenter des excuses hier, mais vous n'étiez pas là.

— C'était gentil de sa part, répondit-il d'un ton laconique.

Ainsi, Pip avait réussi à lui faire entendre raison... La fillette aurait déplacé des montagnes pour lui et sa détermination l'émut profondément.

— Je suis désolé qu'elle ait mal interprété notre amitié, reprit-il. Etait-elle très en colère, quand vous êtes rentrées ?

— Pendant un moment, oui, admit Pip, soulagée de le voir plus détendu. Elle m'a donné la permission de venir vous voir dès que j'en aurais envie. Elle m'a simplement interdit d'aller chez vous.

— C'est tout à fait normal. Comment as-tu réussi à la faire changer d'avis ? demanda-t-il, piqué dans sa curiosité.

Il était si heureux de la revoir... La mélancolie qui l'habitait depuis deux jours à l'idée de ne plus pouvoir peindre en sa compagnie se dissipa comme par magie. En peu de temps, elle avait pris une place importante dans sa vie. Tel un petit oiseau vif et gai, elle s'était posée sur son cœur sans crier gare. Tous deux s'apportaient mutuellement ce qui leur manquait sur le plan affectif. Elle avait perdu son père et son frère, il avait perdu ses deux enfants. Ensemble, ils comblaient le vide, tout doucement.

— Je me suis enfermée dans ma chambre et j'ai refusé d'en sortir, répondit Pip avec un sourire espiègle. Elle a dû avoir des remords, après ça. Elle s'est montrée injuste avec vous, je suis désolée... Elle n'est plus comme avant. Elle s'inquiète pour un rien et elle se met en colère pour des trucs complètement idiots. Alors que certaines fois, au contraire, on dirait qu'elle se moque de tout. Je crois qu'elle est un peu perturbée.

— Elle est encore sous le choc, déclara Matt dans un élan de compassion. C'est ce qu'on appelle le stress post-traumatique.

Pour des raisons évidentes, la mère de Pip ne lui avait guère fait bonne impression, mais il comprenait ses inquiétudes. Simplement, elle n'aurait pas dû les exprimer avec autant de véhémence. Elle semblait presque au bord de l'hystérie, l'autre jour.

— Qu'est-ce que c'est ? demanda Pip en ouvrant le petit sac en papier pour lui proposer un sandwich. Le truc de la poste dont vous parlez ?

— Merci, fit Matt en acceptant le sandwich soigneuse-ment emballé. Le stress posttraumatique ? C'est ce qui arrive aux personnes qui subissent un très gros choc, c'est ce qu'elles ressentent après coup. Ta mère est encore en état de choc. Ça a dû être terrible pour elle de perdre son mari et son fils en même temps.

— Est-ce que les gens qui souffrent de ça peuvent gué-rir ? Est-ce qu'on peut les soigner ?

Cela faisait neuf mois que cette question trottait dans sa tête, et jusqu'à présent elle n'avait osé la poser à per-sonne, pas même à Andrea. Cette dernière était l'amie de sa mère alors que Matt, lui, était son ami.

— Je crois, oui. Mais ça prend du temps. La trouves-tu en meilleure forme qu'après l'accident ?

— Un peu, oui, répondit Pip sans grande conviction. Elle continue à dormir énormément et elle est beaucoup moins bavarde qu'avant. Elle ne sourit presque plus. Mais elle ne passe plus non plus son temps à pleurer… C'est ce qu'elle faisait au début, murmura-t-elle avant d'ajouter d'un air triste : moi aussi, en fait…

— J'aurais fait la même chose, à ta place. Le contraire eût été étonnant, Pip. Tu as perdu la moitié de ta famille.

Par loyauté envers sa mère, Pip se retint de faire remarquer qu'elle avait parfois l'impression de ne plus avoir de famille du tout.

— Maman était vraiment désolée de vous avoir dit toutes ces horreurs, avant-hier.

— Ce n'est pas grave. Elle avait raison, sur certains points. Par exemple, je suis un inconnu, c'est vrai, et tu ne sais pas grand-chose de moi. J'aurais très bien pu avoir de vilaines idées en tête… Ta mère a eu raison de se montrer soupçonneuse, et tu aurais dû être aussi méfiante qu'elle.

— Pourquoi ? Vous êtes gentil avec moi et vous m'avez même appris à dessiner correctement mon chien.

C'était sympa de votre part. J'ai mis le dessin sur ma table de chevet.

— Et tu le trouves comment ?

— Plutôt réussi.

Un sourire fendit son visage. Dès que Matt eut terminé son sandwich, elle lui tendit la pomme. Il la coupa en deux et lui offrit la plus belle moitié.

— J'ai tout de suite su que vous étiez quelqu'un de bien.

— Pourquoi ? fit-il d'un air amusé.

— Je l'ai senti, c'est tout. Vous avez de beaux yeux.

Et la tristesse qu'elle lisait dans ses yeux, quand il parlait de ses enfants, la touchait profondément. C'étaient des sentiments sincères, émouvants.

— Toi aussi, tu as de jolis yeux. J'aimerais beaucoup faire ton portrait, un jour. Qu'est-ce que tu en dis ?

A la vérité, l'idée lui était venue dès qu'ils s'étaient rencontrés.

— Ça ferait très plaisir à ma mère. Je pourrais même le lui offrir pour son anniversaire.

— C'est quand ?

Bien qu'il éprouvât encore quelques réserves à l'égard de la mère de Pip, il se sentait prêt à tout pour faire plaisir à la fillette. En outre, il brûlait d'envie de la peindre. Elle n'était pas comme les autres... et c'était son amie.

— Le 10 décembre, répondit-elle d'un ton solennel.

— Et toi, quand es-tu née ?

Sa curiosité était insatiable ; Pip lui rappelait tant sa fille, Vanessa. Il éprouvait de l'admiration pour cette gamine courageuse. Elle était encore plus têtue qu'il ne l'avait cru : n'avait-elle pas réussi à convaincre sa mère de venir lui présenter des excuses la veille ? Un véritable exploit, compte tenu de la fureur qui l'habitait deux jours plus tôt. A force d'obstination, Pip était finalement venue à bout de ses réserves.

— Au mois d'octobre.

— Qu'as-tu fait l'an dernier ?

— On est allées au restaurant, avec maman.

Le souvenir de cette horrible journée afflua à son esprit. C'était peu de temps après l'accident qui avait coûté la vie à son père et à son frère. Sa mère avait bien failli oublier et il n'y avait eu ni fête ni gâteau. Pip n'avait eu qu'une envie : que le repas se termine, vite, très vite.

— Vous sortez souvent, avec ta maman ?

— Non. On sortait beaucoup avant. Papa adorait nous emmener au restaurant. Mais moi, je trouve que c'est trop long. Je m'ennuie, admit-elle en haussant les épaules.

— J'ai du mal à le croire. Tu n'as pas l'air du genre à t'ennuyer souvent.

— Je ne m'ennuie jamais avec vous. J'aime bien quand on dessine ensemble.

— Moi aussi, j'aime dessiner avec toi.

Joignant le geste à la parole, il lui tendit un crayon et le carnet de croquis. Cette fois, Pip choisit de dessiner un oiseau, une de ces mouettes pleines d'audace qui avançaient vers eux et s'envolaient à tir d'aile dès que Mousse les repérait. Mais ce n'était pas si facile de dessiner une mouette, Pip eut tôt fait de s'en rendre compte. Finalement, elle se rabattit de nouveau sur les bateaux. Elle avait fait de gros progrès depuis qu'elle dessinait avec Matt. Ses dessins étaient jolis à regarder quand elle choisissait un sujet qui lui plaisait. C'était également vrai pour Matt.

Ils restèrent plusieurs heures sur la plage baignée de soleil. C'était encore une belle journée. Pip n'était pas pressée de rentrer chez elle ; elle se réjouissait de ne plus être obligée de mentir sur ses activités de l'après-midi. Il était 16 h 30 quand elle se leva enfin, aussitôt imitée par Mousse qui, pour une fois, était resté tranquillement couché près d'elle.

— Vous rentrez, tous les deux ? demanda Matt en souriant.

Pip le fixa d'un air interdit, frappée par sa ressemblance avec son père, quand il souriait. Malheureusement, son père ne souriait pas souvent ; c'était quelqu'un de très sérieux, sans doute parce qu'il était très intelligent. Tout le monde le considérait comme un génie, et c'était sans doute vrai. C'est pour cette raison que les gens l'acceptaient tel qu'il était, c'était plus facile comme ça. Parfois, il lui semblait que son père avait le droit de dire et de faire n'importe quoi, simplement parce qu'il possédait une intelligence supérieure.

— En général ma mère rentre à cette heure-ci. Elle est souvent fatiguée après sa réunion. Quelquefois, elle va se coucher directement et dort jusqu'au lendemain.

— Ça doit être dur pour elle.

— Je ne sais pas. Elle ne m'en parle jamais. Peut-être que les gens de son groupe passent leur temps à pleurer... Bon, je reviendrai demain ou jeudi, si ça ne vous dérange pas.

C'était la première fois qu'elle lui demandait son avis. Au fil des jours, ils apprenaient à se connaître et elle se sentait de plus en plus à l'aise avec lui.

— Ça ne me dérange pas, Pip, au contraire. Viens quand tu veux. Et dis bonjour à ta mère de ma part.

Elle hocha la tête et le remercia. Puis, agitant sa petite main, elle s'éloigna en sautillant, tel un joli papillon. Comme toujours, Matt les suivit des yeux, elle et son chien, jusqu'à ce qu'ils ne soient plus que deux ombres sur la plage. Elle était comme un précieux cadeau tombé du ciel. Un petit oiseau qui allait et venait, déployant ses ailes fragiles, avec de grands yeux pleins de mystère. Leurs conversations l'émouvaient et l'égayaient en même temps. Il pensa à sa mère. Quel genre de femme était-elle vraiment ? Et ce père qu'elle considérait comme un génie ? D'après ce qu'elle lui en avait dit, il lui apparaissait comme quelqu'un de taciturne, un brin lunatique. Quant au frère de Pip, lui aussi semblait spécial. Rien à voir, en tout cas, avec le cliché de la gentille petite famille. Pip n'était pas non plus une fillette ordinaire. A bien y réfléchir, ses enfants à lui étaient également exceptionnels, à leur manière. La dernière fois qu'il les avait vus, en tout cas. Cela faisait si longtemps... Au prix d'un effort, il chassa cette triste pensée de son esprit.

Il remonta la dune en direction du cottage. Il aurait aimé l'emmener faire de la voile, lui apprendre à naviguer, comme il l'avait fait avec ses enfants. Vanessa adorait ça ; Robert, lui, n'avait pas du tout accroché. Mais il n'en ferait rien, pour ne pas heurter la mère de Pip. Après tout, elle ne le connaissait pas assez pour lui confier sa fille, et puis il y avait toujours un risque quand on prenait la mer. Il n'avait aucune intention d'aller au-devant des ennuis.

Ophélie venait de franchir le seuil quand Pip arriva à la maison. Comme d'habitude, elle avait l'air épuisée.

— D'où viens-tu comme ça ? demanda-t-elle à sa fille.

— Je suis allée voir Matt. Il m'a chargée de te dire bonjour. J'ai encore dessiné des bateaux aujourd'hui. Je voulais dessiner un oiseau, mais c'était trop difficile.

Elle posa une liasse de feuilles sur la table de la cuisine. Ophélie y jeta un coup d'œil distrait, mais les dessins de sa fille retinrent son attention. A sa grande surprise, Pip avait beaucoup progressé. Chad aussi possédait un don artistique. Elle sentit sa gorge se nouer.

— Je vais préparer quelque chose à manger, si tu veux, proposa Pip.

Ophélie esquissa un pâle sourire.

— Si nous allions manger au restaurant ?

— On n'est pas obligées, tu sais, répondit Pip.

Malgré ses traits tirés, sa mère semblait plus en forme que d'habitude.

— Je sais, mais ce serait sympa, non ? Alors, qu'en dis-tu ? On y va tout de suite ?

Pip ne se fit pas prier, trop heureuse de voir sa mère sortir enfin de sa coquille.

— D'accord !

Une demi-heure plus tard, elles étaient toutes deux assises à une table du Mermaid Café, l'un des deux restaurants de la bourgade. Elles commandèrent des hamburgers qu'elles mangèrent en bavardant joyeusement. C'était leur première sortie depuis leur arrivée à Safe Harbour. Elles rentrèrent ensuite chez elles, heureuses, rassasiées et fatiguées.

Pip alla se coucher tôt, ce soir-là. Le lendemain, elle retourna voir Matt, avec la bénédiction de sa mère. De retour à la maison, elle posa ses dessins du jour sur la table de la cuisine, avec ceux de la veille. A la fin de la semaine, la pile avait considérablement augmenté et la plupart de ses dessins étaient très réussis. Elle avait beaucoup appris grâce à Matt.

Le vendredi matin, elle le rejoignit avec un petit panier pique-nique. Après avoir dessiné un moment, elle alla au bord de l'eau pour ramasser des coquillages. Comme d'habitude, Mousse lui emboîta le pas et Matt les suivit des yeux. Quelques instants plus tard, il la vit reculer brusquement et ne put s'empêcher de sourire. Qu'avait-elle vu ? Une méduse, un crabe ? Mais, au lieu d'aboyer, Mousse se mit à gémir, tandis que Pip s'asseyait sur le sable, en se tenant le pied.

— Ça va ? cria-t-il de loin.

Comme elle secouait la tête, il posa son pinceau et la considéra d'un air intrigué. Elle n'essayait pas de se relever mais restait assise, la tête penchée vers le pied qu'elle continuait à tenir dans ses mains. Quant à Mousse, il n'avait pas cessé de gémir. Matt se dirigea vers elle à grandes enjambées. Pourvu qu'elle n'ait pas marché sur un de ces fichus clous rouillés qu'on trouvait parfois enfouis dans le sable ou dans les vieilles planches de bois qui jonchaient la plage.

En arrivant près d'elle, il aperçut aussitôt l'éclat de verre et la vilaine plaie qui entaillait sa plante de pied.

— Que s'est-il passé ? demanda-t-il en s'accroupissant près d'elle.

Une auréole de sang maculait le sable.

83

— J'ai marché sur une algue... il y avait un bout de verre en dessous, bredouilla Pip, pâle comme un linge.

— Ça fait très mal ? reprit Matt en prenant délicatement son pied dans sa main.

— Pas très, non, mentit-elle bravement.

— Laisse-moi voir ça de plus près.

Matt tenait à s'assurer qu'aucun morceau de verre n'était resté dans la plaie. C'était une coupure à la fois nette et profonde. Pip leva sur lui un regard inquiet.

— Ce n'est pas trop grave, hein ?

— Ça ne le sera plus dès que je t'aurai coupé le pied. Tu verras, tu ne t'en apercevras même pas.

Malgré la douleur, elle ne put s'empêcher de rire.

— Et puis, tu pourras continuer à dessiner avec l'autre pied, ajouta-t-il en la soulevant dans ses bras.

Elle était légère comme une plume, encore plus menue qu'elle ne le paraissait. Matt se rappela les recommandations de sa mère : elle avait interdit à Pip d'aller chez lui, elle s'était montrée très claire sur ce point. D'un autre côté, il ne pouvait pas la laisser repartir avec sa blessure au pied. Le sable ne ferait que creuser la plaie. Elle aurait sans doute besoin de quelques points de suture, mais il se garda bien de l'inquiéter davantage.

— Au risque de contrarier ta mère, je t'emmène chez moi pour nettoyer ton pied, déclara-t-il finalement.

— Ça va faire mal ?

Elle semblait inquiète et il la rassura d'un sourire, en la portant vers la maison, suivi de Mousse. Il n'avait même pas pris le temps de ranger son matériel de peinture.

— Ce sera certainement moins douloureux que la colère de ta mère quand elle apprendra que je t'ai emmenée chez moi, répliqua-t-il pour détendre un peu l'atmosphère.

Ils laissaient des gouttes de sang sur leur passage. Quelques pas de plus et Matt poussa la porte d'entrée. Il se rendit directement à la cuisine. Le sang macula le carrelage. Avec une grande douceur, il la déposa sur une chaise et l'aida à poser son pied sur le rebord de l'évier. En l'espace de quelques instants, le bac se teinta de rouge et quelques gouttes éclaboussèrent le tee-shirt de Matt.

— Est-ce que je vais devoir aller à l'hôpital ? demanda-t-elle sans parvenir à dissimuler son angoisse.

Ses yeux étaient immenses dans son petit visage livide.

— Une fois, Chad s'est ouvert le crâne, il y avait du sang partout et on a dû lui faire plein de points de suture.

La scène resterait à jamais gravée dans son esprit. Chad avait dix ans à l'époque, et elle six. Lors d'une crise aiguë, son frère s'était tapé la tête contre un mur et s'était blessé. Leur mère pleurait toutes les larmes de son corps... Ç'avait été terrible.

— Attends un peu que j'examine ça de plus près.

La plaie n'était pas très jolie. Il la souleva et la fit asseoir sur le rebord de l'évier afin de nettoyer la blessure sous le robinet. Teintée de rouge, l'eau coula dans la cuvette.

— Et maintenant, ma jeune amie, enveloppons ce pied dans une serviette.

Joignant le geste à la parole, il ouvrit un tiroir et prit une serviette propre. Pip en profita pour parcourir la pièce du regard. C'était une cuisine agréable, pleine de charme et de chaleur malgré son petit air vieillot.

— Je vais te bander le pied et ensuite je t'emmènerai chez toi. Ta maman est à la maison, aujourd'hui ?

— Oui.

— Tant mieux. Nous allons prendre la voiture pour éviter que tu marches. Qu'en penses-tu ?

— C'est une bonne idée. Et après, j'irai à l'hôpital ?

— Attendons de voir ce qu'en dira ta mère. Sauf si tu préfères que je te coupe la jambe tout de suite. C'est l'affaire d'une minute si Mousse ne vole pas à ton secours.

85

Assis bien sagement dans un coin de la cuisine, le chien les observait avec attention. Pip gloussa. Elle était encore très pâle et son pied lui faisait mal, même si elle refusait de l'admettre, tel un brave petit soldat.

Après lui avoir soigneusement bandé le pied, Matt la souleva de nouveau dans ses bras. Dans l'entrée, il ramassa ses clés de voiture et sortit de la maison, Mousse sur les talons. Dès qu'il ouvrit la portière, le chien sauta à l'arrière du break. Puis Matt installa Pip. Une tache de sang maculait déjà la serviette qui lui bandait le pied.

— C'est grave, Matt ? demanda-t-elle encore alors qu'ils roulaient.

Matt s'efforça de prendre un air détaché.

— Non, mais ce n'est pas très joli non plus. Les gens sont fous de jeter du verre sur la plage.

L'éclat l'avait coupée à la manière d'un couteau bien aiguisé. A peine cinq minutes plus tard, ils arrivèrent chez Pip, et Matt porta la fillette à l'intérieur, suivi de près par Mousse. Sa mère était au salon. Une expression de stupeur se peignit sur son visage quand elle les aperçut.

— Que s'est-il passé ? Pip, tout va bien ? demanda Ophélie en se précipitant à leur rencontre, l'air affolé.

— Ça va, maman. Je me suis juste coupé le pied.

Matt chercha le regard d'Ophélie. Il ne l'avait pas revue depuis qu'elle l'avait insulté sur la plage.

— Elle va bien ? demanda-t-elle tandis qu'il la déposait sur le canapé et déroulait délicatement la serviette.

— Oui, je crois, mais j'aimerais que vous examiniez la blessure, répondit Matt avec tact.

Il ne voulait pas dire devant Pip qu'il pensait qu'il faudrait lui faire des points de suture, mais Ophélie partagea aussitôt son avis.

— Je préférerais aller voir un médecin, déclara-t-elle après avoir examiné le pied blessé. Tu auras sans doute besoin de quelques points, Pip.

Les yeux de la fillette s'emplirent de larmes.

— Un ou deux, c'est tout, murmura Matt en effleurant ses boucles soyeuses.

Vaincue par les émotions, Pip oublia ses bonnes résolutions et fondit en larmes.

— Ne t'inquiète pas, le docteur appliquera un produit anesthésiant et tu ne sentiras rien. On m'a fait la même chose l'an dernier. Ça ne te fera pas mal, tu verras.

— Ce n'est pas vrai ! s'écria-t-elle d'une voix suraiguë, retrouvant pour une fois une attitude d'enfant. Je ne veux pas qu'on me fasse des points de suture !

Et elle enfouit son visage contre l'épaule de sa mère.

— On trouvera quelque chose de chouette à faire après, promit Matt en cherchant le regard d'Ophélie.

Devait-il les laisser, à présent ? Il ne voulait surtout pas s'imposer. D'un autre côté, Ophélie semblait apprécier sa présence, à l'instar de Pip. Son calme, sa patience et sa gentillesse avaient un effet bénéfique sur la mère et la fille.

— Y a-t-il un médecin, ici ? demanda soudain Ophélie.

— Il y a un cabinet médical derrière l'épicerie. C'est l'infirmière qui travaille là-bas qui m'a recousu l'an dernier. Mais si vous préférez aller en ville, cela ne me dérange pas de vous y conduire.

— Allons déjà voir ce que dit l'infirmière, décida Ophélie.

Comme Pip geignait un peu sur le chemin, Matt se mit en devoir de raconter des blagues qui les amusèrent toutes les deux. Après un examen minutieux de la plaie, l'infirmière fut de l'avis de Matt et Ophélie : quelques points étaient nécessaires pour suturer la plaie. Comme il l'avait expliqué à Pip, l'infirmière lui fit d'abord une piqûre anesthésiante, puis entreprit de recoudre soigneusement la blessure. Il fallut au total sept points de suture que l'infirmière recouvrit ensuite d'un épais pansement, en recommandant à Pip d'éviter de poser le pied par terre pendant quelques jours. Elle retirerait les points la semaine suivante. Quand elle eut terminé, Matt souleva

Pip dans ses bras et la transporta jusqu'à la voiture. Après toutes ces émotions, la fillette était épuisée.

— Je vous invite à déjeuner ? proposa Matt tandis qu'ils roulaient dans la rue principale.

D'une voix à peine audible, Pip déclara qu'elle se sentait un peu barbouillée, et Matt les raccompagna directement chez elles. Il déposa délicatement Pip sur le canapé du salon, pendant que sa mère allumait la télévision. Cinq minutes plus tard, elle dormait comme un loir.

— Pauvre petite, elle s'est bien amochée, murmura Matt. En tout cas, elle s'est montrée très courageuse.

— Merci pour tout, fit Ophélie avec un sourire reconnaissant.

Matt hocha la tête. Il avait peine à croire qu'il s'agissait bien de la femme qui l'avait accablé des pires insultes l'autre jour, sur la plage. Celle-ci était douce et possédait les yeux les plus tristes qu'il ait jamais vus, un peu comme ceux de Pip. D'ailleurs elle semblait aussi mince et fragile que sa fille, tellement vulnérable qu'il eut soudain envie de la prendre dans ses bras. Toutes les souffrances, toutes les peines qu'elle avait vécues étaient inscrites sur son visage et dans ses yeux. Elle n'en demeurait pas moins très belle et paraissait beaucoup plus jeune que son âge.

— Il faut que je vous avoue quelque chose, commença-t-il prudemment, redoutant de déclencher de nouveau sa colère. J'ai emmené Pip chez moi tout à l'heure pour nettoyer sa blessure. Nous ne sommes restés que quelques minutes, juste avant que je la raccompagne ici. C'était nécessaire, elle saignait beaucoup, il fallait que je lave son pied et que je pose un bandage...

— Heureusement que vous étiez avec elle, Matt. Ne vous en faites pas, je comprends. Merci de me l'avoir dit, en tout cas.

— La blessure était plus profonde que je ne le croyais au départ.

— Oui, elle était impressionnante, hein ?

Ophélie avait eu un haut-le-cœur en regardant l'infirmière recoudre la plaie. La même sensation de nausée l'avait assaillie le jour où Chad s'était ouvert le crâne. Quelle journée cauchemardesque ç'avait été... Grâce à Matt, heureusement, l'incident de ce matin avait vite été résolu. Il les avait très rapidement emmenées au cabinet médical et avait tout le temps distrait Pip. Elle comprenait à présent pourquoi sa fille s'était liée d'amitié avec lui. C'était quelqu'un de foncièrement bon.

— Merci encore de votre gentillesse. Vous nous avez été d'un précieux soutien.

— J'aurais préféré que ça n'arrive pas. C'est vraiment dangereux, tous ces morceaux de verre qui jonchent la plage. Dès que j'en vois, je les ramasse. On pourrait éviter tellement d'accidents... conclut-il en jetant un coup d'œil à Pip, endormie sur le canapé.

— Voulez-vous rester déjeuner ? proposa Ophélie à brûle-pourpoint.

Matt hésita.

— Vous devez être fatiguée. C'est terriblement éprouvant de voir ses enfants souffrir.

— C'est vrai, mais je vais bien. Je peux préparer des sandwichs, ce ne sera pas long.

— Vous êtes sûre ?

— Tout à fait. Désirez-vous un verre de vin ?

Il opta plutôt pour du Coca-Cola. Quelques minutes plus tard, les sandwichs étaient prêts. Ils s'assirent l'un en face de l'autre à la table de la cuisine.

— Pip m'a dit que vous étiez française. C'est incroyable, vous n'avez pas du tout d'accent. Votre anglais est parfait.

— J'ai appris l'anglais à l'école et puis j'ai passé plus de la moitié de ma vie ici. J'étais venue faire mes études aux Etats-Unis... et je suis tombée amoureuse d'un de mes professeurs.

— Que veniez-vous étudier ?

— J'ai suivi une prépa de médecine. Mais finalement, je ne me suis jamais inscrite en fac de médecine. Je me suis mariée tout de suite après ma prépa.

Par peur de paraître prétentieuse, elle se garda de préciser qu'elle avait fait ses études à la prestigieuse université de Radcliffe.

— Vous arrive-t-il de regretter de ne pas avoir poursuivi vos études ? demanda Matt, piqué dans sa curiosité.

— Pas le moins du monde. En fait, j'aurais fait un bien piètre médecin. J'ai failli m'évanouir quand l'infirmière a recousu le pied de Pip...

— C'est différent quand il s'agit de vos propres enfants. Pour être franc, je n'étais pas très à l'aise non plus et Pip n'est pas ma fille.

Ophélie esquissa un sourire.

— Pip m'a dit que vos enfants habitaient en Nouvelle-Zélande.

A peine avait-elle terminé sa phrase qu'un voile de tristesse assombrit le regard de Matt.

— Quel âge ont-ils ?

— Seize et dix-huit ans.

— Mon fils aurait eu seize ans au moins d'avril, murmura Ophélie.

Matt changea habilement de sujet.

— J'ai étudié un an à Paris, aux Beaux-Arts. Quelle ville magnifique ! Cela fait plusieurs années que je n'y suis pas retourné mais à une époque j'y allais dès que l'occasion se présentait. Le Louvre est un de mes endroits préférés.

— J'y ai emmené Pip l'an dernier, mais elle n'a pas apprécié du tout. Je crois que c'est encore un peu trop sérieux pour elle. En revanche, elle a adoré la cafétéria qui se trouve au sous-sol... presque plus que le McDonald.

Ils rirent en même temps des références culinaires et culturelles des enfants d'aujourd'hui.

— Vous allez souvent à Paris ? demanda Matt.

— Je passe tous mes étés là-bas, en principe. Cette année est une exception à la règle. J'ai choisi la facilité et le calme. Je passais mes vacances en Bretagne quand j'étais petite et ce coin me rappelle un peu les paysages de mon enfance.

Ils continuèrent à bavarder tranquillement et Matt fut forcé d'admettre qu'Ophélie lui était extrêmement sympathique. Elle était simple, directe et chaleureuse. Elle ne ressemblait en rien à l'image qu'on pouvait avoir de l'épouse d'un homme riche à millions, d'un homme qui avait eu les moyens de s'offrir son propre avion. Humble et modeste, elle semblait avoir la tête sur les épaules. Peu importaient les minuscules diamants qui ornaient ses oreilles et le superbe pull en cachemire noir qu'elle portait avec une élégance naturelle. Ces signes extérieurs de richesse disparaissaient devant sa beauté naturelle et l'infinie douceur qui émanait d'elle. Ophélie était très séduisante. Matt fut touché de voir qu'elle portait encore son alliance, un simple anneau d'or. Sally, elle, s'était vantée de s'en être débarrassée le jour même où elle l'avait quitté. Le fait qu'Ophélie ait gardé la sienne lui apparut comme un témoignage d'amour et de respect pour son défunt mari. Il en conçut une profonde admiration pour elle.

Ils continuèrent à discuter tout en terminant leur repas. Ce fut Pip qui mit un terme à la conversation. Ils se turent en l'entendant s'agiter. Elle gémit légèrement, se tourna de l'autre côté et se rendormit aussitôt. Couché au pied du canapé, Mousse ne bougea pas d'un poil.

— Ce chien l'adore, n'est-ce pas ? fit Matt en souriant.

Ophélie acquiesça d'un signe de tête.

— C'était le chien de mon fils, mais il a vite adopté Pip. Et elle s'est également prise d'affection pour lui.

Un moment plus tard, Matt se leva pour prendre congé. Après l'avoir remerciée pour le repas improvisé, il invita Ophélie à venir le voir sur la plage avec Pip, un jour. Dans la discussion, il lui avait parlé de son voilier et proposé de l'emmener faire un tour quand elle avait avoué sa passion pour la voile.

— Je ne pense pas que Pip puisse marcher avant une bonne semaine, conclut-il d'un ton où perçait une certaine tristesse.

— N'hésitez pas à passer la voir, si vous voulez. Ça lui fera plaisir.

Matt la dévisagea longuement. Dire que quelques jours plus tôt cette femme lui avait interdit de s'approcher de sa fille ! C'était un incroyable revirement de situation, dû en partie à l'obstination farouche de Pip. Devant une telle démonstration d'amitié, Ophélie avait fini par lui faire confiance. Et après la matinée qu'ils venaient de passer, elle éprouvait un mélange de reconnaissance et de sympathie pour Matt. Elle comprenait mieux désormais pourquoi Pip s'était prise d'affection pour lui. A l'évidence, elle avait affaire à un homme sérieux et droit. A l'instar de Pip, elle aussi avait remarqué sa légère ressemblance avec son défunt mari. Tous deux avaient la même taille, la même façon de bouger, la même couleur de cheveux. Leurs traits étaient différents, mais ces similitudes l'emplissaient d'aise.

— Merci encore pour le déjeuner, répéta-t-il poliment.

Ophélie lui donna leur numéro de téléphone et il promit d'appeler avant de passer. Il attendrait quelques jours, le temps que Pip se remette de ses émotions.

En se réveillant, celle-ci fut profondément déçue de voir que Matt était parti. Elle avait dormi quatre heures d'affilée et une douleur sourde traversait son pied blessé. L'infirmière l'avait prévenue qu'elle risquait d'avoir mal lorsque l'anesthésie cesserait d'agir. Ophélie lui donna de l'aspirine, alluma la télévision et la couvrit chaudement. Pip se rendormit sans attendre l'heure du dîner.

Elle dormait encore quand le téléphone sonna. C'était Andrea. Ophélie lui raconta en détail la mésaventure de sa fille et ne tarit pas d'éloges sur la serviabilité et la gentillesse de Matt.

— D'après ce que tu m'en dis, ce type n'a rien d'un satyre. C'est peut-être toi qui devrais le violer, fit Andrea en gloussant. Si ça ne t'intéresse pas, je veux bien m'en charger à ta place.

Depuis la naissance de son bébé, Andrea n'était sortie avec aucun homme et cela commençait à lui manquer. Fidèle à sa réputation de croqueuse d'hommes – elle avait eu de nombreuses aventures dans le cadre de son travail, la plupart avec des hommes mariés –, elle avait déjà repéré un papa célibataire au square.

— Tu devrais l'inviter à dîner, conclut-elle très sérieusement.

— On verra, répondit Ophélie d'un ton délibérément vague.

Elle avait passé un agréable moment en compagnie de Matt, mais elle n'avait aucune intention d'aller plus loin avec lui – avec personne, d'ailleurs. Dans sa tête et dans son cœur, elle se sentait toujours mariée. C'était un sentiment qu'elle avait souvent évoqué au cours de sa thérapie de groupe, et l'idée qu'il puisse en être autrement l'emplissait d'effroi. Elle avait aimé Ted pendant vingt ans et même la mort n'avait pas altéré l'intensité de son amour.

— Je viendrai vous voir dans le courant de la semaine, promit Andrea. Tu n'auras qu'à l'inviter à manger ce jour-là. Je meurs d'envie de faire sa connaissance.

— Tu es écœurante ! s'écria Ophélie en riant.

Elles bavardèrent encore un moment puis, après avoir raccroché, Ophélie porta Pip dans son lit et la borda soigneusement. Elle n'avait pas fait ces gestes depuis une éternité... Elle eut soudain l'impression d'émerger d'un long sommeil. Cela faisait dix mois que Ted et Chad les avaient quittées. C'était incroyable... Il s'était presque écoulé une année depuis que sa vie avait volé en éclats. Elle n'avait pas encore recollé les morceaux, mais elle les ramassait lentement, un par un, et un jour peut-être, tout finirait par rentrer dans l'ordre. Mais elle avait encore un long chemin à parcourir avant que ce jour arrive. La compagnie de Matt lui avait réchauffé le cœur, elle ne pouvait le nier. Cependant, c'était en épouse fidèle et dévouée qu'elle l'avait reçu chez elle, comme un nouvel ami. Contrairement à Andrea, elle n'avait aucune envie de rencontrer un autre homme. A la vérité, elle n'arrivait même pas à concevoir une telle éventualité.

C'était précisément cet état d'esprit qui avait impressionné Matt, alors qu'il était assis en face d'elle à la table de la cuisine. Il avait admiré sa grâce et sa dignité. Il n'y avait pas une once de provocation ni d'agressivité en elle. Après son divorce, il avait ressenti exactement la même chose qu'Ophélie. Il lui avait fallu plusieurs années pour faire le deuil de Sally. L'amour aveugle et passionné qu'il lui avait porté s'était finalement éteint de lui-même. Il ne l'aimait plus, il ne la détestait pas non plus. Ses sentiments pour elle étaient bel et bien morts. Il y avait désormais un vide immense dans son cœur, là où brûlait autrefois son amour.

Tout ce dont il se sentait capable, à présent, c'était d'offrir son amitié à une fillette de onze ans.

6

La semaine de convalescence fut un vrai calvaire pour Pip. Elle passa ses journées allongée sur le canapé du salon, à lire, regarder la télévision et jouer aux cartes quand sa mère s'en sentait le courage – ce qui n'arrivait pas assez souvent à son goût. Elle esquissa aussi quelques dessins sur des feuilles volantes, s'efforçant de refouler la seule envie qui la tenaillait : descendre à la plage pour retrouver Matt... Mais il lui était formellement interdit de marcher pendant une semaine. Pour couronner le tout, le temps était magnifique depuis qu'elle était coincée à la maison, ce qui ne faisait qu'attiser sa frustration.

Au bout de trois jours de ce régime presque carcéral, Ophélie décida d'aller se promener à la plage. Elle marcha longtemps au bord de l'eau, sans but précis, et fut sincèrement surprise en apercevant Matt assis devant son chevalet. Concentré, il était totalement absorbé par son travail. Elle s'arrêta net, aussi hésitante que l'avait été Pip le jour de leur rencontre. Au bout d'un moment, Matt dut se sentir observé, car il se retourna et l'aperçut. Elle se tenait à quelques mètres de lui, parfaitement immobile, exactement comme sa fille. Lorsqu'il lui sourit, elle avança dans sa direction.

— Bonjour ! Comment allez-vous ? Je n'osais pas vous déranger, expliqua-t-elle en esquissant à son tour un sourire timide.

— Vous ne me dérangez pas du tout, répondit Matt d'un ton sincère. C'est toujours agréable de faire une petite pause.

Sa tenue décontractée – un jean et un tee-shirt – mettait en valeur ses longues jambes, ses bras musclés et sa carrure de sportif.

— Comment va Pip ?

— Elle s'ennuie à mourir, la pauvre ! L'immobilité forcée la rend folle et elle meurt d'envie de vous voir.

— Je pourrais lui rendre visite, si vous n'y voyez pas d'inconvénient, suggéra-t-il prudemment.

— Quelle bonne idée !

— J'en profiterais pour lui donner quelques devoirs de vacances.

Un sourire aux lèvres, Ophélie posa les yeux sur le tableau. Il s'agissait d'une mer déchaînée sous un ciel d'orage. D'énormes vagues ballottaient un voilier minuscule, perdu dans la tempête. C'était un tableau puissant et plein d'émotion qui représentait à la fois l'égarement et la solitude, ainsi que la force impitoyable de l'océan.

— C'est très beau, dit-elle sincèrement.

— Merci.

— Vous faites toujours de l'aquarelle ?

— Non ; en fait, je préfère la peinture à l'huile. Et je suis un passionné de portraits.

Ses paroles lui rappelèrent la promesse qu'il avait faite à Pip : réaliser son portrait pour qu'elle puisse l'offrir à sa mère, le jour de son anniversaire. Il aurait voulu s'y atteler avant qu'elle quitte Safe Harbour mais, depuis son accident, il n'avait pas eu l'occasion de reprendre ses premières esquisses. En revanche, il savait déjà de quelle manière il allait la peindre.

— Vous vivez ici toute l'année ? demanda Ophélie.

— Oui. Depuis dix ans.

— Il ne doit pas y avoir grand monde en hiver, fit-elle observer, hésitant à s'asseoir sur le sable.

Bizarrement, elle attendait presque qu'il l'invite à prendre place, comme si cette partie de la plage lui appartenait, comme si c'était son fief ou son atelier privé.

— C'est très calme, en effet, et c'est précisément ce qui me plaît ici.

La majorité des habitants de Safe Harbour étaient des estivants. Quelques personnes vivaient à l'année dans le quartier qui séparait la plage publique de la résidence fermée, mais elles n'étaient pas nombreuses. La bourgade et sa plage prenaient des allures de ville fantôme l'hiver. S'il semblait d'une nature solitaire, Matt ne paraissait pas pour autant malheureux. Au contraire, il se dégageait de lui une certaine sérénité et il semblait parfaitement bien dans sa peau, comme disent les Français.

— Vous allez souvent en ville ? reprit Ophélie.

Pourtant peu loquace, Matt avait le don de mettre à l'aise les gens qu'il rencontrait ; sans doute était-ce ce trait de sa personnalité qui avait séduit Pip.

— Très rarement. Je n'ai plus aucune raison de m'y rendre. J'ai vendu mon entreprise il y a dix ans, juste avant de venir m'installer ici. Au départ, je voulais juste faire une pause avant d'y retourner, mais la vie en a décidé autrement. Et je suis resté ici.

L'argent qu'il avait gagné en vendant son agence de publicité au bon moment l'avait mis à l'abri du besoin, même une fois partagé le fruit de la vente avec Sally. Et le petit héritage qu'il avait reçu de ses parents lui avait permis de s'installer définitivement à Safe Harbour.

En venant ici, c'est vrai, il avait eu dans l'esprit de prendre une année sabbatique avant de monter une nouvelle affaire mais, entre-temps, Sally avait décidé de partir en Nouvelle-Zélande avec les enfants, et Matt avait passé les quatre années suivantes à faire la navette entre les deux pays pour continuer à les voir. Au bout de ce temps, il avait perdu l'envie de se replonger dans le monde des affaires. Il voulait juste peindre, rien d'autre. Il avait fait quelques expositions au fil des ans, mais même ces petits événements avaient fini par le lasser. I n'éprouvait pas le besoin de montrer son travail. Peindr lui suffisait.

— J'aime bien cet endroit, déclara Ophélie e s'asseyant enfin sur le sable, à un bon mètre de Matt.

C'était la distance idéale : elle pouvait à la fois le regar der travailler, parler sans hausser la voix, et n'avait pa non plus l'impression d'envahir son espace vital. Comm Pip, elle le regarda un long moment en silence. Finale ment, ce fut Matt qui prit la parole.

— C'est un coin idéal pour les enfants, dit-il en exami nant son travail avant de lever les yeux sur l'horizon. Il peuvent se promener librement sur la plage, il n'y a qua siment aucun danger ici. C'est tellement plus tranquill qu'en ville.

— En même temps, j'apprécie le fait que ce ne soit pa trop loin de San Francisco, intervint Ophélie. Je peu faire la navette en une journée en laissant Pip ici. A par ça, nous bougeons rarement... nous profitons pleine ment de l'endroit.

— C'est ce que j'aime, moi aussi, renchérit Matt en l gratifiant d'un sourire.

Il hésita un instant avant de céder à la curiosité malgré les informations qu'il avait réussi à glaner auprè de Pip, Ophélie demeurait un mystère pour lui : ell semblait à la fois intelligente, cultivée mais aussi tour mentée, repliée sur elle-même.

— Vous travaillez ? demanda-t-il alors qu'il pressentai déjà la réponse.

— Non. J'ai travaillé autrefois, mais c'était il y a long temps, bien avant que nous nous installions sur la côte Ouest. Les enfants n'étaient pas nés et nous vivions à Cambridge. Je n'ai pas repris le travail après leur nais sance... Quel intérêt ? J'aurais à peine gagné de quoi payer une nourrice. Avant, je travaillais comme assis tante au laboratoire de biochimie de Harvard. J'adorais ça.

C'était Ted qui lui avait obtenu le poste – une véritable aubaine pour Ophélie, qui voulait encore faire médecine. C'était avant qu'elle range ses rêves au placard, définitivement. Ted avait pris leur place en douceur, dans sa tête et dans son cœur : c'était lui et lui seul qu'elle désirait, lui dont elle avait besoin plus que de tout au monde. Très vite, Ted et ses enfants étaient devenus le centre de son petit univers.

— Ce devait être passionnant. Avez-vous l'intention de vous y remettre ? Je veux dire, de reprendre vos études de médecine ?

Ophélie ne put s'empêcher de rire.

— J'ai passé l'âge ! Entre les années d'études, l'internat et la spécialisation, j'aurais dépassé la cinquantaine quand j'obtiendrais enfin le droit d'exercer !

A quarante-deux ans, elle avait abandonné depuis longtemps ses beaux rêves professionnels.

— Certains se lancent quand même dans l'aventure. C'est toujours intéressant.

— Ça l'aurait été à l'époque, j'imagine. Mais je ne regrette rien : j'étais heureuse de soutenir mon mari quand il avait besoin de moi.

Elle ne s'était jamais plainte de rester dans l'ombre de ce mari qu'elle adulait. Au contraire, elle était fière de l'avoir épaulé et encouragé dans les moments difficiles. C'était grâce à son dévouement sans borne que leur mariage avait résisté à l'épreuve du temps. Aux yeux de Ted, elle était un lien précieux avec le monde extérieur. C'était elle qui l'avait poussé à avancer quand les choses allaient mal. Aujourd'hui, elle n'avait plus personne sur qui s'appuyer, à part sa fille.

— Pour être franche, récemment j'ai songé à chercher du travail. Disons plutôt que certaines personnes me l'ont suggéré. Mon groupe de thérapie et mes amis proches, en particulier. Tous pensent que je dois trouver quelque chose à faire pour m'occuper. Il est vrai que je tourne un peu en rond, quand Pip est à l'école.

A présent que son mari et son fils n'étaient plus là, elle se sentait désœuvrée, parfois même inutile. Avec ses problèmes et les nombreux obstacles qu'il devait surmonter, Chad avait pleinement occupé ses journées. Comme Ted, à sa manière. Pip, elle, réclamait moins d'attention : en période scolaire, elle passait ses journées à l'école et ses week-ends avec des amies. Elle était très autonome, pour son âge. Ophélie avait donc beaucoup de temps libre.

— Malheureusement, je ne sais pas vraiment vers quel secteur m'orienter. Je n'ai aucune formation particulière.

— Qu'aimeriez-vous faire ? demanda Matt avec intérêt.

Il lui jeta un coup d'œil par-dessus son épaule. Il n'avait pas cessé de peindre depuis le début de leur conversation et cela convenait parfaitement à Ophélie. Elle se sentait plus libre de parler quand il ne la regardait pas. C'était un peu comme ses séances de thérapie collective.

— Ça va vous paraître idiot, mais je ne sais pas trop. Ça fait tellement longtemps que je n'ai pas écouté mes désirs ! Ma vie était tout entière centrée sur mes enfants et mon mari. Mais Pip semble avoir nettement moins besoin de moi que Ted et Chad.

— Je n'en suis pas si sûr, fit observer Matt d'un ton posé.

Sur le point de lui faire remarquer que Pip lui avait paru très seule, il se ravisa.

— Le bénévolat ne vous intéresse pas ? demanda-t-il.

A en juger par la maison qu'elle avait louée pour les vacances et les quelques informations recueillies auprès de Pip, l'argent n'était pas sa principale motivation.

— Si, j'y ai songé, figurez-vous.

— Pendant quelque temps, j'ai donné des cours de dessin dans un hôpital psychiatrique. Ce fut une expérience unique, extraordinaire. Ces gens-là m'ont appris un tas de choses sur la vie, la patience et le courage. Ils étaient tous formidables. Mais j'ai dû arrêter quand je suis venu m'installer ici.

En réalité, les choses étaient plus compliquées : il avait cessé ses activités à compter du jour où il n'avait plus vu ses enfants et où il avait sombré dans la dépression. Quand enfin il avait entraperçu le bout du tunnel, il n'avait plus eu le cœur de se rendre en ville, préférant goûter aux joies de la solitude à Safe Harbour.

— Les personnes atteintes de troubles mentaux sont bien souvent des êtres exceptionnels, murmura-t-elle d'un ton si pénétré qu'il se tourna vers elle.

Cherchant son regard, il comprit qu'elle connaissait bien le sujet. Ils se considérèrent un moment en silence. Finalement, Matt reporta son attention sur sa toile. Sans qu'il puisse expliquer pourquoi, il eut soudain peur de la questionner. Ophélie prit spontanément la parole.

— Mon fils était maniaco-dépressif. Il souffrait d'une forme aiguë de la maladie. C'était un combat permanent pour lui, mais il a toujours fait preuve d'un courage exceptionnel. Il a tenté de se suicider par deux fois, l'année de son accident.

Ophélie s'était confiée à lui sans hésiter, sensible à ses capacités d'écoute et à sa compassion.

— Pip est au courant ? demanda-t-il, visiblement bouleversé.

— Oui. Ce fut très éprouvant pour elle aussi. C'est moi qui l'ai trouvé la première fois et elle la deuxième... Quel choc...

— Pauvre petite... C'est affreux... Que s'est-il passé ? demanda-t-il en posant sur elle un regard empreint d'une grande douceur.

— La première fois, il s'est ouvert les veines. Dieu merci, il ne s'y est pas pris correctement. La deuxième fois, il a tenté de se pendre... C'est en allant dans sa chambre pour lui demander quelque chose que Pip l'a découvert. Il était déjà tout bleu. Elle a couru me chercher, nous l'avons détaché... mais son cœur ne battait plus. Je lui ai fait du bouche-à-bouche jusqu'à l'arrivée de l'ambulance. Les médecins l'ont sauvé de justesse. Ce fut un vrai cauchemar...

Sa respiration était haletante, sous le choc de ces effroyables souvenirs. Il lui arrivait encore d'en rêver.

— Il allait beaucoup mieux, juste avant l'accident. C'est d'ailleurs pour cette raison que je l'avais envoyé à Los Angeles avec son père, ce jour-là. Ted devait assister à plusieurs réunions là-bas, je pensais que ce serait amusant pour Chad de l'accompagner. Ils passaient si peu de temps ensemble... Ted était toujours très occupé.

Elle s'abstint de préciser que Ted n'avait jamais compris ni même accepté les problèmes de Chad. Les tentatives de suicide de son fils n'avaient rien changé ; à ses yeux, ce n'était qu'une manière d'attirer l'attention, rien de bien inquiétant, en somme.

Fin psychologue, Matt connaissait bien les hommes. Et les enfants.

— Quels étaient ses rapports avec votre fils ? Eprouvait-il des difficultés à accepter sa maladie ?

Elle hésita avant de hocher la tête.

— Oui, c'était très dur pour lui. Ted a toujours cru qu'il finirait par s'en sortir. Pour lui, Chad n'était pas vraiment malade, malgré le diagnostic formel des médecins. Chaque fois que les choses paraissaient aller mieux, il criait victoire. Moi aussi, au début. Et quand les choses dérapaient de nouveau, c'était parce que je le couvais trop ou qu'il lui fallait une petite amie... C'est difficile pour des parents de reconnaître que leur enfant est malade, et que la maladie dont il souffre est incurable. Avec une médication appropriée, du travail et des efforts, les choses peuvent s'arranger temporairement mais les symptômes ne disparaissent jamais complètement. Il faut apprendre à vivre avec.

Elle connaissait bien la question. Contrairement à Ted, elle n'avait jamais refusé de regarder la réalité en face, et la maladie de son fils – si traumatisante fût-elle –

n'avait pas de secret pour elle. Elle avait détecté les troubles de Chad dès son plus jeune âge. Malgré sa finesse d'esprit, son intelligence hors du commun et son charme juvénile, Chad souffrait d'une très grave affection psychologique. Il n'avait pas été facile de cerner le problème, mais Ophélie n'avait jamais baissé les bras, et le diagnostic des psychiatres était enfin tombé. Un diagnostic que Ted s'était empressé de remettre en question : selon lui, les psychiatres n'étaient qu'une bande de charlatans et les tests n'avaient aucune signification concrète. Pourtant, les faits étaient là, bien réels : les tentatives de suicide, les crises de démence, les nuits blanches à répétition et les dépressions en série. Les traitements médicamenteux et les psychothérapies avaient légèrement amélioré son état, sans pour autant éradiquer le problème. Au fil des ans, Ophélie s'était résignée à la triste réalité : Chad serait malade toute sa vie. Seul Ted continuait à se voiler la face. Jamais il ne serait le père d'un enfant handicapé mental... jamais !

Un autre poids pesait sur la conscience d'Ophélie, une faute qu'elle se reprocherait jusqu'à la fin de ses jours : c'était elle qui avait insisté pour que Chad parte à Los Angeles avec son père. Elle avait eu tellement envie de passer du temps avec Pip, d'oublier ses soucis, de se changer un peu les idées. Et cela, jamais elle ne se le pardonnerait. Mais elle ne dit rien à Matt. Elle devrait vivre avec ce poids sur le cœur, toute sa vie.

— Vous avez vécu des moments très douloureux... Ce doit être terrible pour vous d'avoir sauvé votre fils à deux reprises et de le perdre dans un accident stupide.

— C'est le destin, murmura-t-elle simplement. Nous reposons tous entre ses mains, impuissants. Grâce à Dieu, je n'ai pas envoyé Pip avec eux, ce jour-là.

A la vérité, elle n'y avait pas songé un seul instant. Ted s'était déjà montré extrêmement réticent à l'idée d'emmener son fils ; quant à Chad, ce petit séjour ne l'enchantait guère. Mais devant l'insistance d'Ophélie, le

103

père et le fils avaient fini par céder. Ted n'aurait jamais accepté d'emmener Pip : elle était trop jeune et il ne s'intéressait guère à elle. Il s'en était occupé quand elle était encore toute petite, puis le succès était arrivé et il avait volontiers délaissé son rôle de père pour se consacrer entièrement à ses activités professionnelles. Une idée traversait parfois l'esprit d'Ophélie, terriblement douce. Comme il eût été préférable qu'ils prennent tous l'avion, ce jour-là, et qu'ils périssent ensemble... tout simplement.

— Cela ne vous tenterait pas de travailler avec des enfants perturbés ? demanda Matt, dans l'espoir d'apaiser un peu le chagrin qui voilait son regard.

— Je ne sais pas, fit Ophélie en fixant l'océan.

Elle allongea ses jambes.

— Toutes ces années passées auprès de Chad m'ont appris des tas de choses, c'est vrai. Mon expérience serait peut-être utile à d'autres... En même temps, je crains de ne plus avoir la force de me battre sur ce terrain. Pour moi, en tout cas, le combat est terminé. J'aspire à autre chose. Cela va sans doute vous paraître égoïste, mais c'est ce que je ressens.

Qui aurait pu lui en vouloir, après tout ce qu'elle avait subi ? Ophélie était une femme pleine de sagesse et de sincérité, une femme généreuse que le destin avait cruellement frappée. Matt éprouva un nouvel élan de compassion et de respect pour elle. Pip aussi forçait son admiration. Elle avait déjà encaissé beaucoup pour une fillette de son âge.

— Vous avez raison ; vous avez grand besoin de vous changer les idées. Malgré tout, je suis sûr que vous aimeriez travailler avec des enfants. Il y a plein de belles choses à faire avec les jeunes fugueurs, par exemple, ou même les familles démunies, sans domicile fixe.

— Ça doit être intéressant, c'est vrai. Les exclus de la société sont de plus en plus nombreux, tous ces gens qui errent dans les rues, sans ressources ni logement. En

104

France aussi, le phénomène est en train de prendre de l'ampleur. C'est un problème international.

Ils en débattirent un moment, évoquant les problèmes politiques et économiques qui, selon eux, étaient à la source de cela. La conversation s'avéra très enrichissante, même si la solution leur échappait. Une fois de plus, Matt se réjouit d'avoir rencontré Pip et Ophélie. Toutes deux apportaient un rayon de soleil dans sa vie, chacune à sa manière.

Ophélie se leva enfin. Il était temps pour elle de rentrer. Matt lui demanda de saluer Pip de sa part.

— Pourquoi ne lui diriez-vous pas bonjour vous-même ? lança-t-elle en souriant.

Elle avait passé un excellent moment en sa compagnie et ne regrettait pas de lui avoir parlé de Chad. Matt aurait probablement une autre opinion de Pip, maintenant qu'il connaissait les drames qui avaient secoué sa courte vie. Quel lourd fardeau pour une enfant... Pour Ophélie non plus, la vie n'avait pas été facile. Quant à Matt, il avait connu lui aussi bon nombre de revers. La vie n'épargne personne ; passé un certain âge, tout le monde porte ses peines et ses cicatrices, ses chagrins et ses désillusions. Pip, elle, n'avait même pas eu le temps de grandir avant de se heurter à la dure réalité. Ophélie aimait à penser que sa fille en sortirait plus forte et plus attentive aux autres... du moins l'espérait-elle. Ce sont souvent les cicatrices de l'âme qui modèlent un être. Tantôt, elles l'enrichissent... tantôt, elles le brisent. Mais le secret de la vie résiste bien souvent aux attaques du destin, les cicatrices finissent par s'estomper avec le temps, même si le cœur n'oublie jamais. Telle est la vie, dans toute sa réalité. Et pour aimer quelqu'un, que ce soit d'amour ou d'amitié, ne faut-il pas être vrai, entier et authentique ?

— Je l'appellerai, c'est promis, répondit Matt.

Il se sentait coupable de ne pas l'avoir déjà fait ; mais il ne voulait surtout pas les importuner.

— Pourquoi ne viendriez-vous pas dîner à la maison ce soir ? Je ne vous promets pas un repas gastronomique, mais Pip serait ravie de vous voir... et ça me ferait plaisir à moi aussi.

Matt ne put s'empêcher de sourire. C'était l'invitation la plus délicieuse qu'il ait reçue depuis des années.

— C'est une excellente idée. Vous êtes sûre que cela ne vous dérange pas ?

— Au contraire, ce sera un plaisir. Je crois même que je vais faire la surprise à Pip. 19 heures, ça vous va ?

— C'est parfait. Que puis-je apporter ? Des crayons ? Une bouteille de vin ? Une gomme ?

Ophélie partit d'un rire cristallin.

— Venez, ça nous suffira. Pip sera enchantée !

Matt l'était aussi, même s'il s'abstint de le dire. Il se sentait comme un enfant devant un paquet cadeau. Ophélie et Pip étaient deux êtres exceptionnels, deux personnes douces et chaleureuses qui avaient subi de terribles épreuves. Ce qu'Ophélie avait vécu avec son fils ressemblait à un cauchemar quotidien. Face à de tels chocs, leur courage forçait le respect.

— A tout à l'heure, lança-t-il en souriant.

Elle lui adressa un petit signe de la main avant de s'éloigner. Matt la suivit des yeux un long moment. Comme elle ressemblait à Pip...

7

Pip était allongée sur le canapé. Son pied blessé reposait sur un gros oreiller. Elle s'ennuyait. Le carillon de l'entrée retentit soudain et Ophélie alla ouvrir, réprimant de justesse un sourire. Il était pile à l'heure... Vêtu d'un jean et d'un pull à col roulé gris, Matt se tenait sur le seuil, une bouteille de vin à la main. Posant son index sur ses lèvres, Ophélie indiqua discrètement le canapé. Matt entra dans le salon, avec un grand sourire. Dès que Pip l'aperçut, elle poussa un cri de joie et bondit du canapé à cloche-pied.

— Matt !

Un sourire radieux éclaira son visage.

— Comment avez-vous... Que se passe-t-il... ? bredouilla-t-elle en les considérant tour à tour, perplexe.

— J'ai rencontré ta maman sur la plage cet après-midi et elle m'a gentiment invité à dîner ce soir. Et ce pied, comment va-t-il ?

— C'est un incapable, un bon à rien ! J'en ai vraiment assez de lui. Nos séances de dessin me manquent tellement...

Elle avait beaucoup dessiné pour passer le temps, mais elle commençait à se lasser. Privée des conseils de Matt, elle avait l'impression de régresser.

— Je n'arrive même plus à dessiner les pattes arrière de Mousse, avoua-t-elle d'un ton boudeur.

— Je te montrerai encore une fois, fit Matt en lui

tendant un carnet de croquis flambant neuf et une boîte
de crayons de couleur qu'il avait dénichée au fond d'un
tiroir.

Pip les prit en poussant une exclamation ravie. Tout
en bavardant, Ophélie dressa la table pour trois et
déboucha la bouteille de vin français. Bien qu'elle bût
très peu d'alcool, c'était là un de ses crus préférés, qui lui
rappelait son pays.

En un temps record, elle avait mis un poulet au four,
cuit des asperges et du riz sauvage et préparé une sauce
hollandaise. Cela faisait un an qu'elle n'avait pas préparé
de repas aussi élaboré. A sa grande surprise, elle y avait
pris un certain plaisir.

Matt s'attabla, très impressionné par les talents culinaires de son hôtesse.

— Comment, maman, il n'y a pas de pizza surgelée, ce
soir ? plaisanta Pip en s'installant à son tour.

— Je t'en prie, Pip, ne dévoile pas mes petits secrets,
la rabroua Ophélie en souriant.

— C'est aussi l'élément de base de mon régime ali-
mentaire. Avec les sachets de soupe déshydratée, intervint Matt d'un ton amusé.

Il était particulièrement séduisant, ce soir-là. Rasé de
près, bien habillé, les traits reposés. Le parfum à la fois
discret et raffiné de son eau de toilette flottait dans la
pièce. Sa présence était réconfortante. Pour sa venue,
Ophélie avait longuement brossé ses cheveux puis revêtu
un jean et un pull en cachemire noir. Elle ne s'était pas
maquillée depuis un an et portait encore le deuil de son
mari et de son fils. Mais pour la première fois depuis leur
disparition, elle regretta presque de ne pas avoir emporté
de rouge à lèvres dans ses valises. Sa trousse de
maquillage reposait au fond d'un tiroir, dans leur maison
de San Francisco. Jusqu'à ce soir, cela ne lui était jamais
venu à l'esprit. Tous ces artifices lui semblaient tellement
futiles ! Mais, pour la première fois depuis dix mois, elle

e sentait de nouveau femme – comme si elle renaissait
entement à la vie.

Pendant le dîner, la conversation alla bon train. Ils
parlèrent de Paris, d'art et du collège. Pip n'était pas
pressée d'y retourner. Elle fêterait ses douze ans à
l'automne et entrait en cinquième. Elle confia à Matt
qu'elle avait beaucoup d'amis ; mais elle ne se sentait
plus très à l'aise avec eux, depuis le drame. Les parents
de ses camarades étaient presque tous divorcés, mais
aucun d'eux n'avait perdu son père. Elle ne voulait pas
de la pitié des autres ; elle ne voulait pas non plus qu'ils
soient trop gentils avec elle, car cela la rendait encore
plus triste. En fait, elle détestait se sentir différente.
C'était pourtant la réalité.

— Je ne pourrai même plus aller au repas « père-fille »,
expliqua-t-elle d'une petite voix plaintive. Qui m'accompagnerait ?

Ophélie avait déjà songé à cela, sans pour autant trouver de solution. Pip y était allée une fois avec Chad, Ted
ayant été retenu par ses obligations. Mais Chad n'était
plus là non plus.

— Je veux bien t'accompagner, moi, proposa Matt en
jetant un coup d'œil à Ophélie. Si ta maman est
d'accord, bien sûr. Je ne vois pas pourquoi tu n'irais pas
avec un ami... à moins que tu y ailles avec ta mère. Après
tout, rien ne t'oblige à respecter les règles établies. Une
maman vaut bien un papa, non ?

— C'est interdit, quelqu'un a déjà essayé l'an dernier,
répondit Pip.

L'idée de se rendre au dîner avec Matt l'enchantait. Sa
mère hocha la tête en signe d'assentiment.

— Ce serait très gentil de votre part, Matt, dit-elle en
apportant le dessert.

Elle avait préparé des coupes de glace à la vanille – le
parfum préféré de Pip... et de son père – qu'elle avait
recouverte de chocolat noir fondu. Chad et Ophélie pré-
féraient la glace au chocolat truffée de pépites, d'amandes,

de noix et de petits morceaux de marshmallow. Comm
c'était étrange... Les gènes contrôlaient-ils aussi les par
fums de glace préférés ?

— A quelle date a-t-il lieu, ce dîner « père-fille »
s'enquit Matt.

— A la fin du mois de novembre, aux alentours d
Thanksgiving, répondit Pip, les yeux brillants d'excita
tion.

— Tu n'auras qu'à me confirmer la date et je serai là
Je mettrai même un costume pour l'occasion.

Cela ne lui était pas arrivé depuis des lustres ! D'ordi
naire, il vivait en jean et en pull et revêtait parfois s
vieille veste en tweed élimé, souvenir d'une autre époque
Pourquoi s'embêterait-il à mettre des costumes ? Il n
bougeait plus de chez lui depuis des années. Une fois d
temps en temps, un vieil ami venait dîner avec lui, mai
cela se produisait de plus en plus rarement. Sa vie d
reclus lui plaisait et personne dans son entourage n
cherchait plus à le convaincre de sortir de sa tanière. Se
amis avaient fini par se résigner : si telle était sa vrai
nature, à quoi bon lutter ?

Après le dîner, Pip resta encore un long moment ave
eux. Puis elle étouffa un bâillement, gagnée par la fatigue
Elle avait hâte qu'on lui enlève ses points de suture, à l
fin de la semaine, mais elle déplorait de ne pas pouvoi
marcher pieds nus sur la plage avant une autre semaine

— Et si tu chevauchais Mousse ? suggéra Matt d'u
ton espiègle.

La fillette rit de bon cœur. Après s'être mise e
pyjama, elle vint leur souhaiter bonne nuit. Matt avai
allumé un feu dans la cheminée ; Ophélie et lui étaien
assis sur le canapé et goûtaient l'ambiance chaleureus
qui régnait dans la maison. Satisfaite de sa soirée, Pip le
embrassa et alla se coucher. Même Ophélie se sentai
sereine. Il émanait de Matt quelque chose de rassurant
sa présence virile semblait remplir toute la maison

Couché devant la cheminée, Mousse levait les yeux sur lui de temps en temps en remuant joyeusement la queue.

— Vous avez beaucoup de chance, dit-il à Ophélie une fois qu'elle eut fermé la porte de Pip pour ne pas la déranger.

La maison comprenait un vaste salon, une cuisine qui ouvrait sur une salle à manger, et deux chambres. Toutes les pièces communiquaient entre elles ; au bord de la mer, on ne demandait ni luxe ni intimité. Malgré tout, la décoration de la maison n'avait pas été négligée. Ses propriétaires avaient un goût exquis et les tableaux contemporains qui ornaient les murs plaisaient beaucoup à Matt.

— Pip est une enfant merveilleuse.

Il éprouvait un formidable élan d'affection pour cette gamine… Elle lui rappelait tant ses propres enfants ! Et encore, il doutait que les siens soient aussi ouverts et raisonnables, aussi mûrs. En fait, il ignorait ce qu'ils étaient devenus. C'étaient les enfants d'Hamish désormais. Sally y avait veillé.

— C'est vrai, admit Ophélie. Nous avons beaucoup de chance d'être ensemble, ajouta-t-elle en remerciant de nouveau le ciel de ne pas lui avoir pris Pip. Elle est tout ce qu'il me reste. Mes parents et ceux de Ted sont morts depuis longtemps. Nous étions tous les deux des enfants uniques. J'ai quelques cousins éloignés en France et une tante que je n'ai jamais beaucoup appréciée. Je ne l'ai pas vue depuis une éternité. J'aimerais bien continuer à emmener Pip là-bas, afin qu'elle reste en contact avec ses racines françaises, mais je n'y ai plus aucun parent proche. Nous ne sommes plus que toutes les deux.

— C'est peut-être suffisant, fit observer Matt d'un ton posé.

Lui n'avait plus personne. Comme Ophélie, il était fils unique et sa nature solitaire s'était renforcée au fil des ans. Il ne comptait même plus d'amis proches dans son entourage. Les années qui avaient suivi son divorce

111

avaient été trop éprouvantes pour qu'il songe à entretenir ses relations. A l'instar de Pip, il ne voulait ni compassion ni pitié. Sa rupture avec Sally l'avait brisé.

— Avez-vous beaucoup d'amis, Ophélie ? Je veux dire, à San Francisco.

— Quelques-uns, oui. Ted n'était pas très sociable. C'était plutôt un solitaire, totalement absorbé par son travail. Il comptait beaucoup sur ma présence auprès de lui. Moi, j'aimais être à ses côtés quand il avait besoin de moi. Mais ça ne facilitait guère les contacts avec l'extérieur. En dehors de son travail, il n'avait aucune envie de voir des gens. A part une amie dont je me sens très proche, il ne me reste presque plus personne. Au fil des ans, j'ai perdu le contact avec tous les autres, à cause de Ted. Et puis, Chad réclamait énormément d'attention, surtout les derniers temps. Je ne savais jamais à quoi m'attendre avec lui... Il était tantôt euphorique, tantôt si déprimé que je n'osais pas le laisser seul. Je passais tout mon temps à m'occuper de lui, à la fin.

Entre Chad, Ted et Pip, elle n'avait plus une minute à elle. Et du jour au lendemain, elle s'était retrouvée complètement désœuvrée, à tel point qu'elle ne savait plus quoi faire de tout ce temps libre. Pip n'était guère exigeante. Pourtant, Ophélie n'avait pas su lui donner le peu qu'elle demandait. Mais elle se sentait mieux à présent, comme revigorée par ses vacances à la mer, et elle espérait bien remonter la pente au cours des mois à venir. Depuis le drame, elle s'était inconsciemment déconnectée de la réalité et tout se remettait en ordre, lentement mais sûrement. Elle avait l'étrange impression de redevenir humaine. Certains signes ne trompaient pas : rien que le fait qu'elle ait invité Matt à dîner et qu'elle se sente prête à lier connaissance constituait un énorme progrès.

— Et vous ? demanda-t-elle à son tour. Avez-vous beaucoup d'amis en ville ?

— Pas un seul, répondit-il avec un petit sourire. Je n'ai rien fait pour retenir mes amis et ça fait dix ans que ça dure… Je dirigeais une agence de publicité à New York avec ma femme et puis nous nous sommes séparés. Ce fut un divorce assez moche. Nous avons vendu l'affaire et je suis venu m'installer sur la côte Ouest. Au départ, j'habitais San Francisco et j'avais juste pris un petit bungalow à Safe Harbour pour pouvoir peindre au calme le week-end. Je pensais que les choses commençaient à se tasser un peu… En fait, le pire restait à venir. Mon ex était partie vivre en Nouvelle-Zélande, et moi, j'essayais tant bien que mal d'y aller régulièrement pour voir mes enfants. Ce n'était pas évident. Comme je n'avais pas de point de chute là-bas, je séjournais à l'hôtel… J'ai même loué un petit appartement mais, très vite, je me suis senti de trop. Il y a neuf ans, Sally s'est remariée avec un type super, un ami à moi. Il adorait mes enfants, qui le lui rendaient bien. Rien n'était trop beau pour eux : les cadeaux, l'argent… Il avait déjà quatre enfants, ils en ont eu deux autres ensemble. Mes enfants ont vite trouvé leur place au sein de cette famille recomposée. Je ne peux pas leur en vouloir, c'était plutôt excitant. Le temps a passé… Chaque fois que je me débrouillais pour venir les voir à Auckland, ils s'esquivaient : soit ils n'avaient pas de temps à me consacrer, soit ils avaient déjà prévu des sorties entre amis. Comme on dit dans votre pays, j'étais « le cheveu sur la soupe ».

L'expression arracha un sourire à Ophélie. Elle aussi connaissait bien cette sensation. C'était ce qu'elle éprouvait parfois par rapport au travail et aux recherches de son mari. Cette impression de ne pas être à sa place. Un élément superflu du décor… Un bien qu'il aurait possédé sans en avoir réellement besoin.

— Ça a dû être terrible pour vous, murmura-t-elle d'un ton compatissant, touchée par la tristesse qui voilait son regard.

Elle avait en face d'elle un homme qui avait souffert, mais qui semblait avoir pris le dessus. Comme tout le monde, il avait fait son deuil de ce qu'il avait perdu, et ce processus n'était pas indolore. Loin de là.

— Ce fut très dur, en effet, admit-il avec sincérité. Je me suis accroché pendant quatre ans. Je les ai à peine vus lors de mes derniers séjours. Sally m'a expliqué que je perturbais le cours de leur vie. Selon elle, j'aurais dû attendre qu'ils manifestent l'envie de me voir pour venir à Auckland ; le problème, c'est que cela ne se produisait jamais. J'ai continué à les appeler régulièrement... ils n'étaient jamais disponibles pour me parler. A la fin, j'ai décidé de leur écrire, mais ils ne m'ont pas répondu. Ils n'avaient que neuf et sept ans, quand elle s'est remariée. Les deux bébés sont nés au cours des deux années suivantes. Forcément, mes enfants ont suivi le mouvement. J'avais de plus en plus l'impression de les déranger dans leur nouvelle vie. Après une longue réflexion, je leur ai écrit une lettre dans laquelle je leur demandais clairement ce qu'ils désiraient. Ils n'ont jamais répondu. Ce silence a duré un an... un an au cours duquel j'ai continué à leur écrire régulièrement. Je me disais que s'ils voulaient me voir, ils finiraient bien par me demander de venir. J'ai beaucoup bu cette année-là. Et j'ai continué à écrire un an, deux ans, trois ans... sans jamais recevoir de nouvelles d'eux. Un jour, Sally m'a dit, sans prendre de gants, qu'ils ne voulaient plus me voir, mais qu'ils n'osaient pas me le dire. C'était il y a trois ans, et je ne leur ai pas écrit une seule lettre depuis. J'ai baissé les bras. En tout, cela fait six ans que je ne les ai ni vus, ni lus, ni entendus. Mon seul lien avec eux réside dans les chèques que j'envoie encore à Sally pour participer à leur éducation. De son côté, elle m'envoie chaque année une carte de vœux. J'ai renoncé à aller les voir pour leur demander des explications. Ils savent où me trouver s'ils ont besoin de moi. Ils avaient douze et dix ans la dernière fois que je les ai vus, plus ou moins l'âge de Pip...

A cet âge, ce n'est pas facile de trouver le courage d'envoyer balader son propre père. Leur silence fut plus éloquent que des mots. J'ai fini par comprendre. Je me suis incliné. Il m'arrive encore de leur écrire de temps en temps, mais je n'envoie jamais les lettres. Je n'ai pas le droit d'exercer une pression sur eux. Ils me manquent tellement... C'est comme si je n'existais plus pour eux. Pour leur mère, c'est mieux comme ça. Elle me répète qu'ils sont heureux ainsi, qu'ils n'ont pas besoin de moi. Leur beau-père leur suffit. C'est vrai qu'il est formidable... Je l'appréciais beaucoup avant qu'il sorte avec Sally. Enfin, voilà, c'est l'histoire de mes enfants et des dix dernières années de ma vie. Six ans sans eux. Sally se donne tout de même la peine de m'envoyer des photos avec la traditionnelle carte de vœux, afin que je sache à quoi ils ressemblent. Parfois ça me fait du bien... et parfois, ça me fait un mal de chien. J'ai l'impression d'être à la place de ces pauvres femmes qui, pour une raison X ou Y, ont abandonné leur bébé à la naissance. C'est tout ce qu'elles reçoivent elles aussi, un jeu de photos une fois par an. Quand je contemple ces photos avec les huit enfants réunis – ceux du nouveau mari, les miens, les leurs –, il m'arrive de pleurer, confia-t-il sans fausse pudeur. Je me suis retiré de la scène pour leur propre bonheur. Il semblerait que ce soit ce qu'ils désirent... d'après leur mère en tout cas. Robert a dix-huit ans maintenant. Il va bientôt entrer à l'université. Ils mènent une existence dorée à Auckland. Hamish dirige la plus grande agence de publicité de Nouvelle-Zélande. Sally l'aide dans ses fonctions, comme elle le faisait avec moi. Elle est très compétente et déborde d'imagination, même si elle manque un peu de cœur. Mais je crois que c'est une bonne mère. Elle sait ce dont les enfants ont besoin, probablement mieux que moi. Je ne les connais plus, de toute façon. C'est affreux de dire ça, mais je ne suis même pas sûr de les reconnaître si je les croisais dans la rue. C'est tellement déprimant que je préfère ne pas y penser. Il y a quelques années, Sally m'a demandé si je verrais un inconvénient à ce que Hamish adopte officiellement les enfants. Ce fut comme un coup de poignard en plein cœur. Peu importe qu'ils ne veuillent plus me voir, ce sont encore mes enfants et ils le resteront à vie. Bien sûr, je me suis catégoriquement opposé à cette adoption. Je n'ai eu aucune nouvelle d'elle depuis, sauf à Noël. Avant ça, on se téléphonait de temps en temps. Puisque c'est ce qu'ils souhaitent, je me suis retiré de leur vie. Je mène une existence paisible ici. Mais il m'a fallu beaucoup de temps pour me remettre de mon divorce et du silence de mes enfants.

C'était une histoire douloureuse qui expliquait beaucoup de choses au sujet de Matt, songea Ophélie en l'écoutant. Comme elle, il avait perdu ce qu'il avait de plus cher au monde : sa femme, ses enfants, son entreprise. Et il avait choisi de vivre en ermite. Elle, au moins, avait encore Pip... Que serait-elle devenue sans sa fille ?

— Pourquoi avez-vous divorcé ?

S'il ne voulait pas lui répondre, elle n'insisterait pas. Mais après tout ce qu'ils s'étaient dit ce jour-là, un lien solide s'était tissé entre eux. Ils étaient amis, désormais.

Il poussa un soupir avant de prendre la parole.

— Oh, c'est l'histoire classique. Hamish et moi avons fait nos études ensemble. Son diplôme en poche, il est retourné à Auckland. Moi, je suis resté à New York. Nous avons monté nos agences de publicité et instauré une espèce de collaboration à distance. Nous nous partagions les gros budgets internationaux et les affaires, nous prospections ensemble de nouveaux clients. Hamish venait à New York plusieurs fois par an et de notre côté nous allions régulièrement à Auckland. Sally était la directrice de l'agence, elle en était en quelque sorte le cerveau. Elle gérait aussi la partie financière et prospectait la clientèle. Moi, j'étais le directeur artistique. Nous formions une bonne équipe, tous les deux ; nous avions pour clients de très gros annonceurs. Une solide amitié nous unissait, Hamish et moi, et nous sommes partis plusieurs fois en vacances tous ensemble, lui et sa femme, Sally et moi. Une année, nous avions organisé un safari au Botswana. Et puis il y eut cet été fatidique, où nous avions loué un château en France. J'ai dû rentrer plus tôt pour m'occuper d'un dossier urgent, puis la belle-mère d'Hamish est décédée brutalement, ce qui a contraint son épouse à écourter son séjour. Hamish est resté en France et Sally aussi, avec nos enfants. Pour faire court, Hamish et Sally sont tombés amoureux. Quand elle est rentrée à New York un mois plus tard, elle m'a annoncé sans ambages qu'elle me quittait. Elle était amoureuse d'Hamish et ils avaient décidé de vivre leur histoire. Elle avait besoin de temps et de grand air pour tenter d'y voir plus clair. Ce sont des choses qui arrivent, j'imagine. A certains, en tout cas. Elle a ajouté qu'elle ne m'avait jamais vraiment aimé, que nous formions juste une excellente équipe sur le plan professionnel, qu'elle avait eu les enfants comme ça, parce que c'était ce qu'on attendait d'elle. C'est terrible de dire des choses pareilles concernant ses propres enfants. Le pire, c'est que je crois qu'elle le pensait vraiment. Elle se moque complètement des sentiments des autres... ce qui explique sans doute sa réussite professionnelle fulgurante. De son côté, Hamish est rentré chez lui et a raconté la même chose à sa femme Margaret. Tout le reste n'est que détail. Sally est allée s'installer à l'hôtel avec les enfants. Elle a proposé de me vendre ses parts de l'agence, mais je n'avais aucune envie de continuer sans elle. J'étais effondré, je n'avais plus le goût à rien. On a vendu toute l'affaire à prix d'or à un grand groupe. C'était tout ce qu'il me restait après quinze ans de mariage : une petite fortune ; j'avais perdu ma femme, mon boulot, et mes enfants étaient partis vivre à l'autre bout du monde. Elle m'a quitté en septembre, et ils ont pris l'avion pour Auckland le lendemain de Noël. Hamish et elle se sont mariés dès que notre divorce a été

117

prononcé. Au fond de moi, j'espérais qu'elle reviendrait si je la laissais agir à sa guise, sans mettre la pression. C'était idiot de ma part, évidemment, mais on est tous idiots dans ces moments-là. Le jour de son départ, j'étais totalement amorphe. C'est la triste histoire de mon mariage raté. Le pire, c'est que je continue à penser qu'Hamish Greene est un mec bien. Ce n'est plus un ami, évidemment, mais il est drôle, brillant, dynamique. Ils sont heureux ensemble et ils sont à la tête d'une affaire florissante.

De l'extérieur, Ophélie ne put s'empêcher de penser que Matt avait été honteusement trahi par sa femme, par son meilleur ami et peut-être même par ses enfants. On lui avait déjà raconté des histoires de ce style, mais celle-ci était sans doute la plus douloureuse. A part son argent, Matt avait tout perdu et, le plus étrange, c'est qu'il ne semblait pas s'en offusquer outre mesure. En apparence, il n'aspirait qu'à une vie paisible dans son petit bungalow au bord de la plage. Il ne possédait plus rien, hormis cette maisonnette et son talent. Ce qu'ils lui avaient fait était honteux. Ophélie demeura un long moment sans voix, sous le choc.

— C'est une histoire terrible, murmura-t-elle enfin en fronçant les sourcils. Incroyable. Je les déteste tous les deux, sans même les connaître. Les enfants, eux, sont des victimes, comme vous. Si vous voulez mon avis, on les a manipulés pour qu'ils vous rejettent et finissent par vous oublier. C'était le devoir de votre femme de leur permettre de rester en contact avec vous, fit-elle observer avec sagesse.

Matt partageait cette opinion. Aussi étonnant que cela puisse paraître, il n'avait jamais tenu rigueur à ses enfants de l'avoir abandonné. Ils étaient trop jeunes pour porter un jugement objectif sur la situation et il connaissait bien le pouvoir de persuasion de Sally. Elle était capable de faire changer d'avis n'importe qui en un clin d'œil.

— Ce n'est pas dans la nature de Sally, répondit-il simplement. Elle voulait rompre définitivement avec moi ; elle a eu ce qu'elle voulait. Elle obtient toujours ce qu'elle désire, même Hamish s'est plié à sa volonté. Je ne sais pas qui a eu l'idée de faire des enfants, mais ça ne m'étonnerait pas que ce soit Sally. C'est un moyen comme un autre de le retenir auprès d'elle. Hamish est resté un peu naïf, c'est ce que j'aimais en lui. Sally, elle, est très rationnelle, elle calcule tout et obtient toujours ce qui est le mieux pour elle.

— Ce doit être une parfaite garce, déclara Ophélie.

Sa franchise toucha beaucoup Matt. Ça n'avait pas été facile pour lui de parler des moments les plus douloureux de son existence. Ils demeurèrent un moment silencieux, pendant qu'il attisait le feu.

— Avez-vous rencontré quelqu'un depuis ? demanda-t-elle dans un élan d'audace.

— Pas vraiment. Durant les années qui ont suivi le divorce, je n'avais pas le cœur à vivre une nouvelle aventure. J'allais régulièrement à Auckland voir mes enfants, c'était tout ce qui comptait pour moi. Je ne faisais plus confiance à personne. Il y a trois ans, j'ai rencontré une femme ; elle était plus jeune que moi... elle désirait se marier et fonder une famille. Il était hors de question que je coure le risque de tout perdre à nouveau, je n'avais pas la force de relever le défi. En fait, je n'en voyais même pas l'utilité. Elle avait trente-deux ans, j'en avais quarante-quatre à l'époque. Au bout d'un certain temps, elle m'a posé une sorte d'ultimatum. Je ne lui en veux pas. Simplement, je n'ai pas eu le courage de m'engager à long terme, même à ses côtés. Je l'ai laissée partir... elle s'est mariée avec un homme tout à fait charmant, six mois plus tard. Leur troisième enfant est né au début de l'été. C'est fini pour moi, tout ça. Il me reste juste l'espoir de revoir mes enfants un jour, quand ils auront grandi un peu. Je n'ai plus envie de fonder une famille, je n'ai pas envie de m'exposer à une nouvelle déconvenue. Une fois m'a suffi.

Rares étaient ceux qui surmontaient sans séquelle une telle épreuve. Ophélie devinait que ses blessures n'étaient pas complètement refermées. Aussi doux et attentionné qu'il fût, il vivait encore replié sur lui-même et n'avait manifestement aucun désir de s'ouvrir aux autres. Comment lui en vouloir ? Elle comprenait à présent pourquoi il s'était pris d'affection pour Pip. Elle avait à peu près le même âge que ses enfants la dernière fois qu'il les avait vus. Même s'il n'en était pas conscient, il avait un immense besoin de parler, de partager, même avec une fillette de onze ans. Il n'avait rien à perdre avec elle. C'était une amitié pure et innocente, dans laquelle il ne courait aucun risque. Malgré tout, était-ce suffisant pour un homme de quarante-sept ans ? Il méritait tellement plus que ça, songea Ophélie, bouleversée par les confidences de Matt. Mais pour le moment, il ne pouvait pas donner davantage que ce qu'il donnait à la fillette : des conversations anodines et quelques cours de dessin. Pour un homme de son étoffe et de son intelligence, c'était une existence bien terne. Et pourtant, c'était tout ce qu'il désirait.

— Et vous, Ophélie ? A quoi ressemblait votre vie de couple ? J'ai l'impression que votre mari n'était pas quelqu'un de facile à vivre. Les génies le sont rarement, c'est ce qu'ils disent, en tout cas.

Ophélie paraissait au contraire douce et conciliante. D'après ce qu'elle lui avait dit de la relation entre son mari et son fils malade, il avait le sentiment que leur vie de couple n'avait pas dû être rose tous les jours. Il n'avait pas tort, bien qu'Ophélie refusât obstinément de l'admettre.

— Ted possédait une intelligence exceptionnelle ; il était capable de se projeter dans l'avenir avec une facilité déconcertante. Il a toujours su ce qu'il voulait faire et s'est battu pour atteindre son objectif. Rien ni personne n'aurait pu l'en empêcher. Pas même moi, ni les enfants. De toute façon, nous n'en avions aucune envie. Au contraire, j'ai fait tout ce qui était en mon pouvoir pour le soutenir. Finalement, il est parvenu à ce qu'il voulait, il a réalisé ses rêves les plus fous. Les cinq dernières années de sa vie lui ont apporté succès et reconnaissance. C'était merveilleux pour lui.

Mais pas nécessairement pour elle ni pour les enfants, hormis sur le plan matériel.

— Et avec vous, comment était-il ? insista Matt.

Il ne mettait pas en doute l'intelligence et la pugnacité de son mari, ce n'était pas cela qui lui importait. Il voulait surtout savoir quel genre d'homme il avait été, quel genre de mari pour Ophélie. Et il avait la curieuse impression que celle-ci avait esquivé sa question.

— Je suis tombée amoureuse de lui dès que je l'ai vu, commença-t-elle d'un ton empreint de nostalgie. A l'époque, j'étais étudiante et Ted était professeur. J'ai toujours admiré sa vivacité d'esprit, sa détermination. Quand il se fixait des objectifs, des rêves à atteindre, il allait jusqu'au bout, sans jamais baisser les bras. C'est ça qui m'impressionnait chez lui.

Qu'il ait été ou non difficile à vivre ne comptait pas pour elle. Elle l'acceptait tel qu'il était. A ses yeux, il était tout à fait en droit de se comporter ainsi.

— Et vous, Ophélie, à quoi rêviez-vous ?

— Je rêvais de l'épouser.

Elle lui adressa un petit sourire triste.

— C'était tout ce que je désirais. Quand il m'a demandée en mariage, j'ai cru mourir de bonheur. Bien sûr, il y a eu des moments difficiles, des années où nous avions un mal fou à joindre les deux bouts. Quinze ans, en tout. Puis ce fut l'aboutissement de ses efforts et il a gagné tellement d'argent que nous ne savions plus quoi en faire. Mais ce n'était pas important pour nous... pour moi, en tout cas. Je l'aimais autant quand nous n'avions pas d'argent. Les problèmes matériels n'ont jamais abîmé mon amour pour lui, du moment que j'étais à ses côtés.

Elle se tut, plongée dans ses souvenirs. Avec leurs enfants, Ted avait été son soleil et sa lune, le centre de son univers.

— Passait-il du temps avec sa famille ? demanda Matt.

— Parfois. Dès qu'il pouvait se libérer. Il était très occupé, vous savez, il avait des projets tellement plus importants...

Manifestement, Ophélie vénérait son mari comme un dieu, probablement plus qu'il ne le méritait.

— Qu'y a-t-il de plus important qu'une femme et des enfants ? souligna Matt d'un ton posé.

Il était manifestement très différent de Ted, à de nombreux égards, et Ophélie ne ressemblait en rien à Sally. Elle était même l'antithèse de Sally : douce, tendre, honnête, pleine de compassion. Certes, elle était encore enfermée dans son chagrin mais, malgré cela, il sentait qu'il n'y avait pas une once d'égoïsme en elle. Elle était perdue et malheureuse, il connaissait bien ces sentiments pour les avoir éprouvés lui-même. La peine était capable de vous noyer, ce qui expliquait pourquoi elle était moins attentive à sa fille pour le moment. Elle en était consciente et se maudissait de ne pas avoir la force de réagir.

— Les chercheurs sont des êtres à part, répliqua Ophélie avec indulgence. Leurs besoins sont différents des nôtres, leurs perceptions et leur sensibilité affective aussi. Ted n'était pas un homme ordinaire.

Malgré ses explications, Matt n'éprouvait aucune sympathie pour lui. A ses yeux, le Dr Mackenzie était quelqu'un de narcissique et d'égocentrique, qui avait sans doute manqué à tous ses devoirs de père. Avait-il été un bon mari ? Il en doutait aussi. Il était clair cependant qu'Ophélie n'était pas prête à l'admettre. On ne pouvait comparer un divorce à un décès, Matt en était tout à fait conscient ; un époux défunt devenait rapidement parfait pour celui qui restait. Il semblait difficile de garder à l'esprit les défauts et les erreurs d'un mort qu'on avait aimé de tout son cœur. A l'inverse, on ne se souvenait que des côtés horripilants de l'autre quand on divorçait. Et avec le temps, ses défauts grandissaient encore, alors qu'on ne chérissait que les qualités du conjoint défunt, en allant même jusqu'à les exagérer. L'absence devenait alors cruelle, insupportable. Matt ne put s'empêcher de compatir au chagrin d'Ophélie.

Ils bavardèrent longuement ce soir-là, évoquant leurs enfances, leurs mariages, leurs enfants. Le cœur d'Ophélie se serrait lorsque Matt parlait des siens, devenus avec le temps de parfaits étrangers. Elle devinait dans son regard toute la peine qu'il avait eue à les laisser partir. Il avait bien failli en perdre la raison, mais avait finalement perdu sa confiance en l'être humain et son désir d'être avec les autres... les femmes en particulier. C'était un lourd tribut pour deux enfants et un mariage terminé depuis dix ans. Ophélie soupçonnait son ex-femme de lui avoir volé ses enfants en les manipulant habilement. Elle avait du mal à croire que des enfants de cet âge décident de leur plein gré de ne plus voir leur père. Quelque chose ne tournait pas rond dans cette histoire mais, à l'évidence, Matt refusait de s'étendre là-dessus. Il n'avait plus envie de batailler avec sa femme. Pour lui, la guerre était finie, il l'avait perdue, il n'y avait rien à ajouter. Un jour peut-être il reverrait ses enfants, c'était son seul espoir. Un espoir qu'il gardait au fond de lui, mais qui avait cessé de le porter. Désormais, il vivait au jour le jour et se satisfaisait pleinement de son existence spartiate, dans son petit bungalow du bord de mer. Safe Harbour était devenu son refuge.

Sur le point de prendre congé, Matt se souvint tout à coup de la proposition qu'il lui avait faite.

— Vous êtes toujours d'accord pour faire du bateau, Ophélie ?

Une note d'espoir vibrait dans sa voix. Avec la peinture, la voile avait toujours été une passion pour lui.

Cette activité convenait parfaitement à sa nature solitaire.

— Cela fait des années que je n'ai pas mis les pieds sur un bateau mais j'adorais ça, avant. J'en faisais l'été en Bretagne, quand j'étais petite. Et ensuite à Cape Cod, quand j'étais étudiante. Je serais ravie de voir votre voilier et de faire une balade avec vous.

— Dans ce cas, je vous appellerai la prochaine fois que je ferai une sortie, déclara Matt, heureux de partager avec elle une autre de ses passions.

Il savait que tout se passerait bien : elle débordait de vie et d'énergie, et son regard s'était éclairé dès qu'il avait parlé de son bateau.

Ophélie avait fait de la voile avec Ted et quelques-uns de leurs amis dans la baie de San Francisco, mais Ted n'avait jamais apprécié ces promenades en mer. Il se plaignait sans cesse du froid, des embruns et souffrait du mal de mer. Elle adorait naviguer, au contraire, et, bien qu'elle n'en soufflât mot à Matt dans un accès de modestie, elle était un excellent marin.

Il était minuit passé quand il la quitta. Ils avaient passé ensemble une délicieuse soirée. Ils avaient désespérément besoin d'amitié et c'était exactement ce qu'ils venaient de trouver, l'un et l'autre. C'était la seule chose en laquelle ils croyaient encore : l'amitié. Pip leur avait rendu un fier service en les présentant l'un à l'autre.

Après le départ de Matt, Ophélie éteignit les lumières et se dirigea sans bruit vers la chambre de sa fille. Un sourire étira ses lèvres quand elle posa les yeux sur la silhouette endormie. Couché au pied du lit, Mousse resta parfaitement immobile pendant qu'elle approchait à pas de loup. Du bout des doigts, elle repoussa les boucles rousses qui barraient le front de la fillette et se pencha pour l'embrasser.

Petit à petit, la femme qu'elle avait été naguère renaissait de ses cendres.

8

Quelques jours plus tard, quand Ophélie se rendit à sa thérapie de groupe, elle parla de Matt et de la merveilleuse soirée qu'elle avait passée en sa compagnie. Inévitablement, le sujet de la rencontre amoureuse revint sur le tapis. Le groupe comptait douze personnes, âgées de vingt-six à quatre-vingt-trois ans. Toutes avaient perdu un être cher récemment. La plus jeune avait perdu son frère dans un accident de voiture, le plus âgé sa femme de soixante et un ans. Il y avait des maris, des épouses, des sœurs et des enfants. Ophélie se situait à peu près dans la tranche d'âge moyenne. Les drames vécus par certains étaient bouleversants. Il y avait cette jeune femme dont le mari avait été foudroyé par une crise cardiaque à l'âge de trente-deux ans, huit mois après leur mariage, alors qu'elle attendait leur premier enfant. Elle venait d'accoucher et passait le plus clair de son temps à pleurer. Il y avait aussi cette mère qui, totalement impuissante, avait assisté à la mort de son fils, étouffé par une bouchée de pain. La manœuvre de Heimlich était restée sans effet. En plus du chagrin qui lui broyait le cœur, elle devait aussi faire face à un immense sentiment de culpabilité. L'histoire d'Ophélie, le double deuil qu'elle avait dû affronter, n'était pas un cas unique au sein du groupe. Une femme d'une soixantaine d'années avait perdu ses deux fils à trois semaines d'intervalle, tous deux décédés du cancer. Une autre avait perdu son petit-fils de cinq ans, noyé dans la piscine de ses parents. Elle gardait l'enfant quand le drame s'était produit ; c'était elle qui avait découvert le petit cadavre au fond de la piscine. La culpabilité l'avait terrassée, elle aussi. Quant à sa fille et son gendre, ils ne lui avaient pas adressé la parole depuis l'enterrement. Drames, accidents, tragédies... il n'y avait que ça... c'était ce qui composait la vie, ce qui la détruisait aussi. Le lien entre toutes ces personnes passait par la souffrance, la peine et la compassion partagées.

En un mois, Ophélie avait eu largement l'occasion d'évoquer la disparition de Ted et Chad, mais elle n'avait pas beaucoup parlé de son mariage, sauf pour dire qu'elle avait vécu un bonheur parfait auprès de son mari. Elle avait peu parlé des troubles mentaux de Chad et des tensions que cela avait provoquées au sein de la famille, surtout pour Ted qui n'avait jamais accepté la maladie de son fils. Elle était à peine consciente du poids qu'elle avait dû supporter, coincée entre un fils malade et un mari indifférent, avec une petite fille qu'elle devait à tout prix préserver.

Lorsqu'il fut de nouveau abordé, le sujet de la fameuse rencontre amoureuse la laissa froide. Depuis le début de la thérapie, elle s'était montrée claire sur ce point : elle n'avait aucune envie de se remarier, aucune envie de rencontrer d'autres hommes.

L'aîné du groupe s'insurgea aussitôt : elle était bien trop jeune pour renoncer définitivement à l'amour ! Lui avait quatre-vingt-trois ans et, malgré l'immense chagrin qui l'avait anéanti à la mort de son épouse, il espérait rencontrer une autre femme, il l'admettait sans honte.

— Imaginez que je vive jusqu'à quatre-vingt-quinze, voire quatre-vingt-dix-neuf ans ! lança-t-il d'un ton résolument optimiste. Je n'ai pas envie de passer tout ce temps seul. En fait, j'aimerais vraiment me remarier.

Ici, on exprimait librement ses sentiments ; rien n'était choquant ni tabou. La franchise était la seule exigence requise et chacun s'efforçait de s'y conformer. Au sein du groupe, certains exprimaient toute la colère qu'ils nourrissaient envers ces êtres chers qui les avaient abandonnés – une étape normale dans le processus de deuil. Chacun devait faire face à ses angoisses du moment. Jusqu'à présent, Ophélie était totalement prisonnière de sa dépression. Mais, cette semaine-là, tous s'accordèrent à la trouver plus en forme. Elle approuva mais avoua en même temps sa crainte de replonger. Elle leur fit part également de son désir de trouver du travail après l'été. Elle pensait que cela pourrait peut-être l'aider.

Vers quel secteur aimerait-elle s'orienter ? demanda Blake, le thérapeute du groupe. Ophélie avoua qu'elle n'en avait aucune idée. C'était son médecin qui l'avait encouragée à participer à cette thérapie collective lorsqu'elle était allée le voir, épuisée par les longues nuits blanches consécutives aux décès de Ted et Chad. Ophélie avait attendu huit mois avant de s'inscrire. Elle passait alors toutes ses journées à dormir et ne s'alimentait presque plus. Elle savait pertinemment qu'elle était en pleine dépression et que les choses ne s'arrangeraient pas si elle ne se prenait pas en main. Au début, elle avait du mal à admettre qu'elle n'avait pas réussi à s'en sortir seule. A son grand soulagement, tous les membres du groupe étaient comme elle et rares étaient ceux qui remontaient la pente sans aide extérieure. Même les plus lucides finissaient toujours par appeler au secours et, malgré le scepticisme qu'elle avait témoigné au début, Ophélie était bien forcée de reconnaître que ces réunions lui faisaient du bien. Elle pouvait enfin parler à des gens qui comprenaient sa peine, ses sentiments et ses angoisses puisqu'ils en faisaient eux-mêmes l'expérience. Sans fausse pudeur, elle pouvait leur confier à quel point elle s'était détachée de Pip et avouer qu'elle entrait encore très souvent dans la chambre de Chad, juste pour s'allonger sur son lit et respirer l'odeur de son oreiller. Ses compagnons avaient tous fait des choses similaires et éprouvaient à présent les mêmes difficultés à communiquer avec leur conjoint, leurs enfants ou leurs amis. Une femme avait confessé qu'elle n'avait pas fait l'amour avec son mari depuis la mort de son fils, un an plus tôt. C'était au-dessus de ses forces. La franchise et le ton direct qu'ils employaient tous ne cessaient d'impressionner Ophélie. Elle se sentait en sécurité, parfaitement à l'aise au sein du groupe.

L'objectif de la thérapie consistait à refermer doucement les blessures, recoller les morceaux de tous ces cœurs brisés et gérer les soucis de la vie quotidienne. Toutes les semaines, Blake posait à chacun deux questions incontournables : « Est-ce que vous mangez ? Est-ce que vous dormez ? » Il demandait aussi à Ophélie si elle avait pris la peine de s'habiller depuis la dernière réunion. Parfois, leurs progrès étaient si insignifiants qu'un observateur extérieur ne les aurait même pas remarqués. Mais tous savaient à quel point ces petits pas comptaient, quels efforts ils représentaient et quel soulagement ils apportaient à celui qui les avait accomplis. Ils célébraient les menues victoires de certains et compatissaient au chagrin des autres. On devinait vite qui serait le plus tenace, le plus désireux de remonter la pente. Ce n'était en aucun cas un parcours aisé, mais leur simple présence à ces réunions reflétait leur détermination à s'en sortir. Il arrivait parfois qu'on touchât des points tellement sensibles au cours d'une séance que leur moral rechutait de plus belle. Pourtant, il fallait attaquer toutes les facettes de la dépression si l'on voulait la combattre efficacement. Formuler quelque chose à voix haute s'avérait tantôt excitant, tantôt épuisant. Au cours du mois passé, Ophélie avait souvent éprouvé ces deux sensations contradictoires : quand elle sortait d'une réunion, elle se sentait à la fois fatiguée et reconnaissante. Ces séances l'avaient beaucoup aidée, bien plus qu'elle ne l'avait imaginé en s'inscrivant.

Son médecin l'avait orientée vers ce genre de thérapie parce qu'elle avait catégoriquement refusé de prendre des antidépresseurs. En outre, il vouait un profond respect à Blake Thompson, le thérapeute qui dirigeait les séances. Agé d'une bonne cinquantaine d'années et diplômé en psychologie clinique, ce dernier s'occupait depuis presque vingt ans de personnes plongées dans la douleur. C'était un homme sensé et chaleureux, ouvert à toutes les méthodes qui pouvaient s'avérer efficaces. Combien de fois leur avait-il rappelé qu'il n'existait pas qu'une façon de faire son deuil ? Dès qu'ils trouvaient un moyen qui leur convenait, il les soutenait dans leur démarche. Et si, finalement, la tentative se révélait infructueuse, il leur remontait le moral à grand renfort d'encouragements et de nouvelles propositions. D'expérience, Blake savait que les gens qui quittaient le groupe possédaient une vision de la vie plus large et plus riche qu'à leur arrivée. Dans cette optique, il avait proposé des cours de chant à une femme qui venait de perdre son mari, des leçons de plongée sous-marine à un homme dont l'épouse était morte dans un accident de voiture, et une retraite religieuse à une athée convaincue qui sentait poindre en elle un certain mysticisme depuis la disparition de son fils unique. Le vœu de Blake était que tous les participants réussissent à se forger une vie meilleure que celle qu'ils menaient avant qu'il ne les rencontre.

En vingt ans de carrière, il avait obtenu des résultats extraordinaires. La thérapie collective était un défi permanent et s'avérait parfois particulièrement éprouvante mais, à la surprise générale, elle n'était jamais déprimante. Tout ce qu'il demandait aux participants, c'était de se montrer ouverts et tolérants, compréhensifs et respectueux les uns envers les autres. Ce qui se disait au cours des réunions ne devait en aucun cas sortir du groupe. L'autre impératif concernait la durée de la thérapie : quatre mois exactement.

Quelques-uns trouvaient une nouvelle âme sœur au sein du groupe, mais Blake leur déconseillait vivement de se voir en dehors des réunions pendant la durée de la thérapie. Il craignait de les voir se vanter, ou au contraire se dérober, si des liens affectifs se nouaient entre eux. Malgré ses recommandations, certains commençaient à sortir ensemble avant la fin de la thérapie. Là encore, il se plaisait à souligner qu'il n'existait pas de « schéma idéal » concernant les relations amoureuses ni même le mariage.

Il fallait à certains plusieurs années avant de trouver un nouveau compagnon. D'autres n'en trouvaient pas, car telle était leur volonté. Certains encore éprouvaient le besoin d'attendre un an avant de recommencer à sortir ou de se remarier, tandis que d'autres convolaient quelques semaines seulement après le décès de leur conjoint. Selon Blake, une telle précipitation ne signifiait pas qu'on n'avait pas aimé le conjoint défunt ; cela voulait simplement dire qu'on se sentait prêt à tourner la page, à s'engager de nouveau avec quelqu'un. Personne n'avait le droit de juger si c'était bien ou mal. « Nous ne sommes pas la police du chagrin, leur rappelait-il de temps en temps. Nous sommes ici pour nous soutenir et nous aider, certainement pas pour nous juger. » A chacun des groupes qu'il recevait, il confiait son histoire personnelle : il avait choisi cette spécialisation à la mort de sa femme, de sa fille et de son fils, tous trois tués dans un accident de voiture par une pluvieuse nuit d'hiver. Il avait cru mourir en apprenant la nouvelle. En fait, il aurait tout donné pour que sa vie s'arrête aussi. Cinq ans plus tard, il se remariait avec une femme merveilleuse, qui lui avait donné trois enfants. « Je me serais remarié plus tôt, si je l'avais rencontrée avant... mais ça valait la peine d'attendre », concluait-il avec un sourire touchant. Le remariage ne faisait pas partie des objectifs essentiels de la thérapie, mais la question surgissait inévitablement : cruciale pour certains, elle ne présentait aucun intérêt pour d'autres. Parmi ces derniers se trouvaient tous ceux qui, ayant perdu un frère ou une sœur, un parent ou des enfants, avaient encore leur conjoint à leurs côtés. Tous s'accordaient toutefois à dire que la perte d'un être cher, en particulier s'il s'agissait d'un enfant, provoquait souvent de graves tensions au sein du couple. Il était rare d'ailleurs de voir des couples assister ensemble aux réunions ; c'était le plus souvent l'un ou l'autre des conjoints qui venait demander de l'aide, ce que Blake ne cessait de déplorer.

Pour une raison obscure, on parla beaucoup de rencontres et de nouveau départ amoureux ce jour-là, et Blake n'eut guère le temps de parler plus longuement avec Ophélie de son désir de trouver du travail. Comme c'était la deuxième fois qu'elle abordait le sujet, il vint la voir à la fin de la réunion. Il avait une proposition à lui faire, quelque chose qui lui plairait sans doute – du moins l'espérait-il. Elle avait fait de gros progrès depuis son arrivée, même s'il la soupçonnait de ne pas en avoir conscience. Elle était encore tenaillée par un immense sentiment de culpabilité vis-à-vis de sa fille, de son incapacité à renouer le lien affectif qui les unissait avant le drame. Mais Blake avait confiance. Le fait de se détacher des êtres chers restés en vie faisait partie du processus de deuil. Si elle était demeurée à l'écoute des besoins de sa fille, sa capacité émotionnelle serait restée intacte et tout le chagrin qui sourdait au fond d'elle l'aurait terrassée d'un seul coup. Pour se défendre, son affectivité était obligée de se caparaçonner provisoirement ; c'était pourquoi elle ne ressentait plus rien pour personne. Abandonnée au milieu de la tourmente, sa fille souffrait. C'était un problème récurrent qui provoquait de gros dégâts au sein des couples. Le nombre de divorces était très élevé parmi les couples ayant subi la perte d'un enfant. Lorsque ces derniers commençaient à voir le bout du tunnel, ils avaient tout perdu, tout sacrifié : leur mariage, leur conjoint.

Au terme de la réunion, Blake s'approcha d'Ophélie. Serait-elle intéressée pour faire du bénévolat dans un foyer destiné à accueillir les sans-abri ? C'était curieux,

Matt lui avait fait la même suggestion. Ce serait sans doute moins éprouvant pour elle que de travailler dans un hôpital psychiatrique. Elle avait toujours été sensible aux exclus de la société, mais n'avait jamais eu le temps de s'y intéresser réellement du vivant de Ted et Chad.

Elle répondit donc avec enthousiasme et intérêt à la proposition de Blake, qui promit de lui apporter plusieurs adresses de centres d'accueil lors de la réunion suivante. Ophélie y pensa pendant tout le trajet jusqu'à Safe Harbour. Elle devait emmener Pip au cabinet médical dans l'après-midi, afin qu'on lui retire ses points de suture.

Tout de suite après la courte intervention, Pip laissa échapper un rire joyeux. De retour à la maison, elle chaussa aussitôt sa paire de tennis.

— Alors, comment te sens-tu ? demanda Ophélie en contemplant sa fille.

Elle recommençait à apprécier sa présence, et leurs échanges étaient plus spontanés, moins superficiels. Elles n'avaient pas encore tout à fait retrouvé la complicité qui les unissait avant, mais c'était sur la bonne voie. Etait-ce sa conversation avec Matt qui l'avait aidée à reprendre goût aux choses simples qui l'entouraient ? C'était un homme tellement bon, attentif et rassurant ! Lui-même avait tant souffert qu'il comprenait ce que les autres ressentaient, sans pour autant verser dans le mélodrame. Il ne faisait aucun doute que sa thérapie lui apportait également beaucoup de réconfort ; elle appréciait de plus en plus ses compagnons d'infortune.

— Plutôt bien, répondit Pip. Ça me fait juste un petit peu mal.

— Essaie de faire attention, lui conseilla Ophélie d'un ton indulgent.

Pip brûlait d'envie de rejoindre Matt à la plage, Ophélie le devinait. Elle avait toute une liasse de dessins à lui montrer.

— Pourquoi n'attends-tu pas demain ? De toute façon, j'ai bien peur qu'il ne soit trop tard.

Pour la première fois depuis de longs mois, elle lisait à nouveau dans les pensées de sa fille. C'était une sensation grisante, que Pip sembla apprécier elle aussi.

Le lendemain, Pip enfouit dans un sac en papier le carnet de croquis et les crayons que Matt lui avait offerts, avec deux sandwichs. Ophélie résista à l'envie de l'accompagner. Après tout, c'était d'abord l'ami de Pip, elle ne voulait surtout pas donner l'impression de s'imposer. Elle fit un signe à sa fille, qui descendait la dune en tennis pour protéger son pied tout juste cicatrisé. Pour une fois, Pip ne courut pas, longea prudemment la plage et mit plus de temps que d'habitude à rejoindre Matt. Quand elle fut à quelques mètres de lui, il leva son pinceau et lui adressa un sourire éclatant.

— J'espérais bien te voir aujourd'hui. Si tu n'étais pas venue, je t'aurais appelée ce soir. Alors, comment va ce pied ?

— Mieux.

La douleur s'était un peu réveillée après cette longue balade dans le sable, mais Pip aurait marché sur des charbons ardents pour rejoindre son ami.

— Tu m'as manqué, fit Matt, visiblement heureux de la voir.

— Moi aussi. Ça a été l'enfer de rester à la maison pendant toute une semaine. Mousse a détesté ça lui aussi.

— Le pauvre, il a besoin d'exercice, tu penses ! Au fait, j'ai passé une excellente soirée avec vous, l'autre jour. Et je me suis régalé. Ta maman cuisine comme un chef.

— C'était meilleur qu'une pizza, c'est sûr ! renchérit Pip avec un sourire espiègle.

Grâce à Matt, sa mère commençait enfin à sortir de sa torpeur, et Pip lui en était reconnaissante. La veille, Ophélie avait fouillé dans son sac à main pour en extirper un vieux tube de rouge à lèvres, qu'elle avait utilisé avant de partir en ville. Depuis combien de temps ne s'était-elle pas maquillée ? Une éternité aux yeux de Pip, qui se réjouissait de la voir reprendre goût à la vie. Cet été à Safe Harbour aurait été providentiel.

— J'aime beaucoup votre nouveau tableau, dit-elle en contemplant la toile posée sur le chevalet.

Une femme se tenait face à la mer, les yeux rivés sur les flots sombres, comme si elle avait perdu quelqu'un dans cette vaste étendue. Une expression tourmentée voilait son visage. Il y avait quelque chose d'angoissant, de tragique en elle.

— C'est assez triste, mais la dame est jolie. C'est ma maman ?

— Elle m'a probablement inspiré, mais c'est une inconnue. Le tableau reflète plus une méditation, une émotion qu'une personne en particulier. C'est un peu dans la veine d'un peintre nommé Wyeth.

Pip hocha gravement la tête, attentive à toutes ses explications. Elle appréciait leurs conversations, surtout quand elles concernaient les tableaux de Matt. Quelques minutes plus tard, elle s'assit à côté de lui et sortit son carnet et ses crayons.

Comme d'habitude, les heures filèrent sans qu'ils s'en aperçoivent et ils se quittèrent à contrecœur.

— Que faites-vous ce soir, ta maman et toi ? demanda Matt avant qu'ils se séparent. Je voulais l'appeler pour lui demander si vous aviez envie d'aller manger un hamburger en ville. Je vous aurais bien préparé quelque chose, mais je suis nul en cuisine et il ne reste plus une seule pizza au congélateur !

Pip pouffa.

— Je poserai la question à maman en rentrant et elle vous passera un coup de fil.

— Non, rentre tranquillement chez toi. C'est moi qui lui téléphonerai.

134

Elle hocha la tête et s'éloigna. Matt la suivit des yeux. Il fronça les sourcils en la voyant boiter.

— Pip ! appela-t-il.

Elle pivota sur ses talons et il lui fit signe de revenir. C'était une longue marche pour quelqu'un qui s'était blessé au pied, et sa chaussure appuyait douloureusement sur sa cicatrice encore fraîche. Elle revint lentement vers lui.

— Je vais te raccompagner en voiture. J'ai l'impression que ton pied te fait mal.

— Non, non, ça va, objecta-t-elle bravement.

— Ne surestime pas tes forces ou tu risques d'être clouée au lit demain.

Ces paroles achevèrent de la convaincre et elle le suivit sans protester jusqu'à sa voiture, garée derrière le bungalow. Cinq minutes plus tard, il s'arrêtait devant chez elle. Il ne sortit pas de la voiture mais Ophélie l'aperçut par la fenêtre de la cuisine et vint le saluer.

— Elle boitait, dit-il en guise d'explication. J'ai pensé que vous ne m'en voudriez pas de la raccompagner, ajouta-t-il en souriant.

— Bien sûr que non, voyons. C'est très gentil à vous ; merci, Matt. Comment allez-vous ?

— Bien, merci. En fait, j'avais l'intention de vous appeler. Accepteriez-vous de venir dîner en ville ce soir ? Hamburgers et indigestion au menu. Avec un peu de chance, on s'en sortira peut-être indemnes.

— C'est une bonne idée.

Ophélie ne s'était pas encore penchée sur la question du dîner. Bien qu'elle se sente mieux moralement, elle n'avait toujours pas le cœur à préparer de bons petits plats. Elle avait fait une exception le soir où Matt était venu.

— Vous êtes sûr que cela ne vous dérange pas ?

La vie était décontractée ici, en bord de mer. Les repas n'avaient rien de formel, la plupart des vacanciers préparaient des grillades au barbecue, ce qu'Ophélie maîtrisait assez mal.

— Au contraire, ce sera un plaisir. 19 heures, ça vous va ?

— C'est parfait. Merci encore.

Il s'éloigna en agitant la main et fut de retour deux heures plus tard, toujours aussi ponctuel. Sur les conseils de sa mère, Pip s'était lavé les cheveux pour les débarrasser du sable. La chevelure d'Ophélie retombait dans son dos en longues vagues soyeuses tandis que quelques boucles délicates balayaient ses épaules. Elle avait mis une touche de rouge à lèvres, symbole de sa lente résurrection. Ce petit signe suffit à enchanter Pip.

Ils dînèrent au Lobster Pot, où ils commandèrent tous trois une soupe de palourdes et du homard. Renonçant d'un commun accord aux classiques hamburgers, ils s'offrirent un véritable festin et se plaignirent ensuite de ne plus pouvoir bouger. Ce fut une soirée réussie. Ils échangèrent des anecdotes cocasses et des plaisanteries et rirent souvent aux éclats. Ophélie invita Matt à prendre un dernier verre chez elles, mais il ne s'attarda pas. Il avait encore des choses à faire chez lui. Après son départ, Ophélie ne tarit pas d'éloges à son sujet. Il était tellement gentil, tellement agréable... Pip gratifia sa mère d'un sourire espiègle.

— Alors, il te plaît, maman ? Je veux dire... tu sais, en tant qu'homme... ?

Un instant désarçonnée par la question, Ophélie finit par secouer la tête en souriant.

— Ton père a été et restera le seul homme de ma vie. Je ne peux pas m'imaginer dans les bras d'un autre.

Quand elle avait affirmé la même chose au cours de la dernière séance de thérapie, certains membres du groupe n'avaient pas hésité à la pousser dans ses retranchements. A son grand soulagement, Pip n'osa pas faire de même. En revanche, une vive déception se peignit sur son petit visage. Elle appréciait beaucoup Matt, et elle savait que son père ne s'était pas toujours montré tendre avec sa mère. Il s'emportait souvent contre elle et lui lançait des remarques cruelles, surtout quand ils se disputaient au sujet de Chad. Il n'était pas question pour elle de remettre en question l'amour qu'elle portait à son père, mais Matt lui apparaissait comme quelqu'un de beaucoup plus avenant, plus facile à vivre au quotidien.

— Matt est adorable, pourtant, tu ne trouves pas ? insista-t-elle d'une voix pleine d'espoir.

— Oui, oui, je suis d'accord, admit Ophélie en esquissant de nouveau un sourire.

Que Pip essaie de la pousser dans les bras de Matt l'amusait beaucoup. A l'évidence, sa fille le considérait comme un véritable héros.

— Matt deviendra sans doute un bon ami. J'espère que nous continuerons à le voir après les vacances.

— Il m'a déjà dit qu'il viendrait nous voir à San Francisco. Et puis, il doit m'accompagner au dîner « père-fille », tu te souviens ?

— Bien sûr, fit Ophélie en priant pour que Matt tienne sa promesse.

Combien de fois Ted avait-il fait faux bond à ses enfants ? Il détestait assister aux manifestations scolaires. Ce n'était pas sa tasse de thé, voilà tout, même s'il lui arrivait de faire un effort de temps en temps, quand il lui était impossible de se dérober.

— Matt a sans doute un emploi du temps bien rempli, Pip, ajouta-t-elle en reprenant les termes qu'elle utilisait pour excuser Ted, naguère.

Les enfants n'arrivaient pas à comprendre pourquoi leur père ne parvenait jamais à se libérer pour eux.

— Il a promis qu'il serait là, répliqua Pip avec fougue en fixant sur sa mère ses grands yeux pleins de confiance.

Cette fois, Ophélie s'abstint de tout commentaire. Elle ne pouvait qu'espérer que Matt honorerait sa promesse. A ce stade, elle ignorait encore si leur amitié durerait. Mais elle l'espérait de tout son cœur.

9

Andrea leur rendit visite deux semaines avant la fin des vacances. De nouveau enrhumé et sur le point de percer une dent, le petit William se montra grognon et pleura à chaque fois que Pip voulut le prendre dans ses bras. C'était sa maman qu'il voulait, et personne d'autre. Pip décida donc de descendre à la plage. Elle devait poser pour Matt, ce jour-là. Ce dernier voulait réaliser quelques esquisses avant qu'elle s'en aille, pour le portrait qu'il ferait par la suite.

— Alors, quoi de neuf ? demanda Andrea une fois que son bébé se fut enfin endormi.

— Pas grand-chose, répondit Ophélie.

Elles étaient assises sur la terrasse inondée de soleil. L'été touchait à sa fin. Ophélie et Pip savouraient chaque instant de leurs derniers jours de vacances. Andrea coula un regard en direction de son amie. Elle lui sembla plus en forme. Manifestement, les trois mois qu'elle avait passés à Safe Harbour lui avaient fait un bien fou. Elle redoutait le moment où Ophélie devrait regagner San Francisco et sa maison pleine de souvenirs.

— Comment va le voleur d'enfants ? demanda-t-elle d'un ton dégagé.

Ophélie lui avait raconté qu'elle avait sympathisé avec Matt et elle brûlait d'envie d'en savoir davantage. D'après la description de Pip, le mystérieux inconnu débordait de charme. Ophélie, elle, était restée très discrête dans ses commentaires, ce qui n'avait pas manqué d'éveiller la curiosité d'Andrea. Mais celle-ci ne détecta rien de spécial dans son regard. Pas d'étincelle, pas de secret jalousement gardé, aucune culpabilité. Au contraire, Ophélie semblait particulièrement détendue.

— Il est adorable avec Pip, répondit-elle. Nous avons dîné ensemble l'autre soir.

— C'est quand même bizarre, pour quelqu'un qui n'a pas d'enfants, fit observer Andrea.

— Il en a deux.

— Alors tout s'explique. Tu les as rencontrés ?

— Ils vivent en Nouvelle-Zélande, avec son ex-femme.

— Oh-oh, voyez-vous ça. Quel genre de rapports entretient-il avec elle ? Est-ce qu'il la déteste ? Souffre-t-il encore de leur séparation ?

Experte en la matière, Andrea avait rencontré tous les cas de figure dans ce domaine : des hommes trompés, trahis, dupés, abandonnés... des hommes qui, brisés par une expérience malheureuse, détestaient toutes les femmes sans exception. Sans parler de ceux qui souffraient de troubles sexuels, ceux qui avaient perdu des femmes incarnant à leurs yeux la perfection, les vieux garçons et ceux qui omettaient de préciser qu'ils étaient mariés. Des plus âgés, des plus jeunes... Andrea était sortie avec tous. A partir du moment où un homme lui plaisait, elle était prête à faire quelques concessions. Les cœurs brisés s'avéraient parfois d'agréables compagnons... pour un temps, en tout cas. Toujours est-il qu'elle préférait savoir où elle mettait les pieds.

— Je dirais qu'il est encore très affecté par son divorce, répondit Ophélie avec sincérité. Il me fait beaucoup de peine... bien que ce ne soit pas mon problème. Il s'est fait complètement avoir par son ex-femme. Elle a commencé par le tromper avec son meilleur ami, qu'elle a épousé dans la foulée. Ensuite, elle a obligé Matt à vendre leur agence de pub et je la soupçonne d'avoir manipulé ses enfants, qui refusent désormais de voir leur père.

— C'est affreux... Qu'a-t-elle fait d'autre ? Crevé ses pneus et mis le feu à sa voiture ? Que lui a-t-elle laissé, au juste ?

— Pas grand-chose, apparemment. Il semblerait qu'il ait touché beaucoup d'argent en vendant son agence, mais il s'en moque comme d'une guigne.

— Je comprends mieux pourquoi il se montre si gentil avec Pip. Ses enfants doivent lui manquer terriblement.

— C'est évident, murmura Ophélie en repensant à tout ce qu'ils s'étaient dit, le soir où il était venu dîner.

— De quand date son divorce ?

Le ton professionnel d'Andrea lui arracha un petit rire.

— D'une dizaine d'années, je crois. Ça fait six ans qu'il n'a pas vu ses enfants et qu'il n'a plus aucune nouvelle d'eux. Ils l'ont chassé de leur vie, ni plus ni moins.

— Finalement, c'est peut-être bien un satyre... à moins que sa femme ne soit un monstre. J'opterais plutôt pour cette hypothèse. A-t-il rencontré quelqu'un depuis ?

— Oui. Elle voulait se marier et fonder une famille. Il a refusé. Il a été beaucoup trop affecté pour tenter de nouveau l'expérience et ce n'est pas moi qui lui jetterai la pierre. Son mariage s'est soldé par un fiasco complet.

— Oublie-le, décréta Andrea d'un ton catégorique. Crois-moi. Il traîne un passé trop pesant derrière lui... Si tu veux mon avis, il n'est plus bon à rien.

— Pas comme ami, objecta posément Ophélie.

C'était tout ce qu'elle attendait de lui : juste son amitié. Pour les sentiments plus profonds, Ted était là, dans sa tête et dans son cœur. Elle ne désirait personne d'autre.

— Tu n'as pas besoin d'un ami, protesta Andrea. Je suis là, moi. Ce qu'il te faut, c'est un nouvel homme dans ta vie. Et celui-ci est trop amoché. J'en ai croisé des dizaines dans son genre, ils n'arrivent jamais à remonter la pente. Quel âge a-t-il ?

— Quarante-sept ans.

— Dommage. Mais il faut me faire confiance, Ophélie. Tu perdrais ton temps en t'attachant à lui.

— Je ne perds rien du tout, insista Ophélie d'un ton à la fois calme et déterminé. Je ne veux pas d'une aventure. Ni maintenant, ni jamais. Ted est encore là pour moi. Je ne veux personne d'autre.

— Tout n'était pas rose avec lui, Ophélie, tu le sais bien. Je ne voudrais pas réveiller de vilains souvenirs, mais il y a tout de même eu un petit incident, il y a dix ans, si tu te souviens bien...

Leurs regards s'unirent une fraction de seconde, puis Ophélie détourna les yeux.

— C'était un accident de parcours. Une erreur qu'il n'a jamais refaite après.

— Qu'est-ce que tu en sais ? Mais là n'est pas la question. Ted n'était pas un saint, c'était un homme. Un homme extrêmement difficile à vivre, qui t'a donné du fil à retordre. Avec Chad, par exemple. Le monde tournait autour de sa petite personne. Aucune autre femme ne l'aurait supporté aussi longtemps. C'était un génie, je ne le nie pas, mais malgré toute l'affection que je lui portais, malgré ton amour aveugle pour lui, il faut bien reconnaître que c'était parfois un beau salaud. Rien n'était plus important que lui, encore lui, toujours lui. Avoue que ce n'était pas franchement un cadeau.

— Il le fut pour moi, objecta Ophélie d'un ton buté, blessée par les paroles d'Andrea. Je l'ai aimé pendant vingt ans et je continuerai à l'aimer toute ma vie.

— Peut-être. Oh, il t'aimait lui aussi, à sa façon, ajouta Andrea, radoucie.

Elle craignait de s'être montrée trop virulente. Loin de vouloir blesser Ophélie, elle désirait simplement l'aider à se libérer du joug de Ted et des illusions qu'elle nourrissait encore à son sujet. C'était, à ses yeux, le seul moyen de tourner la page pour repartir de zéro. Ophélie et Ted n'avaient pas toujours vécu un bonheur sans nuages. L'incident qu'elle avait rappelé, l'« erreur », comme disait Ophélie, était en réalité une liaison que Ted avait eue un été, alors que son épouse séjournait en France avec les enfants. Le drame avait été évité de justesse. Ted avait bien failli la quitter, et Ophélie en avait eu le cœur brisé. Andrea se demandait souvent s'ils avaient réussi à recoller les morceaux après cela. C'était difficile à dire. Chad était tombé malade peu après et leur relation avait continué à se dégrader. Mais cette brève aventure demeurait le point noir de leur mariage, même si Ophélie avait accepté de pardonner. C'était le genre de liberté que Ted s'octroyait sans scrupule, et pour cause : il se croyait tout permis.

— Le problème, reprit Andrea, c'est que Ted n'est plus là. Il est parti et il ne reviendra pas. Mais toi, Ophélie, tu es encore en vie. Il te faudra sans doute du temps pour faire ton deuil, mais je n'arrive pas à croire que tu envisages de rester seule jusqu'à la fin de tes jours.

— Pourquoi pas ? murmura tristement Ophélie.

S'imaginer avec un autre homme que Ted était au-dessus de ses forces. C'était une question d'habitude, presque de routine. Elle l'avait rencontré à vingt-deux ans ; deux ans plus tard, ils se mariaient. Comment pouvait-on refaire sa vie à quarante-deux ans ? De toute façon, elle n'en avait aucune envie. C'était tellement plus simple d'être seule ! Matt aussi était arrivé à cette conclusion. Ils ressemblaient à deux grands blessés, tous les deux, et ce trait commun les rapprochait davantage encore.

— Tu es trop jeune pour rester seule, insista Andrea.

Elle se faisait la voix de la raison et de l'avenir, tandis qu'Ophélie s'accrochait désespérément au passé – un passé qui, à certains égards, n'avait existé que dans son cœur et son imagination.

— Tôt ou tard, tu seras bien obligée de tourner la page. Tu n'as parcouru que la moitié du chemin, Ophélie, tu ne vas tout de même pas te condamner à la solitude. Ce serait un beau gâchis, si tu veux mon avis.

— C'est ce que je désire, répliqua Ophélie d'un ton buté.

— Je ne te crois pas, personne ne choisit délibérément de vivre seul. En réalité, tu as peur de partir à la rencontre des autres et ce n'est pas moi qui t'en voudrai. Je côtoie ce monde de requins depuis un bon bout de temps et il me fait horreur. Mais je continue à croire qu'un de ces jours, je tirerai le bon numéro. Oui, tôt ou tard, je dénicherai un homme bien sous tous rapports, et toi aussi. Il sera encore mieux que Ted, tu verras.

Ophélie ne fit aucun commentaire. A ses yeux, Ted incarnait la perfection... Mais déjà, son amie poursuivait :

— D'un autre côté, je ne pense pas que ton voleur d'enfants soit la solution. Il a l'air plutôt perturbé. Non, ce n'est pas le genre d'homme qu'il te faut, sauf comme ami, à la rigueur. Ce qui signifie que tu devras, tôt ou tard, reprendre tes recherches.

— Ne t'inquiète pas, je te préviendrai quand je me sentirai prête ; tu pourras inscrire mes coordonnées sur les murs des toilettes publiques ou bien distribuer des tracts. Suis-je bête ? fit-elle soudain en se frappant le front. Il y a bien ce type dans mon groupe qui meurt d'envie de se remarier... C'est peut-être lui qu'il me faut, qui sait ?

— Il se passe des choses tellement bizarres dans ce bas monde, renchérit très sérieusement Andrea. Certaines veuves font des rencontres lors d'une croisière ou à leur cours de peinture, alors pourquoi pas dans une thérapie de groupe ? Au moins, vous auriez plein de choses à partager, tous les deux. Comment s'appelle-t-il ?

— M. Feigenbaum. Il était boucher, avant de prendre sa retraite. Il a quatre enfants, aime l'opéra et le théâtre, fait la cuisine comme un chef... et il a quatre-vingt-trois ans.

— Parfait, fit Andrea en esquissant un sourire espiègle. Je suis preneuse. Il semblerait qu'il ne t'intéresse pas vraiment, je me trompe ?

— Tu as raison, en effet. Mais j'apprécie ta sollicitude.

— Tu n'as encore rien vu, ma chère. J'ai bien l'intention de m'accrocher à toi comme une sangsue.

Ophélie arqua un sourcil faussement dédaigneux.

— Je n'en doute pas un instant, figure-toi.

A cet instant, le bébé se mit à pleurer.

Pendant qu'elles bavardaient tranquillement sur la terrasse, Matt était en train de faire quelques esquisses de Pip, à l'autre bout de la plage. Il prit aussi deux pellicules de photos en noir et blanc. Il avait hâte de commencer son portrait et lui promit encore que tout serait prêt pour l'anniversaire d'Ophélie, et sans doute bien avant.

— Vous allez me manquer, déclara Pip lorsqu'il eut terminé de prendre les photos.

Comme elle regretterait ces longs après-midi tranquilles qu'ils passaient à dessiner et à bavarder ! En peu de temps, Matt était devenu son meilleur ami.

— Tu vas me manquer, toi aussi. Mais je viendrai vous voir à San Francisco. Et puis, une fois que tu auras retrouvé le collège et tous tes amis, tu ne verras pas le temps passer, c'est sûr.

La vie de Pip serait sans nul doute beaucoup plus remplie que la sienne. A son grand étonnement, il s'était attaché à ses visites quotidiennes. Elle lui avait tenu compagnie une bonne partie de l'été.

— Ce n'est pas pareil, répondit Pip.

Leur amitié occupait une place bien à part dans son cœur, et le sentiment qu'elle pouvait compter sur lui l'emplissait de joie. Il était devenu son meilleur ami, son confident et même, à certains égards, un père de substitution. En réalité, il était le père que Ted n'avait jamais été pour elle. Par certains côtés, elle le trouvait même

144

beaucoup plus gentil. Jamais ce dernier n'avait passé autant de temps avec elle et, dans son souvenir, jamais il n'avait été aussi attentionné. Il était toujours énervé et s'emportait facilement, surtout contre sa mère et Chad. Intimidée, Pip prenait soin de ne pas le contrarier. Quand elle était toute petite pourtant, il s'occupait d'elle plus souvent et elle gardait de bons souvenirs de cette époque révolue.

— Vous allez beaucoup me manquer, vraiment, murmura-t-elle de nouveau, au bord des larmes.

— Je viendrai te voir dès que tu en auras envie, répondit Matt. On pourra aller au cinéma ou au restaurant, comme tu voudras, si ta maman n'y voit pas d'inconvénient.

— Elle vous aime bien, elle aussi, déclara Pip avec un pâle sourire.

L'espace d'un instant, Matt fut tenté de la questionner sur la véritable personnalité de son père. Malgré tout ce que lui en avait dit Ophélie, il n'arrivait pas à s'en faire une idée précise. Il lui apparaissait plutôt comme un tyran égoïste, peut-être génial mais dur, et sûrement cruel envers sa femme. Pourtant, il était évident qu'Ophélie l'avait vénéré comme un dieu et qu'elle continuait à l'idéaliser. Mais, pour Matt, les pièces du puzzle refusaient de s'emboîter correctement. La relation qu'il entretenait avec son fils, par exemple, ne cessait de l'intriguer. Et bien qu'elle ne le lui eût pas dit clairement, il avait la sensation qu'il s'était très peu occupé de Pip. Comme de sa femme, d'ailleurs. Malgré ses efforts pour tenter d'y voir plus clair, le tableau demeurait flou. La mort n'arrangeait rien, au contraire ; les proches avaient toujours tendance à gommer les moments difficiles et à embellir le reste. Après une brève réflexion, Matt ravala ses questions. Il ne voulait pas pousser Pip dans ses retranchements.

— Quand reprends-tu l'école ? demanda-t-il plutôt.

— Dans deux semaines. Le lendemain de notre retour à San Francisco.

— Tu verras, tu risques d'être très occupée, dit-il d'un ton qu'il voulait rassurant mais qui ne chassa pas la mélancolie qui assombrissait son regard.

— Je pourrai vous appeler, de temps en temps ?

Il sourit.

— Bien sûr, voyons. Ça me fera très plaisir.

Pip avait fait irruption dans sa vie à la manière d'un petit ange ; grâce à elle, les blessures qu'il portait au fond de lui semblaient moins douloureuses. Comme par enchantement, elle avait comblé un peu du vide laissé par le départ de ses enfants. Et de son côté, Matt avait accompli le même miracle pour elle.

Ils se dirent au revoir, une fois que Matt eut rassemblé son matériel. Pip parcourut lentement la plage en direction de la maison. Andrea s'apprêtait à partir lorsqu'elle arriva.

— Matt allait bien ? demanda Ophélie avec entrain.

— Ça allait, oui. Il te dit bonjour.

— N'oublie pas ce que je t'ai dit, intervint Andrea sur un ton qui fit rire Ophélie.

— M. Feigenbaum est l'homme qu'il me faut, répliqua-t-elle en riant de plus belle.

— N'y compte pas. Les hommes comme lui épousent généralement la sœur ou la meilleure amie de leur défunte épouse dans les six mois qui suivent sa disparition ! Tu seras encore en train de tergiverser dans ton coin longtemps après qu'il se sera remarié. Quel dommage qu'il soit si vieux, tout de même !

— Tu es odieuse, fit Ophélie en enlaçant affectueusement son amie.

Elle posa un baiser sur la joue veloutée de William, puis les raccompagna à la porte.

— Qui est M. Feigenbaum ? s'enquit Pip après le départ d'Andrea.

— Un membre de mon groupe de thérapie. Il a quatre-vingt-trois ans et brûle d'envie de se remarier.

Les yeux de Pip s'arrondirent de stupeur.

— Il veut se marier avec toi ?

— Non ! Et je ne veux pas de lui non plus. Tout va bien, rassure-toi.

Soudain, Pip eut très envie de demander à sa mère si elle épouserait Matt un jour. Ce serait merveilleux... Malheureusement, il y avait peu de chance pour qu'un tel miracle se produise ! Voire aucune. Tant pis... Matt avait promis de venir les voir à San Francisco et c'était déjà une bonne chose.

Ce soir-là, le dîner se déroula tranquillement. Pip confia à sa mère que Matt avait promis de leur téléphoner lorsqu'elles seraient rentrées.

— Il voulait savoir si ça ne te dérangerait pas, ajouta-t-elle.

— Bien sûr que non, affirma Ophélie.

En peu de temps, Matt avait gagné leur confiance, au point de devenir leur ami à toutes les deux. Elle ne se faisait plus aucun souci à son sujet, même si Andrea continuait à l'appeler « le voleur d'enfants » pour plaisanter.

— Ce serait sympa, au contraire. Il pourrait même dîner avec nous, de temps en temps.

— Il a dit qu'il nous emmènerait au restaurant et au cinéma, quand il viendrait.

— Quelle bonne idée ! fit Ophélie en débarrassant la table.

Si Andrea nourrissait pour son amie d'autres ambitions qu'une simple amitié avec Matt, Ophélie, elle, s'en réjouissait. Elles avaient passé un bel été à Safe Harbour. L'inespéré s'était produit : elles s'étaient fait un nouvel ami.

10

Leur dernière semaine de vacances commençait à peine lorsque Matt appela Ophélie pour lui proposer une promenade en bateau. Après deux jours de brouillard, le soleil s'était enfin levé et baignait la plage d'une belle lumière dorée, pour le plus grand plaisir des estivants. Ce fut même la journée la plus chaude de l'année. L'air était si lourd que Pip et Ophélie préférèrent déjeuner à l'intérieur. Elles étaient en train de terminer leurs sandwichs quand le téléphone sonna. Pip dormait à moitié, accablée par la chaleur. Le soleil dardait ses rayons brûlants et, pour la première fois depuis des semaines, elle n'avait pas le courage de rejoindre Matt sur la plage. De toute façon, il n'irait sûrement pas peindre par cette chaleur. C'était plutôt une journée idéale pour aller se baigner ou faire du bateau, comme Matt le fit remarquer à Ophélie au téléphone.

— Ça fait des semaines que je voulais vous le proposer, commença-t-il sur un ton d'excuse en se gardant de lui dire qu'il avait été trop occupé à dessiner Pip pour la surprise qu'ils lui réservaient. Mais il fait tellement chaud aujourd'hui que j'ai très envie de sortir en mer. Voulez-vous vous joindre à moi ?

L'idée enchanta Ophélie. Il faisait trop chaud pour rester sur la terrasse, tandis qu'au large une douce brise balayait l'océan. C'est en constatant que le vent prenait de la force que Matt avait eu l'idée d'une promenade en

148

voilier. Il n'avait pas mis le nez dehors de la journée, absorbé par de nouvelles esquisses de Pip qu'il réalisait de mémoire ou à partir des photos et des croquis amassés au cours des dernières semaines.

— C'est une excellente idée ! s'écria Ophélie. Où se trouve votre bateau ?

— Il est amarré au ponton d'une maison qui donne sur le lagon, en contrebas de la vôtre. Les propriétaires sont rarement là, ils sont partis vivre à Washington l'an dernier et ils m'autorisent volontiers à laisser mon voilier devant chez eux ; ils disent que cela ajoute au charme de l'endroit... Ça tombe bien, n'est-ce pas ?

Il lui indiqua le numéro de la maison et lui donna rendez-vous là-bas dix minutes plus tard. Ophélie fit part de ses projets à Pip. A sa grande surprise, une vive inquiétude se peignit sur le visage de sa fille.

— Tu es sûre que ça se passera bien, maman ? Le bateau est en bon état ? Tu l'as déjà vu ?

L'angoisse qui perçait dans sa voix bouleversa Ophélie. Combien de fois avait-elle ressenti les mêmes appréhensions au sujet de Pip ? La vie leur paraissait tellement fragile, désormais... C'était la raison de son emportement au début de leur séjour, lorsque Pip s'était éclipsée à l'autre bout de la plage, durant plusieurs heures. Elles n'étaient plus que deux : Pip était là pour elle et elle était là pour Pip. Depuis le drame, la notion de danger faisait partie de leur quotidien. Ce n'était plus ce spectre abstrait qu'on chasse d'un revers de la main quand il devient trop pesant. La mort avait définitivement bouleversé leur mode de fonctionnement.

— Je ne veux pas que tu y ailles, murmura Pip d'une voix étranglée alors qu'Ophélie hésitait sur la conduite à tenir.

Pourtant, elles ne pouvaient décemment pas passer leur vie à craindre que le pire se produise. C'était peut-être l'occasion de lui prouver qu'elles pouvaient mener une existence normale sans systématiquement songer au malheur. Elle-même n'éprouvait aucune appréhension. Matt et elle avaient beaucoup parlé de bateau et de voile chaque fois qu'ils s'étaient vus, et il ne faisait aucun doute que Matt était un excellent marin. Il avait même plus d'expérience qu'elle, puisqu'il avait appris à naviguer quand il était enfant et n'avait jamais cessé depuis. Pour sa part, cela faisait une bonne douzaine d'années qu'elle n'avait pas mis les pieds sur un voilier. Mais elle savait qu'elle retrouverait vite les gestes de base. Elle avait appris à faire de la voile dans des eaux beaucoup plus agitées que celles-ci.

— Ne t'inquiète pas, ma chérie, tout se passera bien, déclara-t-elle avec assurance. Tu n'auras qu'à nous regarder partir du ponton.

Ses paroles n'eurent visiblement pas l'effet escompté, au contraire : Pip sembla sur le point de fondre en larmes.

— Tu ne veux pas que j'y aille ?

En acceptant l'invitation de Matt, jamais elle n'aurait imaginé que sa fille réagirait ainsi. Elle avait prévu d'appeler Amy pour qu'elle vienne lui tenir compagnie. Et si Amy avait des choses à faire chez elle, Pip pourrait y aller.

— Et si le bateau chavire ? fit Pip d'une toute petite voix.

Ophélie s'assit près d'elle et l'attira doucement sur ses genoux.

— Je sais nager, l'aurais-tu oublié ? Matt aussi. Mais, si tu préfères, je lui demanderai de me prêter un gilet de sauvetage.

Pip réfléchit un instant avant d'acquiescer d'un signe de tête.

— D'accord.

Tout à coup, son petit visage se crispa de nouveau.

— Et si un requin attaque le bateau ?

Il n'était pas rare d'apercevoir des requins dans les environs – à quoi bon le nier ? –, mais il n'y avait eu aucune alerte cet été-là.

— Tu regardes trop la télévision, ma chérie. Tout ira bien, je te le promets. J'ai juste envie d'aller faire un petit tour en bateau avec Matt. Tu veux venir avec nous ?

Ophélie ne le lui avait pas proposé plus tôt pour des raisons qui, sans qu'elle en ait pleinement conscience, ressemblaient à celles de Pip, ce qui lui parut tout à coup complètement absurde. Outre le fait que Pip n'était pas très à l'aise dans l'eau, elle n'avait jamais montré beaucoup d'intérêt pour la voile. D'ailleurs, sa fille secoua la tête au moment où elle lui posa la question.

— Tu sais quoi ? Je vais demander à Matt de me ramener dans une heure. C'est une journée splendide, nous serons de retour avant même que tu t'aperçoives de notre absence. Que dis-tu de ça ?

— Bon... d'accord, accepta Pip à contrecœur.

Devant l'air perdu de sa fille, Ophélie s'efforça de chasser le sentiment de culpabilité qui menaçait de la submerger. Elle se réjouissait réellement de cette balade en mer... En outre, il lui semblait important de montrer à Pip qu'elle pouvait faire des choses sans courir aucun risque. Cela faisait aussi partie du processus de guérison.

Balayant ses dernières réticences, elle alla enfiler un maillot de bain et un short, puis appela Amy. L'adolescente arriva quelques minutes plus tard. Au moment où sa mère s'apprêtait à partir, Pip l'enlaça et la serra fort dans ses bras. Ophélie prit brusquement conscience du choc qu'elle avait subi à la suite du décès de son père et de son frère. C'était la première fois que Pip se montrait aussi démonstrative. Jusqu'à présent, elle ne l'avait jamais remarqué, ayant elle-même passé une bonne partie des dix derniers mois à pleurer dans son lit.

— Je ne serai pas longue, promis. Tu peux nous regarder du ponton s'il ne fait pas trop chaud, d'accord ?

Elle l'embrassa sur la joue puis s'éclipsa rapidement, évitant Mousse qui remua joyeusement la queue à son passage. Plongée dans ses pensées, elle descendit jusqu'à la maison que lui avait indiquée Matt. Sa voiture était

151

déjà là et elle l'aperçut bientôt, occupé à préparer le bateau. C'était un joli petit voilier en excellent état. On devinait facilement la passion de Matt à la manière dont il le bichonnait. Sur le pont, les bois étaient parfaitement vernissés et les instruments en cuivre rutilaient. La coque avait été repeinte en blanc au printemps. Avec sa grand-voile et son foc, le mât d'une douzaine de mètres se dressait fièrement vers le ciel. La coque était longue d'environ dix mètres. Le voilier était également doté d'un petit moteur et d'une minuscule cabine, dans laquelle Matt tenait à peine debout. Il l'avait baptisé *Nessie II*, en souvenir de sa fille Vanessa qu'il n'avait pas vue depuis six ans. C'était un vrai bijou, racé et élégant, songea Ophélie en l'admirant du ponton, un sourire aux lèvres.

— Il est magnifique, Matt, lança-t-elle, gagnée par un frisson d'excitation.

— N'est-ce pas ? fit ce dernier en souriant à son tour. Je tenais vraiment à vous le montrer avant votre départ.

Matt aussi était impatient de prendre la mer. Ophélie se déchaussa et il l'aida à monter à bord. Puis il fit démarrer le moteur et elle entreprit de détacher les cordages qui reliaient le voilier au ponton. Quelques minutes plus tard, ils parcouraient le lagon à vive allure en direction de l'océan. C'était une journée idéale pour faire du bateau.

— C'est vraiment un beau voilier ! répéta-t-elle en admirant chaque détail que Matt soignait amoureusement à ses heures perdues.

La petite embarcation faisait partie de ses menus bonheurs et il était heureux de pouvoir partager sa joie avec Ophélie.

— Quel âge a-t-il ? demanda celle-ci.

Ils venaient d'atteindre l'embouchure du lagon et, comme une légère brise se faisait sentir, Matt coupa le moteur. Ophélie savoura le doux silence qui les enveloppa, tandis que le bateau glissait sans bruit sur l'eau.

Matt entreprit de hisser la voile. Sans un mot, Ophélie participa aux manœuvres.

— Il a été construit en 1936, répondit-il fièrement. Et j'en suis l'heureux propriétaire depuis huit ans. Mon prédécesseur l'avait acheté juste après la Deuxième Guerre. Il était en excellent état, mais j'ai tout de même dû entreprendre quelques travaux de restauration.

— C'est une petite merveille, déclara Ophélie avant de se souvenir de la promesse qu'elle avait faite à Pip.

Plongeant la tête dans la cabine, elle attrapa un gilet de sauvetage accroché à un cintre. Matt la regarda d'un air surpris. Passionnée de voile, Ophélie lui avait également dit qu'elle adorait nager.

— J'ai promis à Pip, expliqua-t-elle en croisant son regard interrogateur.

Matt hocha la tête. Au même instant, le vent s'engouffra dans les voiles et le bateau prit de la vitesse. Une exquise sensation les submergea, tandis que la coque fendait gracieusement les flots. Ils échangèrent le sourire entendu de deux marins se réjouissant du plaisir de naviguer par une belle journée.

— Est-ce que cela vous dérange si nous nous éloignons un peu de la côte ? demanda Matt.

Ophélie secoua la tête. Ça ne la dérangeait pas le moins du monde, au contraire, elle se sentait tellement bien à bord du bateau ! Ils laissèrent derrière eux la plage bordée de ses maisons de vacances. Pip les observait peut-être du ponton. Assise à la barre à côté de Matt, Ophélie lui parla de la réaction de sa fille quand elle lui avait annoncé qu'elle partait faire une promenade en mer.

— Je n'avais pas réalisé à quel point elle était angoissée depuis…

Elle ne termina pas sa phrase, préférant fermer les yeux et offrir son visage au soleil. Matt la contempla, fasciné par sa beauté.

Ils naviguèrent un long moment sans but précis. La côte n'était plus visible depuis le large. Ophélie avait promis à Pip de ne pas s'absenter longtemps, mais la tentation de fuir le monde extérieur s'avéra plus forte que ses résolutions. Elle avait presque oublié cette sensation de sérénité qui enveloppe celui qui navigue sur un beau voilier. C'était la chose la plus apaisante qu'elle connaisse. Elle ne fut pas inquiète quand le vent forcit. Pour le plus grand plaisir de Matt, Ophélie s'amusait autant que lui. L'espace d'un instant, submergée par un merveilleux sentiment de paix et de liberté, celle-ci se prit à rêver que leur promenade en bateau ne s'arrête jamais. Cela faisait une éternité qu'elle ne s'était pas sentie aussi détendue et elle était heureuse de partager avec Matt ce moment d'exception.

Ils croisèrent quelques chalutiers, à qui ils adressèrent de grands signes de la main. Au loin, un cargo se profilait sur la ligne d'horizon. Ils venaient de prendre la direction du golfe de Farallones, quand Matt se pencha par-dessus bord, sourcils froncés. Intriguée, Ophélie suivit son regard. Qu'avait-il vu ? Un phoque ou un gros poisson ? Pas un requin, tout de même... Sans mot dire, il lui céda la barre et alla chercher une paire de jumelles dans la cabine.

— Que se passe-t-il ? demanda-t-elle tandis qu'il scrutait les flots.

— J'ai cru voir quelque chose de bizarre, il y a une minute. J'ai dû me tromper.

Les vagues étaient plus fortes, Ophélie s'en moquait, mais leur champ de vision s'en trouvait du même coup entravé. Elle n'avait jamais souffert du mal de mer et appréciait au contraire le roulis et le tangage du bateau.

— Qu'est-ce que c'était, à votre avis ? demanda-t-elle en venant s'asseoir près de lui, piquée dans sa curiosité.

Matt songeait à rebrousser chemin. Cela faisait presque deux heures qu'ils étaient partis et ils avaient déjà parcouru une distance respectable, avec le vent qui les poussait vers le large.

— Je n'en sais trop rien... On aurait dit une planche de surf, mais c'est impossible... Nous sommes bien trop loin de la plage. A moins qu'elle soit tombée d'un bateau.

Ophélie acquiesça d'un signe de tête. Matt changea de cap. Au moment où le bateau effectuait son demi-tour, Ophélie aperçut quelque chose à la surface de l'eau. Elle appela Matt en pointant son index vers les flots, mais sa voix fut emportée par le vent. Vive comme l'éclair, elle porta les jumelles à ses yeux et repéra aussitôt la planche de surf. Un homme s'y accrochait. Ophélie adressa de grands signes à Matt, qui la rejoignit rapidement. A son tour, il scruta la surface de l'eau à l'aide des jumelles et hocha la tête. Ensemble, ils descendirent les voiles, luttant contre le vent qui grossissait de seconde en seconde ; puis Matt mit le moteur en marche et manœuvra en direction de l'homme accroché à sa planche de surf.

Il leur fallut plusieurs minutes avant de l'atteindre. Il s'agissait en réalité d'un jeune garçon qui gisait sur sa planche, à demi inconscient. Ses lèvres bleuies contrastaient violemment avec son teint cireux. D'où venait-il ? Depuis combien de temps dérivait-il ? Plusieurs dizaines de milles les séparaient de la côte. Matt, aidé par Ophélie, arrêta le voilier, puis disparut dans la cabine à la recherche d'une longue corde. Restée seule, la jeune femme sentit sa gorge se serrer. La mer était agitée, il serait extrêmement difficile de ramener le garçon à bord. Il faudrait d'abord nouer la corde autour de sa taille – un exploit, étant donné les conditions météo qui se dégradaient – puis le tirer hors de l'eau. Ils s'approchèrent encore, tous deux conscients de la difficulté de la tâche. De violents spasmes secouaient le corps du jeune homme, qui leva sur eux un regard désespéré.

— Accroche-toi ! lui cria Matt.

En prononçant ces mots, une évidence s'imposa à lui : il serait impossible de lui passer la corde autour de la

155

taille tant qu'il serait agrippé à la planche ; d'un autre côté, il risquait fort de couler s'il la lâchait. Il portait une combinaison courte qui lui avait sans doute sauvé la vie. Ophélie l'observa, il devait avoir seize ans, l'âge de Chad. Quelque part, une femme pensait à son fils disparu, terrassée par le chagrin. Parviendraient-ils à le sauver ? Il y avait une petite radio à bord du voilier, mais à part le cargo qui poursuivait sa route à des milles de là, aucun bateau n'était en vue. Les garde-côtes mettraient trop de temps à arriver sur les lieux. Non, c'était à eux de tenter l'impossible. Et il n'y avait pas un instant à perdre. Matt disparut de nouveau à l'intérieur de la cabine et en ressortit portant un gilet de sauvetage. Avant de plonger, il se tourna vers Ophélie :

— Saurez-vous ramener le bateau à terre seule, s'il le faut ?

Elle opina du chef sans hésiter. Plus jeune, en Bretagne, elle avait souvent affronté des conditions météorologiques pires que celles-ci.

Rassuré, Matt noua la corde au bateau et plongea. Guidé par son instinct de survie, le jeune homme s'accrocha aussitôt à lui et manqua le faire couler tandis qu'il tentait désespérément de glisser la corde autour de sa taille. Au prix d'efforts surhumains, il parvint à se placer derrière le surfeur. Ophélie assistait à la scène, tenaillée par l'angoisse. Les bras du garçon retombèrent mollement le long de son corps et Matt dut redoubler d'ardeur et de persévérance pour réussir à glisser la corde sous ses aisselles et le tirer ensuite vers le bateau. Dans un dernier effort, il nagea jusqu'au voilier et cria quelques mots qu'elle n'eut aucune peine à deviner, malgré les hurlements du vent. Il lui lança alors la corde, qu'elle attrapa miraculeusement et s'empressa d'attacher au treuil. Elle savait exactement ce qu'elle avait à faire. Encore fallait-il qu'elle accomplisse sa tâche correctement si elle voulait qu'ils restent tous les deux en vie. Au bout de cinq tentatives infructueuses et alors qu'elle était sur le point de céder à la panique, la corde accepta enfin de rester en place et le treuil tira lentement le garçon hors de l'eau. Il avait à peine la force de s'accrocher, mais cela n'avait pas d'importance : le treuil le ramena à bord, grâce à la corde solidement nouée sous ses aisselles. Ophélie se précipita sur lui dès qu'il toucha le pont du bateau. A peine conscient, il tremblait de tous ses membres. Jetant un coup d'œil à Matt, elle dénoua la corde et la lui lança.

Malgré les vagues, Matt l'attrapa avec adresse et se hissa à bord du bateau. C'était un miracle qu'ils aient tous deux réussi à échapper aux flots agités. Matt réfléchit rapidement. Le vent avait encore forci, il décida de hisser les voiles pour regagner la côte au plus vite. Pendant qu'il s'affairait, Ophélie alla chercher une couverture, dont elle enveloppa soigneusement le garçon. Ce dernier la fixa d'un regard vide. Elle connaissait bien cette expression, elle l'avait vue à deux reprises lorsque Chad avait tenté de se suicider. De tout son être, elle pria pour que le jeune homme s'en sorte. Il avait sans doute été emporté par le courant alors qu'il faisait du surf, et avait été incapable de lutter contre la force de l'océan. Heureusement, le destin avait voulu qu'ils passent par ici. Occupé à barrer, Matt lui cria qu'il y avait une flasque de cognac dans la cabine ; une bonne rasade requinquerait le jeune rescapé... Comme Ophélie secouait la tête, Matt répéta ses indications, pensant qu'elle n'avait pas entendu. Au lieu de s'exécuter, celle-ci se glissa sous la couverture à côté du garçon toujours parcouru de violents spasmes. Elle le serra contre lui, dans l'espoir de lui communiquer un peu de sa chaleur. Au bout d'un moment, Matt indiqua la barre d'un signe de tête et s'engouffra dans la cabine pour lancer un appel radio. A son grand soulagement, il réussit à joindre le poste de sécurité et exposa rapidement la situation. Le garde-côte prit les choses en main : une ambulance les attendrait sur la côte si les secours ne les interceptaient pas avant.

A mi-chemin, le vent tomba brusquement et Matt descendit les voiles pour mettre en route le moteur. La côte se dessinait à l'horizon, droit devant eux. Concentré sur la manœuvre, Matt jetait de temps en temps un coup d'œil à Ophélie, qui tenait toujours le garçon dans ses bras. Il avait perdu conscience vingt minutes plus tôt, son visage était exsangue. Quant à Ophélie, elle était livide.

— Ça va ? cria-t-il.

Elle hocha la tête. C'était une scène trop familière pour elle, une scène qui lui rappelait douloureusement son fils. Elle ne désirait qu'une chose : sauver le garçon, afin que sa mère n'ait pas à supporter tout ce qu'elle-même avait enduré.

— Comment va-t-il ?

— Il respire encore.

Plaquée contre lui, elle était trempée sous la couverture, mais s'en moquait. Le soleil dardait ses rayons sur le petit voilier. En un rien de temps, leur merveilleuse promenade s'était transformée en course contre la mort.

— Pourquoi ne lui avez-vous pas donné un peu de cognac ? demanda Matt en tentant de pousser le moteur au maximum.

— Ça l'aurait tué, expliqua-t-elle, les doigts pressés sur le pouls du garçon, à peine perceptible. L'alcool chasse le sang dans les extrémités du corps, alors qu'il faut au contraire le maintenir dans la cage thoracique afin qu'il alimente le cœur.

Malgré la température très basse du corps plaqué contre le sien, elle savait que la circulation s'effectuait toujours dans les organes vitaux.

— Heureusement que vous le saviez, fit observer Matt en reportant son attention sur ses manœuvres.

Pourvu qu'ils arrivent à temps... Ils approchaient de l'embouchure du lagon et n'étaient plus qu'à quelques

158

minutes des secours. Dès qu'ils quittèrent l'océan, ils entendirent les sirènes et aperçurent des gyrophares sur la plage la plus proche. Sans hésiter un instant, Matt amarra le voilier au premier ponton. Sous les regards d'un groupe de curieux, des infirmiers sautèrent à bord. Comme dans un brouillard, Ophélie lâcha le corps inerte et se leva. En pleurs, elle regarda l'équipe de secours s'affairer autour du garçon puis le poser délicatement sur une civière. Ils s'éloignèrent rapidement. Tout à coup, un infirmier se retourna et leva le pouce en signe de victoire. Un léger sourire étirait ses lèvres. Le jeune homme était vivant. Matt la prit dans ses bras. Elle tremblait comme une feuille et des larmes baignaient son visage. Deux pompiers montèrent à bord et s'approchèrent d'eux.

— Vous avez sauvé la vie de ce gosse, déclara le chef de brigade d'un ton plein d'admiration. Savez-vous comment il s'appelle ?

Incapable d'articuler le moindre mot, Ophélie secoua la tête. Matt leur expliqua en détail ce qui s'était passé ; après avoir pris quelques notes, les deux hommes les félicitèrent à nouveau et s'éloignèrent. Une demi-heure plus tard, le dernier camion de pompiers quitta la plage. Matt remit le moteur en marche et dirigea lentement le voilier vers le ponton de ses voisins. Assise à côté de lui, Ophélie demeurait prostrée. Matt glissa un bras sur ses épaules.

— Je suis désolé, Ophélie, murmura-t-il, conscient des souvenirs douloureux que l'épisode avait fait resurgir en elle. Je voulais juste que nous passions un agréable moment.

— Ce fut le cas, répondit-elle dans un murmure. Nous lui avons sauvé la vie et nous avons sauvé sa mère, par la même occasion.

Il y avait apparemment de grandes chances qu'il s'en sorte, alors qu'il était entre la vie et la mort quand ils l'avaient trouvé, accroché à sa planche de surf.

Ils étaient tous les deux épuisés quand ils amarrèren le *Nessie II* au ponton. Dans un dernier effort, ils rangè rent le matériel, verrouillèrent la cabine et quittèrent l bateau. Matt reviendrait laver le pont plus tard. Cinc heures s'étaient écoulées depuis leur départ en mer Ophélie tenait à peine sur ses jambes et Matt la raccom pagna en voiture. Aucun d'eux n'était préparé au specta cle qui les attendait. Recroquevillée sur son lit, Pi sanglotait tandis qu'Amy s'efforçait tant bien que mal d la consoler. Elle les avait regardés prendre la mer depui le ponton, le temps avait passé et, au bout de deu heures sans nouvelles, Pip avait imaginé le pire : l bateau s'était retourné, sa mère était morte noyée... Se sanglots résonnaient dans toute la maison. Ophélie s précipita vers sa fille, tandis que Matt s'immobilisait su le seuil, interdit.

— Tout va bien, Pip... Tout va bien... Je suis là murmura-t-elle, submergée par une vague de culpabilité

Comment aurait-elle pu imaginer qu'une tranquille promenade en mer prendrait une telle tournure ? Mais il avaient sauvé une vie, c'était là l'essentiel, comme si, c jour-là, le destin les avait poussés dans cette direction.

— Tu avais dit que tu reviendrais au bout d'un heure ! hurla Pip en lançant à sa mère un regard charg d'effroi et de reproches.

— Je suis désolée, chérie... Je ne pouvais pas prévoir.. Il s'est passé quelque chose...

Une peur panique s'inscrivit sur le visage de Pip.

— Le bateau a chaviré ?

Matt entra dans la pièce et les rejoignit, tandis qu'Amy s'éclipsait discrètement. Cela faisait déjà un bon momen qu'elle ne savait plus quoi dire à Pip pour la rassurer. Ur soulagement immense l'avait envahie lorsque Ophéli était entrée dans la pièce.

— Non, le bateau ne s'est pas retourné, répondit celle ci en serrant Pip dans ses bras.

C'était tout ce dont elle avait besoin ; les mots étaient depuis longtemps devenus superflus.

— Et j'avais mis un gilet de sauvetage, comme promis.

— Moi aussi, intervint Matt à voix basse, redoutant de briser ces instants de complicité.

— Nous avons trouvé un garçon accroché à une planche de surf, au large de la côte, et Matt lui a porté secours.

Les yeux de Pip s'arrondirent de surprise.

— Nous l'avons sauvé, corrigea Matt. Ta maman a été formidable.

Rétrospectivement, il était encore plus impressionné par le sang-froid, la présence d'esprit et l'efficacité d'Ophélie. Nul doute qu'il n'aurait pas pu sauver le jeune homme sans son aide.

Ils racontèrent l'épisode à Pip dans ses moindres détails et Ophélie s'efforça de la rassurer du mieux qu'elle put. Un moment plus tard, alors qu'ils buvaient une tasse de thé, Matt appela l'hôpital pour prendre des nouvelles du jeune surfeur. Il était encore dans un état grave, mais il se remettait lentement du traumatisme subi. Sa famille était à ses côtés. Matt leur rapporta sa conversation avec l'infirmière, le regard embué de larmes. Ophélie ferma les yeux. Une tragédie avait été évitée de justesse. Un profond sentiment de reconnaissance la submergea. La mère du garçon ne connaîtrait pas la souffrance qui continuait à lui déchirer le cœur. C'était une bonne chose.

Matt prit congé une heure plus tard. Entre-temps, Pip avait recouvré son calme, mais elle interdit formellement à sa mère de remettre les pieds sur un bateau. Pour elle aussi, l'après-midi avait tourné au cauchemar. Lorsqu'elle avait entendu les ambulances passer dans la rue, sirènes hurlantes, elle avait aussitôt imaginé le pire. Matt et sa mère avaient eu un accident... Ils avaient péri noyés. Avant de partir, Matt présenta de nouveau ses excuses à la mère et à la fille. Chacune venait de subir un choc terrible. Mais cela n'avait pas été facile pour lui non plus, Ophélie en était consciente. Il avait porté secours au jeune surfeur, au péril de sa vie ; ils auraient pu mourir sous ses yeux, engloutis par la mer, et elle n'aurait rien pu faire pour les sauver. Il leur faudrait à tous un peu de temps pour se remettre complètement.

Dans la soirée, Matt appela Ophélie.

— Comment va Pip ? demanda-t-il d'une voix qui trahissait sa fatigue.

Après son départ, il était retourné au bateau pour le laver au jet, malgré les courbatures qui engourdissaient tous ses membres. Puis, de retour chez lui, il avait fait couler un grand bain où il s'était prélassé une bonne heure. Avant de se glisser dans l'eau chaude, il ne s'était pas rendu compte qu'il tremblait de froid.

— Elle va beaucoup mieux, merci, répondit Ophélie.

Elle aussi avait pris un bain chaud et elle se sentait plus détendue. Au bord de l'épuisement, certes, mais beaucoup plus calme.

— Finalement, je ne suis pas la seule à m'inquiéter plus qu'il ne faudrait.

Pip vivait désormais dans l'angoisse de perdre sa mère. La mort n'était plus un concept abstrait ; jamais plus elle ne goûterait à la sérénité. D'une certaine manière, l'insouciance propre à l'enfance s'était volatilisée dix mois plus tôt, en même temps que son père et son frère.

— Vous avez été formidable, murmura Matt à l'autre bout du fil.

— Vous aussi, fit Ophélie, pleine d'admiration pour son courage et sa détermination.

— Si je devais un jour tomber par-dessus bord, je vous emmènerais avec moi, reprit Matt avec une pointe d'amusement dans la voix. Heureusement que vous étiez là pour le cognac... Je l'aurais tué, pauvre idiot que je suis.

— Il faut bien que mon année de prépa et mon expérience en premiers secours me servent à quelque chose, non ? Je n'aurais rien su de tout ça, sinon. Enfin, on s'en est plutôt bien sortis, c'est l'essentiel.

Le garçon avait eu la vie sauve, grâce à leur coordination et leur entente parfaites. Matt rappela l'hôpital un peu plus tard dans la soirée, puis il joignit de nouveau Ophélie. Leur rescapé se portait déjà beaucoup mieux. Le lendemain matin, son état était jugé satisfaisant par les médecins. Ses parents appelèrent Matt et Ophélie pour les remercier avec gratitude. Ce qu'ils avaient accompli relevait à leurs yeux de l'héroïsme, ils leur en seraient éternellement reconnaissants. La mère du garçon fondit en larmes en remerciant Ophélie, ignorant à quel point celle-ci, plus qu'aucune autre femme, était consciente du drame qu'ils avaient tous évité de justesse.

Dans le journal local, un article relata l'incident. Pip le lut à sa mère, à la table du petit déjeuner. Quand elle eut terminé, elle leva sur Ophélie des yeux aussi acérés que des lames de couteau.

— Promets-moi que tu ne recommenceras plus jamais un truc pareil... Je ne sais pas comment... Je ne pourrais jamais... si tu...

Sa voix se brisa. Les yeux pleins de larmes, Ophélie hocha lentement la tête.

— Je te le promets. Moi non plus, je ne pourrais pas vivre sans toi, Pip.

En proie à une vive émotion, elle plia le journal et enlaça sa fille. Un moment plus tard, Pip sortit sur la terrasse et s'assit près de Mousse. Fixant l'océan d'un regard absent, elle s'abîma dans ses pensées. Elle aurait voulu effacer de sa mémoire la journée de la veille. Debout dans le salon, Ophélie l'observa en silence. Des larmes roulaient sur ses joues, pendant qu'elle prononçait une prière silencieuse. « Merci que tout se soit bien terminé »...

11

Pour leur dernière soirée à Safe Harbour, Matt invita Pip et Ophélie au restaurant. Tous trois avaient eu le temps de se remettre de leurs émotions. A sa sortie de l'hôpital la veille, le jeune miraculé avait aussitôt appelé Matt et Ophélie pour les remercier. Ophélie avait deviné juste : la marée descendante l'avait emporté au large sans qu'il puisse lutter.

Ils retournèrent au Lobster Pot et passèrent une agréable soirée. Seule Pip ne parvint pas à cacher sa mélancolie. L'idée de devoir se séparer de Matt l'emplissait de tristesse. Sa mère et elle avaient bouclé leurs valises dans l'après-midi, pour pouvoir prendre la route tôt le lendemain matin.

— Ça va être horriblement calme ici, quand vous serez parties, fit observer Matt alors qu'ils terminaient leur dessert.

La plupart des estivants pliaient bagage ce week-end, à la veille de Labor Day, la fête du Travail, qui avait lieu le premier lundi de septembre. La rentrée des classes était fixée au mardi.

— Nous passerons l'été ici, l'an prochain, déclara Pip avec fermeté.

Elle avait déjà obtenu la promesse de sa mère, bien que celle-ci projetât aussi de passer quelques semaines en France. Mais l'idée plaisait à Ophélie, qui envisageait de relouer la maison ; sa taille et sa situation leur convenaient parfaitement.

164

— Je pourrais essayer de vous trouver une maison plus grande, si vous voulez. C'est plus simple pour moi qui y habite toute l'année.

Ophélie lui sourit.

— En fait, celle-ci nous plaît beaucoup. Si les propriétaires acceptent de nous la relouer, naturellement. Je ne suis pas sûre qu'ils aient apprécié la présence de Mousse.

Cependant, bien éduqué, le chien n'avait pas fait le moindre dégât. Un service de nettoyage devait passer le lendemain pour faire le ménage de fond en comble, même si Ophélie avait veillé à laisser l'endroit impeccable.

— J'espère que tu auras plein de dessins à me montrer, quand je viendrai vous voir en ville. Et n'oublie pas la soirée « père-fille », ajouta-t-il d'un air entendu.

Pip ne put s'empêcher de sourire. Matt ne lui ferait pas faux bond, elle pouvait compter sur lui. Submergé de travail, son père n'avait jamais réussi à se libérer pour cette fameuse soirée. C'était son frère qui l'avait accompagnée une année, et un ami d'Andrea une autre fois. Ted fuyait comme la peste toutes les fêtes de l'école, ce qui déclenchait invariablement la colère d'Ophélie. Encore un détail que sa mère semblait avoir oublié. Avec Matt, c'était différent : il tiendrait parole et elle passerait un bon moment en sa compagnie. Tout à coup, une idée lui traversa l'esprit.

— Vous serez obligé de mettre une cravate, dit-elle d'un ton circonspect en espérant qu'il ne changerait pas d'avis à cause de cette exigence vestimentaire.

— Je dois bien en avoir une qui traîne quelque part. Il n'est pas impossible qu'elle serve d'embrasse à mes rideaux...

En réalité, il en avait toute une collection, soigneusement rangée dans une armoire, mais cela faisait bien longtemps qu'il n'avait pas eu l'occasion d'en porter. Ni l'envie, d'ailleurs. Ses rares visites en ville étaient destinées à son dentiste, son banquier et son avocat. Ce serait avec plaisir qu'il irait voir ses deux amies. Elles

occupaient désormais une place importante dans sa vie
Le drame qu'il avait vécu en mer avec Ophélie l'avai
encore rapproché d'elle.

Après le dîner, il les reconduisit chez elles. Ophélie lu
proposa un dernier verre et Matt accepta avec joie. Ell
lui servit du vin rouge, pendant que Pip allait se mettr
en pyjama. Il aimait ces scènes à la fois simples et cha
leureuses de la vie quotidienne et proposa à Ophéli
d'allumer un feu dans la cheminée. Les soirées étaien
toujours fraîches au bord de la mer et, malgré les chau
des journées de septembre, les nuits annonçaient déj
l'arrivée de l'automne.

— Quelle bonne idée ! approuva Ophélie au momen
où Pip sortait de sa chambre pour leur souhaiter un
bonne nuit.

Elle promit à Matt de l'appeler bientôt. Ce dernie
leur avait laissé son numéro de téléphone. Il serra lon
guement Pip dans ses bras et, quand elle eut regagné s
chambre, s'accroupit devant la cheminée pour allume
un feu, sous l'œil attentif de Mousse. Même le chier
allait lui manquer, songea-t-il, un brin amusé. Il avai
oublié combien il était doux de vivre en famille...

Les flammes dansaient déjà dans l'âtre quand Ophéli
reparut. Elle était allée border Pip et l'embrasser, avan
qu'elle s'endorme. C'était un rituel qu'elle avait réins
tauré au cours des semaines passées. Perdue dans l
contemplation du feu, Ophélie songea à l'été qui venai
de s'écouler. Il s'était passé beaucoup de choses en troi
mois. Elle se sentait plus vivante, même si son fils et sor
mari continuaient à lui manquer cruellement. Malgr
tout, le terrible vide qu'ils avaient laissé derrière eux étai
légèrement plus supportable qu'à son arrivée ici. L
temps se chargeait d'estomper la douleur, petit à petit.

— Vous m'avez l'air songeuse, fit observer Matt er
s'asseyant près d'elle.

Il but une gorgée de vin. C'était le reste de la bouteill
qu'il avait apportée l'autre jour. Malgré ses origines
Ophélie n'était guère amatrice de vin.

— J'étais en train de penser que je me sens nettement mieux qu'à mon arrivée ici. Ces vacances nous auront fait le plus grand bien, à Pip et moi. Elle est plus gaie, plus enthousiaste. C'est en grande partie grâce à vous, Matt. Vous avez été le rayon de soleil de son été, conclut-elle en lui adressant un sourire reconnaissant.

— Elle a été le mien. Et vous aussi. On a tous besoin d'amis. Il m'arrive parfois de l'oublier.

— Vous menez une vie très solitaire, ici, Matt.

Il acquiesça. C'était exactement ce qu'il avait souhaité tout au long de ces dix dernières années. Mais, pour la première fois depuis tout ce temps, la solitude commençait à lui peser.

— C'est bon pour mon travail... C'est en tout cas ce que je me plais à croire. Et puis, la ville n'est pas si loin que ça. Je peux y aller quand je veux.

En prononçant ces paroles, il se rendit compte qu'il n'y avait pas mis les pieds depuis plus d'un an. Comme le temps passait vite... sans même qu'on s'en aperçoive.

— J'espère que vous viendrez nous voir souvent, fit Ophélie. Malgré mes piètres performances culinaires !

— Je vous emmènerai dîner au restaurant, répliqua Matt d'un ton amusé.

Cette simple idée l'emplissait de joie et il s'en réjouissait à l'avance. Leur départ allait laisser un grand vide dans sa vie de tous les jours.

— Que comptez-vous faire quand Pip aura repris l'école ? demanda-t-il, soudain inquiet.

Elle risquait elle aussi de se retrouver très seule, tout à coup. Et le manque d'activité s'avérait rarement positif.

— Je vais peut-être suivre vos conseils et proposer mes services à une association qui s'occupe des sans-abri.

Elle s'était plongée avec intérêt dans les documents que lui avait remis Blake Thompson, le psychothérapeute du groupe. C'était un secteur passionnant ; il y avait tant de choses à faire pour ces gens-là !

— Je crois que ce serait une excellente décision. Et s
jamais vous vous ennuyez trop, n'hésitez pas à venir me
voir. C'est très joli, ici, en hiver.

Amoureuse de la plage en toute saison, Ophélie n'er
doutait pas un instant. L'invitation de Matt était ten
tante ; elle avait très envie de cultiver leur amitié nais
sante. Malgré l'opinion tranchée d'Andrea sur le sujet
Ophélie sentait que cette relation lui était bénéfique. Et
de toute évidence, ce sentiment était réciproque.

— Ce sera avec grand plaisir, répondit-elle dans ur
sourire.

— Etes-vous heureuse de rentrer chez vous ?

Elle reporta son attention sur le feu qui crépitait dans
la cheminée. Quelques minutes s'écoulèrent avant qu'elle
se décide à répondre.

— Pas vraiment, non. Jusque-là, j'adorais ma maison,
mais le vide qui y règne maintenant me démoralise. Elle
est bien trop grande pour Pip et moi. D'un autre côté, je
n'ai pas voulu prendre de décision à la va-vite, de peur
de le regretter par la suite.

Les placards de sa chambre à coucher contenaient
encore tous les vêtements de Ted ; quant à la chambre
de Chad, elle était restée intacte. Ophélie n'avait absolument rien touché, incapable de se séparer de leurs affaires. Andrea n'avait pas mâché ses mots à ce sujet : pour
elle, c'était malsain de vivre dans cette ambiance de
mausolée, mais Ophélie n'y pouvait rien. Elle ne se sentait pas encore prête à franchir le pas. Peut-être réagirait-
elle différemment après le bel été qu'elle venait de passer
à Safe Harbour. Elle n'en savait encore rien.

— Il est toujours plus sage d'éviter la précipitation,
approuva Matt. Vous pourrez toujours vendre la maison
le jour où vous en aurez envie. En même temps, un
déménagement risquerait d'affecter Pip. Ce serait une
rupture importante pour elle, surtout si vous vivez là
depuis longtemps.

— Elle avait six ans quand nous avons emménagé. Elle adore la maison… encore plus que moi, et ce n'est pas peu dire.

Ils restèrent un moment silencieux, heureux d'être ensemble. Lorsqu'il eut terminé son verre, Matt se leva et Ophélie l'imita. Dans la cheminée, le feu mourait lentement.

— Je vous appellerai la semaine prochaine.

Sans qu'elle puisse s'expliquer pourquoi, cette promesse la rassura. C'était bon de pouvoir compter sur une présence masculine. Matt était comme un frère pour elle.

— D'ici là, n'hésitez pas à m'appeler si vous avez besoin de quoi que ce soit, vous ou Pip, ajouta-t-il d'un ton plein de sollicitude.

— Merci, Matt. Pour tout. Vous êtes un ami merveilleux pour nous.

— J'espère bien le rester, fit-il en glissant un bras sur ses épaules, comme elle le raccompagnait à sa voiture.

— Nous aussi. Prenez soin de vous. Et tâchez de voir du monde, la solitude ne vous apportera rien de bon. Venez nous voir, ça vous distraira un peu.

Maintenant qu'elle le connaissait mieux, elle pouvait imaginer combien il devait se sentir seul à certains moments, comme c'était le cas pour elle. Tous deux avaient perdu des êtres chers dans des circonstances qu'ils n'avaient ni prévues ni même envisagées. La vie balaie trop vite les personnes qu'on aime, les lieux chargés d'émotion et les moments de bonheur intense – un peu comme la mer avait brutalement emporté le garçon qu'ils avaient secouru quelques jours plus tôt.

— Bonne nuit, murmura Matt en se glissant au volant de sa voiture.

Sur un dernier signe, il s'éloigna. Dans le rétroviseur, il vit Ophélie regagner la maison à pas lents. Il prit la direction de son petit bungalow sur la plage, perdu dans ses pensées. Il aurait aimé être plus audacieux. Il aurait aimé que la vie soit différente.

12

— Au revoir, maison, déclama gravement Pip au moment de partir.

Ophélie verrouilla la porte d'entrée, puis glissa le trousseau de clés dans la boîte aux lettres de l'agence immobilière, sur la route. L'été touchait à sa fin. Lorsqu'elles approchèrent de la petite rue sinueuse dans laquelle vivait Matt, le visage de Pip se ferma. Elle demeura silencieuse jusqu'au pont. Là, elle se tourna vers Ophélie d'un air accusateur.

— Pourquoi tu ne l'aimes pas ?

Ophélie arqua un sourcil perplexe.

— Qui donc ?

— Matt. Je crois qu'il t'aime bien, lui, ajouta Pip en foudroyant sa mère du regard.

— Je l'apprécie, moi aussi, se défendit Ophélie, troublée. Désolée, Pip, je ne suis pas sûre de bien comprendre...

— Je veux dire... Pourquoi ne l'aimes-tu pas en tant qu'homme... comme petit ami, tu vois.

Elles approchaient du péage et Ophélie fouilla dans son porte-monnaie, avant de jeter un coup d'œil à sa fille.

— Je ne cherche pas de petit ami. Je suis une femme mariée, déclara-t-elle fermement en sortant quelques pièces.

— C'est faux. Tu es veuve.

— C'est la même chose. Enfin, presque. Qu'est-ce qui te prend, à la fin ? Tu te trompes, Pip, je ne crois pas que Matt me considère comme une future « petite amie ». Quand bien même, ça ne changerait rien pour moi. Matt est notre ami. Ce serait dommage de gâcher cette belle amitié, tu ne trouves pas ?

— Pourquoi est-ce que ça la gâcherait ? insista Pip d'un ton buté.

Elle avait ruminé toute la matinée. Matt lui manquait déjà terriblement.

— Parce que c'est inévitable. Crois-moi. Je suis une adulte, Pip, je connais bien ce genre de choses. Si notre relation évoluait, quelqu'un finirait par souffrir, c'est sûr, et tout tomberait à l'eau.

— Il faut toujours que quelqu'un souffre, alors ? fit Pip d'un ton qui trahissait une immense déception.

— Presque toujours. Quand les sentiments disparaissent, il est difficile de rester bons amis. Imagine, Matt ne viendrait plus te voir... Ce serait quand même dommage, non ?

Un bref silence suivit ses explications.

— Et si vous décidiez de vous marier ? relança finalement Pip. Ce serait la meilleure solution.

— Je n'ai aucune envie de me remarier et Matt non plus. Il a beaucoup souffert quand sa femme l'a quitté.

— C'est lui qui te l'a dit ? Je veux dire, qu'il n'avait pas l'intention de se remarier ? fit Pip d'un ton sceptique.

— Il me l'a plus ou moins laissé entendre. Nous avons longuement parlé de son mariage et de son divorce. Ce fut une expérience très éprouvante pour lui.

Une lueur d'espoir alluma soudain le regard de la petite fille.

— Est-ce qu'il t'a demandée en mariage ?

— Bien sûr que non, voyons ! Arrête de dire des bêtises, tu veux ?

— Dans ce cas, comment peux-tu être sûre de ce qu'il ressent ?

— Je le sais, c'est tout. Et puis, de toute façon, je ne veux pas me remarier. Je suis encore mariée à ton père.

A sa grande surprise, cet aveu qu'elle jugeait pourtant noble ne fit qu'attiser la colère de Pip.

— Papa est mort et il ne reviendra plus jamais, répliqua-t-elle d'un ton abrupt. Moi, je crois que tu devrais épouser Matt et on ferait tout pour qu'il reste avec nous pour toujours.

— Il n'aurait peut-être pas envie de passer toute sa vie avec nous... même si j'éprouvais pour lui autre chose que de l'amitié. Mais dis-moi, Pip, il me vient une idée : pourquoi ne l'épouses-tu pas, toi ? Je suis sûre que vous vous entendriez à merveille, tous les deux.

Ophélie tentait de détendre l'atmosphère. Elle détestait qu'on lui rappelle que Ted était parti pour de bon, qu'il ne reviendrait pas. Cette pensée la hantait depuis maintenant onze mois. Presque un an... c'était difficile à croire. Elle avait parfois l'impression qu'une éternité s'était écoulée depuis le drame, et parfois que cela ne faisait que quelques minutes.

— J'en suis sûre, moi aussi, admit Pip tout à fait sérieusement. C'est justement pour cela qu'il faut que tu l'épouses.

— Et s'il tombait amoureux d'Andrea ? fit Ophélie sur le même ton badin.

Au fond, ce serait tout à fait possible. Elle devrait peut-être les présenter. Mais la réaction de Pip ne se fit pas attendre.

— Jamais de la vie, décréta-t-elle avec fermeté. Elle ne plairait pas du tout à Matt. Elle est bien trop autoritaire pour lui. Elle passe son temps à donner des ordres, même aux hommes qu'elle rencontre... C'est pour ça qu'ils la plaquent tous.

L'opinion de Pip était intéressante. Ayant surpris des conversations entre ses parents au fil des années, elle avait eu le temps de se forger une idée assez juste de la personnalité d'Andrea. Férocement attachée à son indépendance, celle-ci se complaisait dans le rôle de femme castratrice. Ce qui expliquait sa décision de s'adresser à une banque du sperme pour concevoir son enfant. Jusqu'à présent, aucun homme n'avait voulu s'engager dans une relation durable avec elle. Malgré tout, le jugement émis par Pip trahissait une grande maturité pour une enfant de son âge et Ophélie s'abstint de tout commentaire, impressionnée par la perspicacité de sa fille.

— Non, crois-moi, Matt serait bien plus heureux avec nous, conclut Pip en ponctuant ses paroles d'un petit rire espiègle. On devrait peut-être lui en parler quand il viendra nous voir, qu'en dis-tu ?

— Excellente idée, je suis sûr qu'il appréciera, ironisa Ophélie. Mieux encore : on n'aura qu'à lui ordonner de nous épouser. Comme ça, l'affaire sera classée.

Un sourire mutin flottait sur ses lèvres. Pip pouffa.

— Maman, tu es géniale, déclara-t-elle en plissant les yeux pour se protéger du soleil.

Une expression de félicité éclairait son visage.

— Et toi, tu n'es qu'un petit monstre, répliqua Ophélie en riant à son tour.

Elles arrivèrent à la maison quelques minutes plus tard. Ophélie ouvrit la porte en silence. Cela faisait trois mois qu'elle n'y avait pas mis les pieds. Elle avait délibérément évité d'y aller à chacune de ses visites en ville, ayant pris soin de faire suivre le courrier avant leur départ pour Safe Harbour. La réalité la heurta de plein fouet lorsqu'elle pénétra à l'intérieur. Inconsciemment, dans un recoin de son esprit, elle avait imaginé que Ted et Chad les attendraient à leur retour de vacances. Un peu comme s'ils étaient partis en voyage de leur côté, tous les deux, et que la souffrance accumulée ces derniers mois n'était qu'une mauvaise farce. Chad dévalerait l'escalier, tout sourire, et Ted l'attendrait sur le seuil de leur chambre, avec ce regard qui la faisait encore fondre, après toutes ces années. L'attirance quasi magnétique

173

qui existait entre eux depuis le début n'avait jamais perdu de son intensité.

Mais la maison était vide. Il n'y avait aucun moyen d'échapper à la vérité. Pip et elle étaient condamnées à la solitude.

Debout sur le perron, elles eurent la même pensée, affreusement douloureuse, au même instant. Les yeux pleins de larmes, elles s'étreignirent longuement.

— Je déteste cette maison, articula Pip, blottie contre sa mère.

— Moi aussi.

Aucune d'elles n'avait envie de monter à l'étage ni de retrouver sa chambre. Le retour à la réalité s'avérait d'une extrême brutalité. Matt fut provisoirement oublié. Il avait sa vie, son monde à lui. Et elles avaient le leur. A quoi bon le nier ?

Ophélie retourna à la voiture décharger le coffre, et Pip l'aida à porter les lourds bagages jusqu'à l'étage. Il n'y avait personne pour les aider. A bout de souffle, Ophélie déposa deux gros sacs dans la chambre de Pip.

— Je viendrai t'aider à ranger tes affaires, dit-elle en s'efforçant de tenir bon.

Elle avait beaucoup progressé durant l'été, il fallait absolument qu'elle s'accroche à cette pensée. Mais, à l'instant même où elle était entrée dans cette maison qui lui rappelait tant son fils et son mari, le gouffre s'était rouvert sous ses pieds, comme si la parenthèse de Safe Harbour n'avait jamais existé.

— Je peux m'en occuper toute seule, maman, répondit Pip d'une voix atone.

Elle l'avait senti, elle aussi. Et à certains égards, c'était même pire qu'avant, parce que sa mère avait repris goût à la vie, qu'elle était de nouveau capable d'éprouver des sentiments.

Ophélie monta ensuite ses propres bagages. Son cœur chavira lorsqu'elle ouvrit le placard de sa chambre. Tout était là, intact. Les vestes, les costumes, les chemises, les cravates, toutes les chaussures qu'il avait portées et même les vieux mocassins qu'il mettait le week-end, souvenirs de son passage à Harvard. Elle était en train de revivre le même cauchemar. Il était hors de question de mettre les pieds dans la chambre de Chad ; son cœur ne résisterait pas au choc. Tout en déballant ses affaires avec des gestes mécaniques, elle se sentit perdre pied de nouveau. C'était une sensation terrifiante.

Quand vint l'heure du dîner, elles se retrouvèrent à la cuisine, pâles, silencieuses, épuisées. La sonnerie du téléphone les fit sursauter. D'un commun accord, elles avaient décidé de manger plus tard. Qu'elle ait faim ou non, Pip aurait quelque chose dans son assiette. Ophélie, elle, n'hésitait pas à sauter des repas.

Le téléphone continuait à sonner. Ophélie n'esquissa pas le moindre geste. Elle n'avait envie de parler à personne. Finalement, Pip alla répondre. Son visage s'éclaira aussitôt.

— Bonsoir, Matt. Ça va, oui... répondit-elle d'une voix mal assurée.

Croisant le regard de sa mère, elle fondit en larmes.

— Non, en fait, ça ne va pas du tout... C'est affreux... C'est trop dur de revenir dans cette maison...

Sur le point de l'interrompre, Ophélie se ravisa. Si Matt était vraiment leur ami, autant qu'il sache la vérité. Pip écouta un long moment ce que Matt lui disait à l'autre bout du fil, hochant la tête de temps en temps. Elle sécha ses larmes et se laissa tomber sur une chaise.

— D'accord. Je vais essayer. J'en parlerai à maman... Non, je ne peux pas... C'est la rentrée demain. Quand viendrez-vous nous voir ?

La réponse de Matt parut la satisfaire.

— D'accord... Je vais lui demander...

Plaquant la main sur le combiné, elle se tourna vers Ophélie.

— Tu veux lui parler, maman ?

Ophélie secoua la tête.

175

— Dis-lui que je suis occupée, chuchota-t-elle.

Elle était trop abattue pour bavarder avec Matt. Feindre la gaieté était au-dessus de ses forces. Contrairement à Pip, elle n'avait pas non plus envie de s'épancher.

— D'accord, fit celle-ci après l'avoir excusée auprès de Matt, je le lui dirai. Je vous appellerai demain.

Dès qu'elle eut raccroché, elle rapporta leur conversation à sa mère.

— Matt dit que c'est normal qu'on ne se sente pas bien ; on a vécu ici avec papa et Chad, alors inévitablement, tous les souvenirs rejaillissent d'un coup. Il dit que ça ira mieux bientôt, qu'il nous faut juste le temps de reprendre nos marques. Il nous conseille de faire quelque chose d'amusant ce soir, comme par exemple commander un repas chinois ou aller manger à la pizzeria. Et puis mettre de la musique, un air entraînant, à plein volume. Et si malgré tout on est encore tristes, alors on devrait essayer de dormir ensemble. Et demain, il nous conseille d'aller faire les boutiques et d'acheter un truc complètement farfelu. Je lui ai dit que c'était impossible parce que j'allais au collège, souligna Pip en haussant les épaules. Mais ses autres idées sont chouettes, je trouve. Tu veux qu'on commande des plats chinois, maman ?

Elles n'avaient pas mangé chinois de tout l'été et c'était une de leurs cuisines préférées.

— Je n'y tiens pas vraiment, mais c'est gentil de sa part de nous donner des idées.

Le silence retomba. Ophélie songea soudain aux suggestions de Matt. Pourquoi pas, après tout ? Si ça pouvait leur apporter un peu de réconfort... même si elles n'avaient pas vraiment faim.

— Tu as envie de manger chinois, Pip ?

— Oui ! On pourrait juste commander des rouleaux de printemps. Et des nems.

— Moi, je prendrais bien une soupe, fit Ophélie en cherchant le numéro du traiteur chinois sur le comptoir de la cuisine.

— Commande-moi aussi une portion de riz aux cre-
vettes, s'il te plaît, ajouta Pip lorsque sa mère décrocha
le téléphone.

Une demi-heure plus tard, le carillon de l'entrée retentit ; c'était leur repas chinois, servi dans différentes petites boîtes en carton. Elles s'assirent autour de la table de
la cuisine et mangèrent. Entre-temps, Pip avait mis très
fort un CD de rap. Elles furent obligées de l'admettre :
elles se sentaient déjà beaucoup mieux qu'en arrivant,
une heure plus tôt.

— Ce sont vraiment des idées idiotes, fit Ophélie en
gratifiant sa fille d'un sourire complice, mais c'était
sympa de sa part de nous les suggérer.

A sa grande surprise, les conseils de Matt portèrent
leurs fruits. C'était presque gênant de devoir reconnaître
qu'un air de musique assourdissant et un repas chinois
avaient le pouvoir d'apaiser le terrible chagrin qui leur
broyait le cœur. Même à distance, Matt avait réussi à
leur remonter le moral.

— Je peux dormir avec toi, cette nuit ? demanda Pip
d'une voix hésitante comme elles montaient à l'étage
après avoir rangé la cuisine.

Alice, la femme de ménage, leur avait laissé de quoi
préparer un bon petit déjeuner le lendemain matin, et
Ophélie avait déjà prévu d'aller faire des courses dans la
journée. La question de Pip la prit au dépourvu. C'était
la première fois qu'elle formulait ce genre de demande
depuis un an. Elle avait craint d'importuner sa mère et,
noyée dans son chagrin, Ophélie n'avait jamais songé à
le lui proposer.

— Bien sûr... Tu es sûre d'en avoir envie ?

L'idée de Matt avait aussitôt plu à Pip, qui s'empressa
d'acquiescer. Elles prirent une douche dans leurs salles
de bains respectives, puis Pip alla rejoindre sa mère.
C'était comme si elles avaient organisé une soirée pyjama
et elle ne put s'empêcher de glousser en grimpant dans
le grand lit. D'un coup de baguette magique, Matt avait

réussi à transformer entièrement le cours de leur soirée. Enchantée, Pip se blottit contre sa mère. Quelques minutes plus tard, elle sombrait dans un profond sommeil. Ophélie la serra dans ses bras, surprise par la sensation de bien-être que lui procurait ce contact. Pourquoi n'y avait-elle pas songé plus tôt ? Même si elles ne dormaient pas ensemble toutes les nuits, c'était la solution idéale pour les soirs de grande déprime. Elle ne tarda pas à s'endormir, rassérénée.

La mère et la fille furent réveillées en sursaut par la sonnerie du réveil. Elles mirent quelques instants avant de comprendre où elles se trouvaient et pourquoi elles dormaient dans le même lit. Puis elles se souvinrent, mais l'heure n'était pas aux états d'âme : il fallait se dépêcher de se préparer. Pip alla se brosser les dents, pendant qu'Ophélie descendait préparer le petit déjeuner. Elle vit les petites boîtes blanches dans le réfrigérateur et, esquissant un sourire, cassa en deux un biscuit chinois.

« Le bonheur et la chance berceront votre année », lut-elle sur le petit papier soigneusement plié à l'intérieur du gâteau. Son sourire s'élargit.

— Merci, j'en ai grand besoin, murmura-t-elle en préparant un bol de céréales pour Pip.

Elle remplit deux verres de jus d'orange, glissa une tranche de pain dans le toasteur, puis brancha la cafetière. Pip descendit, vêtue de son uniforme, au moment où elle allait chercher le journal sur le pas de la porte. Elle ne l'avait pas lu de tout l'été et ce geste quotidien ne lui avait guère manqué. Après y avoir jeté un coup d'œil distrait en buvant son café, elle monta s'habiller. C'était toujours la course, le matin, et ce rythme effréné lui plaisait : cela l'empêchait de penser.

Vingt minutes plus tard, elles prenaient le chemin de l'école. Mousse était assis sur la banquette arrière. Radieuse, Pip regarda par la vitre, avant de se tourner vers sa mère.

— Tu sais, les conseils de Matt ont vraiment marché. Ça m'a fait du bien de dormir avec toi.

— A moi aussi, reconnut Ophélie.

C'était tellement mieux que de pleurer son mari dans un grand lit vide...

— On pourra le refaire, un soir ? demanda Pip d'une voix pleine d'espoir.

— Avec plaisir.

Elles approchaient du collège. Ophélie sourit à sa fille.

— Il faudra que je l'appelle pour le remercier, déclara Pip.

Ophélie gara la voiture le long du trottoir et l'embrassa rapidement, en lui souhaitant bonne chance. Sur un dernier signe de la main, Pip sortit rejoindre ses camarades, sa nouvelle classe et ses professeurs. Ophélie souriait toujours en regagnant la grande maison de Clay Street. Elle se souvint de son enthousiasme le jour où ils avaient emménagé... et maintenant, c'était l'inverse : cette même maison l'emplissait d'une tristesse indicible. Mais la soirée de la veille s'était révélée moins douloureuse que prévu, et elle remercia in petto Matt et ses idées originales.

Talonnée par Mousse, elle gravit lentement les marches du perron et ouvrit la porte en soupirant. Elle devait terminer de ranger, puis elle irait faire les courses. Elle voulait ensuite passer au foyer d'accueil, en début d'après-midi. Bref, elle n'aurait pas le temps de s'ennuyer jusqu'à 15 h 30, heure à laquelle elle irait chercher Pip à l'école. Mais, en passant devant la chambre de Chad, la tentation fut trop forte. Elle entrebâilla la porte et jeta un coup d'œil à l'intérieur. Les volets étaient fermés, la grande pièce vide plongée dans la pénombre. Le cœur d'Ophélie se serra douloureusement. Les posters de Chad ornaient encore les murs, et tous ses trésors étaient là. Des photos de lui entouré de ses camarades, les trophées qu'il avait remportés plus jeune, à l'époque où il faisait du sport. Bizarrement, la pièce dégageait une ambiance différente de celle qu'elle gardait en mémoire. On eût dit une feuille tombée, qui séchait lentement. Même l'odeur n'était plus la même. Il y régnait des relents de moisi. Comme d'habitude, elle alla s'allonger sur le lit et enfouit son visage dans l'oreiller. L'odeur de son fils s'y trouvait encore, presque imperceptible. Puis, comme à chaque fois qu'elle venait ici, le chagrin la terrassa et elle s'effondra. Rien ne pouvait l'aider, cette fois, ni la cuisine chinoise ni la musique cacophonique de Pip. Chad ne reviendrait pas. Jamais. Telle était l'insoutenable vérité.

Au prix d'un effort, elle parvint à se lever et regagna sa chambre, épuisée. Comme dans un brouillard, elle s'approcha du placard où s'alignaient les costumes de Ted. Elle porta une manche de veste à son visage et savoura le contact rugueux du tweed. Elle sentait encore l'odeur de son eau de toilette et eut soudain l'impression d'entendre sa voix. La douleur s'intensifia, insupportable. Pourtant, elle refusa de lui céder. Non, elle devait à tout prix résister. C'était une question de survie. Elle ne devait plus se comporter comme un robot sans réaction ni se laisser détruire par ses propres sentiments. Elle devait apprendre à vivre avec cette douleur chevillée au cœur et avancer, coûte que coûte. Si ce n'était pas pour elle, elle le devait au moins à Pip. Dieu merci, il y avait une réunion du groupe cet après-midi-là ; elle pourrait confier ses angoisses. Mais la thérapie toucherait bientôt à sa fin. Que deviendrait-elle sans eux, sans leur soutien indéfectible ?

Pendant la réunion, elle raconta la soirée qu'elle avait passée la veille avec Pip : le dîner chinois, la musique, et sa fille qui avait dormi avec elle. Il n'y eut aucune réaction critique ou réprobatrice. De toute façon, personne ne condamnait jamais personne dans le groupe, même le fait pour certains d'entre eux de tomber à nouveau amoureux. Rien n'était répréhensible. Chacun progressait à son rythme sur le chemin de la guérison. C'était toujours réconfortant de pouvoir partager ses expériences avec les autres.

— Alors, monsieur Feigenbaum, avez-vous trouvé une amie de cœur ? demanda Ophélie d'un ton taquin comme ils sortaient ensemble de l'immeuble, après la réunion.

Elle éprouvait beaucoup d'affection pour le vieil homme. A la fois ouvert, sincère et profondément gentil, il déployait d'énormes efforts pour tenter de s'en sortir.

— Pas encore, mais j'y travaille. Et vous, ma chère ?

Ophélie se tourna vers lui. Avec ses joues roses et rebondies et son épaisse chevelure blanche, il ressemblait à un assistant du père Noël.

— Je ne veux pas de petit ami. Et n'insistez pas, ma fille me fatigue suffisamment comme ça avec toutes ces histoires, ajouta-t-elle en riant.

— C'est que c'est une enfant intelligente. Si j'avais quarante ans de moins, chère amie, je tenterais volontiers ma chance. Qu'en est-il de votre mère ? Est-elle célibataire ?

Ophélie rit de plus belle en lui adressant un petit signe d'adieu. Elle reprit sa voiture pour se rendre au foyer d'accueil que lui avait indiqué son thérapeute. Il se trouvait au bout d'une ruelle, dans un quartier plutôt mal famé. Evidemment, ce genre de structure n'avait aucune raison d'exister dans les quartiers chics de la ville, comme Pacific Heights par exemple. Les gens qui la reçurent à l'accueil se montrèrent aimables et disponibles. Elle leur expliqua qu'elle désirait prendre rendez-vous pour poser sa candidature en tant que bénévole, et on lui demanda de repasser le lendemain matin. Il eût été plus simple d'appeler, mais elle tenait à voir les lieux avant. En sortant, elle croisa deux vieux clochards poussant des chariots qui contenaient tous leurs biens. Un bénévole était en train de leur servir du café dans des gobelets en plastique. Ophélie se voyait tout à fait dans ce rôle. Ça ne semblait pas très compliqué et en même temps, elle serait heureuse de se rendre utile. Ce serait toujours mieux que de se morfondre chez elle ou de respirer en pleurant les vestes de Ted et l'oreiller de Chad. Elle ne devait pas replonger, c'était hors de question. L'année écoulée avait failli la tuer. D'une manière ou d'une autre, elle ferait en sorte que celle à venir soit moins sombre. La date anniversaire du drame approchait à grands pas – quatre semaines seulement l'en séparaient – et bien qu'elle redoutât ce moment, elle s'efforcerait de le transformer en nouveau départ. Pas seulement pour elle, mais surtout pour Pip. Elle lui devait bien ça. Et peut-être ce travail de bénévole l'aiderait-il à avancer dans ce sens. Elle l'espérait de tout cœur.

Sur le chemin du collège, alors qu'elle attendait à un feu rouge, elle contempla d'un œil distrait la vitrine d'un magasin de chaussures. Tout à coup, un sourire éclaira son visage. De gros chaussons en peluche figurant les personnages de l'émission pour enfants « Rue Sésame » trônaient au milieu de la devanture. Il y avait ceux de Grover, bleu électrique, et ceux d'Elmo, rouge vif. Des chaussons pour adultes d'une drôlerie irrésistible ! Sans réfléchir, Ophélie se gara en double file et fonça dans la boutique. Elle acheta les chaussons de Grover pour elle, et ceux d'Elmo pour Pip. Puis elle regagna sa voiture en courant, un grand sac à la main. Elle arriva au collège au moment où Pip sortait du bâtiment et se dirigeait vers l'endroit où elle avait coutume d'attendre sa mère. Sa fille l'aperçut aussitôt. Les boucles en bataille, elle semblait fatiguée mais heureuse.

Elle sauta dans la voiture, un large sourire aux lèvres.

— Mes profs sont super. Je les aime tous, sauf une, Mlle Giulani. C'est un vrai dragon, je ne peux pas la sentir. Mais les autres sont hypercool, maman.

Ophélie ne put s'empêcher de sourire.

— Je suis ravie d'apprendre que vos professeurs sont « cool », mademoiselle Pip, dit-elle en retrouvant sa langue maternelle. Au fait, j'ai trouvé des petits cadeaux.

D'un geste de la main, elle indiqua le sac qui reposait sur la banquette arrière.

— Qu'est-ce que c'est ? s'écria Pip en l'attrapant.

Les yeux brillants d'excitation, elle l'ouvrit, regarda à l'intérieur et poussa un cri de joie.

— Tu l'as fait ! Tu l'as fait !

Ophélie considéra sa fille d'un air perplexe.

— De quoi parles-tu ?

— Tu as acheté un truc farfelu ! Tu ne te souviens pas ? C'est ce que Matt nous a conseillé hier. Il m'avait dit d'aller faire les boutiques aujourd'hui pour dégoter quelque chose d'original. Je lui ai répondu que c'était impossible à cause de l'école. Mais tu l'as fait pour nous ! Oh, maman, je t'adore !

Elle enfila les chaussons Elmo par-dessus ses ballerines et laissa échapper un rire joyeux. Ophélie l'observa, interdite. S'agissait-il d'un message subliminal ou simplement d'une heureuse coïncidence… ? Toujours est-il qu'elle n'avait pas songé un seul instant aux paroles de Matt en achetant les fameux chaussons. Ils lui avaient tapé dans l'œil, c'était aussi simple que ça. Certes, ils étaient complètement farfelus. Et Pip les adorait, elle aussi.

— Tu les mettras en rentrant à la maison, promis ?

— Promis, répondit Ophélie d'un ton solennel.

Un sourire flotta sur ses lèvres pendant tout le trajet. La journée n'avait pas été si mauvaise que ça, après tout. Et elle avait hâte de se présenter à son rendez-vous le lendemain. Elle en parla à Pip et celle-ci parut très impressionnée par la décision de sa mère. Le retour à la maison les avait considérablement ébranlées, mais les choses allaient déjà mieux. Les trous noirs semblaient moins sombres, moins profonds ; Ophélie les franchissait avec davantage de facilité. C'était exactement ce que lui avaient dit les membres de son groupe, mais elle ne les avait pas crus, à l'époque. Pourtant, ils avaient raison.

De retour à la maison, Pip rappela sa promesse à sa mère, et Ophélie enfila de bonne grâce ses chaussons Grover. Quant à Pip, elle avala une pomme et un cookie, but un grand verre de lait et appela Matt avant de faire ses devoirs. Ophélie était montée à l'étage. Perchée sur un tabouret de cuisine, Pip écouta les sonneries se succéder.

Matt rentrait tout juste de la plage. Il pressa le pas et décrocha le téléphone, légèrement essoufflé.

— J'appelle pour vous remercier de tout mon cœur, déclara-t-elle solennellement.

A l'autre bout du fil, Matt esquissa un sourire.

— Est-ce vous, mademoiselle Pip ?

— Oui, c'est moi. Matt, vous êtes absolument génial ! Maman et moi, on a suivi tous vos conseils : on a mangé chinois, j'ai mis mon CD préféré à plein tube et ensuite, j'ai dormi avec elle... C'était super. Et aujourd'hui, elle nous a acheté à toutes les deux des chaussons représentant les personnages de la *Rue Sésame*. Grover pour elle, Elmo pour moi. En plus, mes profs sont tous sympas, sauf une que je déteste.

A sa voix, Matt entendit que tout allait beaucoup mieux que la veille. L'espace d'un instant, il eut l'impression de recevoir la médaille du mérite. Un flot d'allégresse le submergea.

— Je tiens absolument à voir ces chaussons. Je suis jaloux... J'en veux une paire moi aussi.

— Vous avez de trop grands pieds. Sinon, j'aurais demandé à maman de vous en acheter une paire.

— Quel dommage... J'ai toujours aimé Elmo. Et Kermit.

— Moi aussi. Mais Elmo est mon préféré.

Elle parla encore de son premier jour d'école, de ses camarades et de ses professeurs. Puis il fut temps pour elle de dire au revoir à Matt. Ses devoirs l'attendaient.

— Vas-y vite et embrasse ta maman de ma part. Je t'appellerai demain, promit Matt, retrouvant avec bonheur les émotions d'autrefois, à l'époque où il appelait régulièrement ses enfants.

C'était un mélange de joie teintée de mélancolie, d'espoir et d'euphorie, un mélange qui l'aidait à vivre. Pourtant Pip n'était pas sa fille. Ils souriaient tous les deux en raccrochant, chacun de leur côté. Avant de regagner sa chambre, Pip entrebâilla la porte de sa mère.

— J'ai téléphoné à Matt. Je lui ai parlé de nos superbes chaussons. Il t'embrasse, débita-t-elle d'un trait, ravie.

Ophélie esquissa un sourire.

— C'est gentil.

— Est-ce que je pourrai encore dormir avec toi, ce soir ? reprit Pip, presque timidement.

Elle avait mis ses chaussons Elmo, et Ophélie avait gardé les siens, comme promis.

— Est-ce une idée de Matt ?

— Non, c'est mon idée, répondit Pip.

C'était la vérité : Matt n'avait prodigué aucun conseil, ce soir. A quoi bon ? Il les avait aidées la veille et grâce à ses précieuses suggestions elles se sentaient beaucoup mieux – pour le moment, en tout cas.

— C'est une bonne idée, déclara finalement Ophélie.

Pip sautilla jusqu'à sa chambre, prête à commencer ses devoirs.

Elles passèrent encore une bonne nuit, toutes les deux. Combien de temps dormiraient-elles ensemble ? Ophélie l'ignorait... Sûrement tant que ce serait bon pour elles. D'ailleurs, c'était vraiment étonnant qu'elle n'y ait pas songé plus tôt. Cette solution balayait leurs angoisses nocturnes et leur permettait de passer des nuits paisibles.

C'était incroyable, toutes les choses positives que Matt leur apportait.

13

Ophélie avait rendez-vous à 9 h 30 au centre Wexler, le foyer d'accueil des SDF. Elle avait prévu de déposer Pip au collège, puis de filer directement à South Market, le quartier où se trouvait le centre. Pour l'occasion, elle mit un jean et une vieille veste en cuir noir. Sur le chemin de l'école, Pip lui jeta un regard appréciateur.

— Tu es jolie comme ça, maman. Tu as rendez-vous quelque part ?

Pip était ravissante aussi, dans son uniforme : chemisier blanc et jupe plissée bleu marine. Elle détestait cette tenue, mais Ophélie ne voyait que les bons côtés de la chose : l'uniforme obligatoire évitait les interminables hésitations devant la penderie, le matin. Pour les occasions importantes, Pip portait une cravate bleu marine sur son chemisier. Elle ressemblait à une petite fille modèle, avec ses boucles rousses.

— Oui, c'est tout à fait ça, répondit-elle en souriant.

Ophélie se sentait merveilleusement reposée ; les nuits qu'elles passaient ensemble adoucissaient leur solitude, en même temps qu'elles atténuaient l'horreur du réveil. Elle regrettait vraiment de ne pas y avoir pensé plus tôt, sans doute par crainte de trop solliciter le soutien de Pip. La suggestion de Matt tenait presque du miracle. Pour la première fois depuis des mois, elle passait des nuits calmes, reposantes, et la joie l'envahissait le matin, lorsqu'elle se réveillait nez à nez avec sa fille et qu'elles se regardaient en souriant, tout simplement heureuses. Ted n'avait jamais eu de geste ni de parole tendre, le matin. Ce n'était pas dans son caractère.

Elle raconta à Pip sa visite au centre Wexler, lui expliqua en quoi cela consistait et ce qu'elle aimerait y faire.

— Je vais leur proposer mes services en tant que bénévole, conclut-elle.

Mille et une questions tourbillonnaient dans sa tête. Accepteraient-ils sa candidature ? Pourrait-elle leur être utile ? S'il n'y avait rien d'autre à faire, elle pourrait toujours s'occuper du standard téléphonique...

— Je te raconterai comment ça s'est passé quand je viendrai te chercher tout à l'heure, promit-elle en déposant Pip devant la grille du collège.

Elle la regarda remonter l'allée avec un groupe d'amis, tellement absorbée par la conversation qu'elle ne se retourna même pas pour lui adresser l'habituel petit signe de la main.

Ophélie gara sa voiture dans Folsom Street et s'engagea dans la ruelle qui menait au centre Wexler. Elle passa devant une bande d'ivrognes qui étaient affalés contre le mur d'une maison. Ils n'auraient eu que quelques mètres à parcourir pour aller au centre mais cette courte distance semblait infranchissable pour eux. Elle jeta un coup d'œil au petit groupe. Prisonniers de leur monde intérieur – leur enfer personnel –, ils ne la virent même pas. Ophélie passa à côté d'eux, tête baissée, pleine de pitié.

Quelques instants plus tard, elle pénétrait dans le hall de la réception, une grande pièce ornée de posters qui masquaient à grand-peine la peinture écaillée. Derrière le comptoir se tenait une nouvelle réceptionniste, une Afro-Américaine d'âge moyen, qui s'occupait à la fois du standard et de l'accueil des visiteurs. Coiffée de fines tresses poivre et sel, elle leva sur Ophélie un regard interrogateur. Malgré les vêtements passe-partout qu'elle avait choisi de porter, elle paraissait déplacée dans cette pièce défraîchie. Le mobilier usé et hétéroclite devait provenir d'œuvres de charité. Dans un coin, une cafetière et des gobelets en plastique étaient à la disposition des visiteurs.

— Puis-je vous aider ? demanda la réceptionniste d'un ton affable.

— J'ai rendez-vous avec Louise Anderson, répondit Ophélie. Je crois qu'elle s'occupe des bénévoles.

A ces mots, son interlocutrice esquissa un sourire.

— Et aussi du marketing, des dons, des commandes de nourriture, du matériel, de la communication et du recrutement. Nous portons tous de nombreuses casquettes, ici, conclut-elle avec un petit haussement d'épaules.

Ophélie lui rendit son sourire. Ça ne devait pas manquer d'intérêt, songea-t-elle en examinant la pièce, jetant un coup d'œil aux affiches et aux magazines, pendant que la réceptionniste appelait la fameuse Louise Anderson. Elle n'attendit pas longtemps. Deux minutes plus tard, une jeune femme fit irruption dans le hall. Elle était aussi rousse que Pip ; deux longues tresses flottaient dans son dos. Elle portait un jean délavé, une chemise à carreaux et de grosses bottines à lacets. Malgré sa tenue, sa grâce et sa féminité étaient extraordinaires. Aussi menue que Pip et Ophélie, elle possédait une silhouette de danseuse. En même temps, il émanait d'elle un puissant mélange d'énergie, de gentillesse, d'enthousiasme et d'assurance. C'était, à n'en pas douter, le genre de femme qui aimait prendre les choses en main.

— Madame Mackenzie ? demanda-t-elle en s'approchant d'Ophélie avec un sourire.

Celle-ci se leva en hochant la tête.

— Suivez-moi, voulez-vous ?

D'un pas décidé, elle conduisit Ophélie dans un bureau situé à l'arrière du bâtiment. Un immense tableau en liège couvrait tout un pan de mur. Cartes de visite, bulletins officiels, messages d'agences gouvernementales, photos, listes interminables de contacts et de projets, articles de journaux y étaient accrochés pêle-mêle. Nul doute que son interlocutrice n'avait pas le temps de s'ennuyer. Sur le mur d'en face se trouvaient plusieurs photos de groupe prises au centre. Un bureau de taille modeste et deux chaises pour les visiteurs trônaient au milieu de la pièce inondée de soleil – une pièce à l'image de son occupante : petite, chaleureuse, fonctionnelle.

— Alors, racontez-moi un peu, qu'est-ce qui vous amène chez nous ? demanda Louise Anderson en plongeant son regard dans celui d'Ophélie.

Celle-ci n'avait pas le profil habituel de leurs bénévoles, généralement des lycéens ou des étudiants en sciences sociales, désireux de mettre en pratique leurs connaissances théoriques ou encore des intervenants liés d'une manière ou d'une autre à l'action sociale.

— J'aimerais poser ma candidature en tant que bénévole, répondit timidement Ophélie.

— Les personnes volontaires sont toujours les bienvenues. Avez-vous une spécialité ?

Décontenancée, Ophélie chercha désespérément une réponse. Qu'attendaient-ils d'elle ? En quoi pourrait-elle les aider ? Elle n'en avait pas la moindre idée. Percevant son malaise, Louise Anderson reprit gentiment :

— Qu'aimez-vous faire, dans la vie de tous les jours ?

— Je... je ne sais pas trop, bredouilla Ophélie. J'ai deux enfants, ajouta-t-elle en réprimant une petite grimace – il lui semblait inopportun de s'apitoyer sur son sort. Je suis mariée depuis dix-huit ans... enfin, je l'étais, corrigea-t-elle bravement. Je sais conduire, faire les courses, le ménage, la lessive et le repassage ; j'ai un bon contact avec les enfants... et avec les chiens.

En les prononçant, ces paroles lui parurent parfaitement ridicules ; mais c'était tout ce qui lui venait à l'esprit. Depuis combien de temps n'avait-elle pas dressé le bilan de ses compétences et de ses qualités ? Une éternité. Tout à coup, ses maigres bagages lui semblèrent d'une futilité affligeante.

— J'ai une maîtrise de biologie... et je connais pas mal de choses en technologie de l'énergie – c'était la spécialité de mon mari. J'ai également une bonne expérience relationnelle auprès des familles de personnes atteintes de troubles mentaux.

Chad envahit ses pensées et elle s'accrocha à lui, en soutenant le regard de Louise Anderson.

— Vous êtes divorcée ?

Ophélie secoua la tête, luttant contre la peur qui lui serrait le cœur. C'était terriblement intimidant d'être ici et de se sentir si incompétente. Mais ce qu'elle lut dans le regard de son interlocutrice – un mélange de tolérance et de respect – la rassura. Louise désirait juste quelques informations complémentaires.

— Mon mari est mort il y a un an, articula-t-elle au prix d'un effort. Avec mon fils. Il me reste ma fille de onze ans. Et beaucoup de temps libre.

— Je suis sincèrement désolée, fit Louise avant d'enchaîner : votre expérience dans le domaine des pathologies mentales pourrait nous être utile. Beaucoup de ceux que nous accueillons souffrent de troubles psychologiques. La plupart du temps, leurs problèmes sont directement liés à la précarité de leur situation. Sinon, nous essayons, dans la mesure du possible, de les orienter vers des hôpitaux ou des établissements compétents. S'ils gardent une certaine autonomie, nous acceptons de les héberger. La majorité des foyers sont extrêmement rigoureux en ce qui concerne le comportement de leurs occupants. Résultat : une quantité impressionnante de sans-abri se retrouve à la rue, dans une situation proprement désespérée. C'est aberrant, mais ça simplifie beaucoup le fonctionnement de certains foyers. Nous sommes plus tolérants ici ; par voie de conséquence, il nous arrive de recueillir des personnes atteintes de troubles importants.

— Que deviennent-elles par la suite ? demanda Ophélie.

Louise Anderson lui avait plu au premier coup d'œil et elle espérait pouvoir la connaître mieux d'ici peu. Le flux d'énergie qui émanait d'elle emplissait toute la pièce, et la passion qu'elle vouait à son métier était sans nul doute contagieuse : Ophélie ressentait déjà un frisson d'excitation à l'idée de travailler ici.

— La plupart d'entre elles retournent à la rue, après une ou deux nuits passées au centre. Les familles restent plus longtemps, en attendant qu'une place dans un foyer permanent se libère. Nous ne sommes qu'une structure de transition, un peu comme un pansement de fortune sur la plaie que constitue la précarité. Nous les gardons aussi longtemps qu'ils le souhaitent, tout en essayant de les diriger vers des institutions plus adaptées ou des logements sociaux. Nous nous occupons des enfants et veillons à ce que personne ne manque de quoi que ce soit : nous leur fournissons un toit, des vêtements, de la nourriture ; nous les envoyons chez le médecin quand cela s'avère nécessaire et nous les aidons à remplir les demandes d'allocations. Nous fonctionnons un peu à la manière du service des urgences dans un grand hôpital ; nous les guidons et les réconfortons, tout en nous efforçant de songer à leur avenir. Je crois qu'ils apprécient notre façon de procéder. Malheureusement, nous ne pouvons pas résoudre tous les problèmes. C'est triste, parfois, mais il y a tant de choses à faire dans ce domaine... Nous faisons ce que nous pouvons pour leur permettre d'avancer dans la bonne direction.

— Vous faites déjà beaucoup, on dirait, murmura Ophélie d'une voix qui trahissait son admiration.

— Pas assez, pourtant. C'est une activité assez décourageante. On a souvent l'impression de vider l'océan avec un dé à coudre et chaque fois qu'on pense avoir franchi une étape, la marée remonte et nous engloutit de nouveau. Personnellement, ce sont les gamins qui me font le plus de peine. Ils se retrouvent dans la même galère que les adultes et sont encore plus fragiles, alors qu'ils ne sont pas responsables de ce qui leur arrive. Ce sont de pauvres victimes… comme la plupart des adultes, en fait.

— Les enfants restent-ils avec leurs parents ? demanda Ophélie, le cœur serré à l'idée que des gamins de l'âge de Pip, parfois même plus jeunes, soient condamnés à vivre dans la rue.

C'était un des fléaux du monde actuel. En écoutant la réponse de Louise Anderson, Ophélie se félicita d'avoir poussé la porte du centre. C'était exactement ce qu'elle souhaitait faire, Blake avait eu raison de la guider dans cette direction.

— Les enfants sont autorisés à rester avec leurs parents – il s'agit souvent d'un père ou d'une mère célibataire –, à la condition qu'ils trouvent une place dans une structure permanente destinée aux familles ou dans un foyer spécialisé qui accueille, par exemple, les mères maltraitées et leurs enfants. On ne les laisse pas traîner dans la rue. Dès qu'ils repèrent un gamin, les agents de police l'emmènent dans un foyer. La rue est un coupe-gorge, ce n'est pas une vie pour un gosse. Un quart de cette population meurt chaque année dans la rue. Les conditions météorologiques, les maladies, les accidents, la violence les déciment. Dans la rue, l'espérance de vie d'un gamin est deux fois plus courte que celle d'un adulte. Ils sont bien mieux dans des foyers.

Elle marqua une pause, avant de reprendre :

— Avez-vous une préférence pour les horaires ? Voulez-vous travailler de jour ? De nuit ? Le jour, j'imagine, si vous êtes mère célibataire.

Ce terme, « mère célibataire », fut comme un coup de poignard en plein cœur. Ophélie ne s'était jamais considérée comme telle, et pourtant… C'était bel et bien ce qu'elle était désormais, à son grand désespoir.

— Je suis libre tous les jours, de 9 heures du matin à 3 heures de l'après-midi. Je pensais commencer par… je ne sais pas… deux ou trois jours par semaine, peut-être… ?

C'était déjà beaucoup, mais elle se sentait tellement désœuvrée ! A part promener Mousse au parc, elle n'avait rien à faire. Ici, au moins, elle se sentirait utile. Et cette perspective l'enchantait.

— Voici comment j'aime procéder avec les bénévoles, commença Louise en repoussant une de ses tresses : je leur montre le travail, sans fard ni artifice, rien que la réalité de tous les jours. Vous n'avez qu'à passer une ou deux journées avec nous, juste pour voir si vous vous sentez dans votre élément, si c'est réellement ce que vous avez envie de faire. Au terme de cette première période, si ça marche pour tout le monde, nous vous proposerons une formation d'une ou deux semaines, selon le secteur que vous aurez choisi. Et ensuite... au travail ! Attention, c'est un boulot stressant et difficile, prévint-elle sans ambages. Personne ne brasse du vent, ici. Le personnel employé à plein temps travaille souvent douze heures par jour, parfois davantage en situation de crise... ce qui arrive fréquemment, vous vous en doutez. Quant aux bénévoles, ils bossent aussi dur que les autres.

Elle s'interrompit, esquissa un sourire espiègle.

— Alors, qu'en dites-vous ?

— Ça me va tout à fait, répondit Ophélie en lui rendant son sourire. C'est exactement ce qu'il me faut, on dirait. J'espère simplement que je saurai répondre à vos attentes.

— On verra bien.

Sans se départir de son sourire, Louise se leva.

— Je ne veux surtout pas vous faire peur, Ophélie. J'essaie simplement d'être franche avec vous. Je ne veux pas que vous pensiez que c'est un travail facile. C'est très enrichissant, mais certains aspects de notre boulot sont durs, déprimants, dangereux et épuisants. Il y a des jours où vous rentrerez chez vous en forme et d'autres où vous vous effondrerez sur votre lit en pleurant. Nous côtoyons l'inimaginable, dans la rue. Je ne sais pas si cela vous intéressera, mais nous mettons aussi en œuvre un programme destiné aux personnes déchues de leurs droits.

Ophélie haussa les sourcils, intriguée.

— De quoi s'agit-il ?

— Les membres de cette unité patrouillent au volant de deux fourgonnettes qu'on nous a données. Ils repèrent les personnes en souffrance, morale ou physique, qui n'ont plus la force de venir jusqu'ici. C'est donc nous qui allons à leur rencontre. Nous leur donnons de la nourriture, des vêtements, des médicaments. Et si elles sont vraiment trop malades, nous essayons de les conduire à l'hôpital ou dans un établissement spécialisé. Ils sont nombreux ceux qui sont trop brisés, trop effrayés, trop marginalisés pour faire le premier pas. Toutes les nuits, une de nos camionnettes circule dans les rues de la ville à leur rencontre ; deux quand nous sommes suffisamment nombreux. Nous sommes souvent confrontés à des gens qui se méfient de nous, même s'ils ont entendu parler de notre action. Parfois, nous ne faisons que parler avec eux. Pour ma part, j'essaie de convaincre les jeunes fugueurs de rentrer chez eux. Le problème, c'est que certains d'entre eux ont échoué dans la rue pour fuir des choses terribles. Le monde est devenu fou, il se passe des choses vraiment horribles en ce moment. Et nous, nous en voyons le résultat tous les jours. Et c'est encore pire la nuit.

— Ça doit être dangereux, fit observer Ophélie en songeant aux angoisses de Pip.

— Je ne peux pas dire le contraire. Nous nous mettons en route vers 7 ou 8 heures du soir et nous sillonnons la ville le plus longtemps possible. L'équipe de nuit a essuyé plusieurs fois des réactions agressives au cours de ses tournées. Mais jusqu'à présent, aucun de ses membres n'a été blessé. Ils partent en connaissance de cause et restent prudents.

— Est-ce qu'ils sont armés ? demanda Ophélie, impressionnée par le courage de ces gens, qui opéraient chaque nuit de petits miracles.

Louise secoua la tête en riant.

— Leur humanité et leur cœur sont leurs seules armes. C'est une sorte de vocation, un besoin pressant qu'on ressent viscéralement, sans songer un seul instant aux risques qu'on encourt. Ne m'en demandez pas davantage ! Mais ne vous inquiétez pas, il y a aussi plein de choses à faire ici, au foyer.

Ophélie acquiesça en silence. En tant que mère célibataire, comme l'avait souligné Louise, elle ne pouvait se permettre de courir de tels risques.

— Quand désirez-vous commencer ?

Ophélie réfléchit rapidement. Elle était libre jusqu'à 15 heures.

— Quand vous voulez. Je suis à votre disposition.

— Tout de suite, ça vous va ? Je suis sûre que Miriam appréciera un coup de main à l'accueil. Elle vous présentera aux gens qui vont et viennent et vous expliquera le fonctionnement de notre centre. Qu'en dites-vous ?

— C'est parfait.

Tout en se dirigeant vers l'accueil, Ophélie se sentit tout excitée. Louise expliqua brièvement la situation à Miriam, qui lui adressa un sourire rayonnant.

— Vous tombez à pic ! s'écria-t-elle avec entrain. J'ai une pile monstrueuse de dossiers à classer. Tous nos travailleurs sociaux ont jeté leurs rapports en vrac sur mon bureau, hier soir… au moment où j'allais partir, évidemment !

Ophélie découvrit avec stupeur la montagne de dossiers, chemises cartonnées, brochures et dépliants en tous genres qui attendaient d'être classés dans des tiroirs soigneusement étiquetés. Il y avait là de quoi s'occuper largement jusqu'à 15 heures.

Elle s'y attela aussitôt et trouva à peine le temps de souffler. Toutes les cinq minutes, quelqu'un s'arrêtait devant le bureau pour réclamer des dossiers en instance, ou des coordonnées, des formulaires d'admission, des brochures concernant telle ou telle structure. D'autres s'arrêtaient uniquement pour saluer Miriam, laquelle ne ratait pas une occasion de présenter Ophélie. Ils formaient une équipe intéressante, plutôt jeune dans l'ensemble. Quelques-uns avaient le même âge qu'Ophélie, voire quelques années de plus. Peu de temps avant qu'elle s'en aille, deux hommes, un Afro-Américain et un Asiatique, firent irruption dans le hall. Ils étaient accompagnés d'une jeune Hispanique. Le visage de Miriam s'éclaira dès qu'elle les aperçut. Les deux jeunes gens étaient jeunes, grands et séduisants.

— Et voici nos « Top Gun » de service, du moins est-ce ainsi qu'on les surnomme, dit-elle à l'intention d'Ophélie avant de se tourner vers le petit groupe, un large sourire aux lèvres.

Ophélie les observa à la dérobée. La jeune femme était d'une beauté saisissante, on eût dit un mannequin sorti d'un magazine de mode. Mais lorsqu'elle tourna la tête, Ophélie retint son souffle. Une longue cicatrice balafrait son visage.

— Qu'est-ce que vous fabriquez ici, à cette heure ?

— On est venus examiner un des fourgons ; il nous a causé quelques soucis la nuit dernière. Et puis, il faut qu'on prépare le matériel pour ce soir.

Miriam leur présenta Ophélie, « une bénévole en période d'essai ».

— Il faut nous la confier, fit le jeune Asiatique en souriant à Ophélie. Il nous manque quelqu'un depuis qu'Aggie est partie.

Ils bavardèrent un moment. L'Afro-Américain se prénommait Jefferson, son compagnon Bob et la jeune femme répondait au nom de Milagra, mais ses collègues l'appelaient Millie. Après avoir pris congé, ils se dirigèrent vers le garage situé à l'arrière de la bâtisse.

— Que font-ils ? demanda Ophélie en retournant à son classement.

— Ce sont les membres de notre équipe de nuit, répondit Miriam. De vrais héros, ici. Ils sont un peu dingues et pleins d'énergie. Ils sillonnent les rues de la ville cinq nuits par semaine. Une autre équipe prend la relève le week-end. Ils sont tous fabuleux. Je suis sortie avec eux une fois et ça m'a brisé le cœur... et fichu la peur de ma vie, confessa-t-elle, le regard débordant d'affection et de respect.

— N'est-ce pas trop dangereux pour une femme de patrouiller la nuit ? s'enquit Ophélie, admirative.

— Millie connaît bien son affaire. C'est un ancien flic. Elle est en invalidité depuis qu'on lui a tiré dessus et qu'il a fallu lui retirer un poumon. Mais elle est aussi forte que les hommes, faites-lui confiance. C'est une experte en arts martiaux. Elle n'a besoin de personne pour se défendre et pourrait même porter secours à ses petits camarades, s'il le fallait.

— Et la cicatrice, c'est aussi un souvenir de ses années de service ? demanda Ophélie, cédant à sa curiosité grandissante.

Par leur courage et leur générosité, ils forçaient l'admiration. Quant à Millie, c'était la plus jolie jeune femme qu'elle ait jamais vue, malgré sa cicatrice.

— Non, ça date de bien plus longtemps. Son père a essayé de la violer. La petite s'est défendue. Il lui a lacéré le visage. Elle avait onze ans, je crois.

Ophélie avait souvent entendu de telles histoires, mais ce qui la choqua, c'est que Milagra avait le même âge que Pip quand elle avait subi le pire des traumatismes.

— C'est peut-être ce qui l'a motivée à entrer dans la police, conclut Miriam.

Ce fut une journée à la fois stupéfiante et instructive pour Ophélie. Elle vit défiler sans interruption des sans-abri des deux sexes, de tous âges, de toutes races. Certains venaient prendre une douche, d'autres se restaurer, d'autres encore se reposaient ou se promenaient un moment dans le hall de la réception. Quelques-uns étaient propres, s'exprimaient correctement, semblaient tout à fait lucides. D'autres en revanche arrivaient l'air hagard, le regard vitreux. Certains avaient trop bu ; d'autres encore étaient drogués. Le centre Wexler faisait preuve d'une grande humanité en matière de critères d'admission. S'il était formellement interdit de boire de l'alcool et de se droguer dans l'enceinte du foyer, on ne refoulait pas les quelques désespérés qui se présentaient à l'accueil soûls ou drogués.

La tête d'Ophélie tournait légèrement quand elle quitta le centre, après avoir promis à Miriam de revenir le lendemain. Heureuse de sa journée et impatiente d'y retourner, elle raconta à Pip tout ce qu'elle avait fait, sur le chemin de la maison. Celle-ci fut très impressionnée, à la fois par le récit de sa mère et par sa volonté de travailler comme bénévole dans ce genre d'endroit.

A son tour, elle raconta tout à Matt, quand il appela en fin d'après-midi. Ophélie était montée prendre une douche. Lorsqu'elle descendit un moment plus tard, les cheveux enveloppés dans une serviette, elle mourait de faim. Elle avait été tellement absorbée par sa tâche qu'elle ne s'était pas arrêtée pour déjeuner.

— Tu as le bonjour de Matt, lança Pip avant de reprendre sa conversation téléphonique, pendant qu'Ophélie se préparait un sandwich.

Elle commençait à retrouver l'appétit, depuis quelques semaines.

— Dis-lui bonjour de ma part aussi, répondit-elle avant de mordre à belles dents dans son sandwich.

— Il trouve que c'est super chouette, ce que tu fais, rapporta Pip avant d'enchaîner sur le projet de sculpture qui allait se faire au cours d'arts plastiques.

Elle s'était également portée volontaire pour travailler sur la maquette du livre de l'année scolaire. Elle prenait beaucoup de plaisir à bavarder ainsi avec Matt, même si elle regrettait les après-midi qu'ils passaient ensemble à la plage. Mais l'essentiel était de garder le contact et ce désir était réciproque. Finalement, elle tendit le combiné à sa mère.

— On dirait que vous avez entrepris quelque chose de passionnant, commença-t-il d'emblée, d'une voix qui trahissait son admiration.

— C'est à la fois effrayant, excitant, merveilleux, bouleversant et triste. J'adore ça. L'équipe est géniale et les gens qui viennent chercher de l'aide sont émouvants.

— Vous êtes surprenante, Ophélie. Je suis très impressionné.

— Il n'y a vraiment pas de quoi. J'ai classé des dossiers toute la journée et essayé de m'y retrouver. Je ne sais même pas s'ils décideront de me garder à la fin de la semaine.

Elle s'était engagée pour trois jours. Il ne lui en restait plus que deux. Jusque-là, tout se déroulait à merveille.

— Moi, je parie qu'ils ne vous laisseront plus partir ! Mais ne prenez pas de risques inutiles, d'accord ? Pip a besoin de vous.

— Je sais, ne vous inquiétez pas, répondit Ophélie en songeant de nouveau au terme de « mère célibataire » employé par Louise Anderson. Dites, comment ça va à la plage ?

— C'est mort, depuis votre départ, fit Matt avec une pointe de mélancolie dans la voix.

Le temps était pourtant magnifique : le soleil brillait ardemment dans un ciel d'un bleu limpide. Le mois de septembre était un des mois les plus chauds de l'année et Ophélie se prit à regretter de ne pas pouvoir en profiter avec Pip.

— J'envisageais d'aller vous voir ce week-end, reprit-il, si ça ne vous dérange pas, évidemment... à moins que vous ne préfériez venir ici.

— Je crois que Pip a un entraînement de foot, samedi matin... On pourrait peut-être passer dimanche...

— Je peux me déplacer, si vous préférez... mais je ne voudrais surtout pas m'imposer.

— Ne dites pas de bêtises, Matt. Pip sera ravie, au contraire. Ça me fera très plaisir de vous voir, à moi aussi, dit-elle avec un réel enthousiasme.

Malgré sa longue journée au centre, elle se sentait d'excellente d'humeur, comme si ce qu'elle avait vécu là-bas l'avait revigorée.

— Je vous emmènerai déjeuner au restaurant. Demandez à Pip ce qu'elle aimerait manger. Quant à vous, vous me raconterez par le menu tout ce que vous aurez fait au centre.

— Je crains que ce ne soit pas très intéressant. Je dois d'abord suivre une formation d'une semaine et ensuite, je pense que je naviguerai entre les services, en fonction de leurs besoins. Ce sera probablement beaucoup d'accueil et de standard téléphonique. Mais c'est mieux que rien.

Bien mieux, en tout cas, que de pleurer toutes les larmes de son corps dans la chambre de Chad. Matt en était conscient, lui aussi.

— Bien, j'arriverai vers 17 heures, samedi. A bientôt.

— Merci encore, Matt, dit Ophélie avant de rendre le combiné à Pip pour qu'elle lui dise au revoir.

Elle monta ensuite dans sa chambre et se plongea dans la pile de documents qu'on lui avait remis au centre. Elle lut des articles et des enquêtes, parcourut des statistiques sur les sans-abri et le centre Wexler. C'était à la fois captivant et décourageant.

Allongée sur son lit tendu de draps immaculés, vêtue d'une robe de chambre en cachemire rose, Ophélie prit soudain conscience de la chance inouïe qui était la leur. Elles habitaient une grande maison chaleureuse et confortable, pleine d'objets anciens que Ted l'avait poussée à acheter au fil des ans. Les chambres étaient lumineuses et les couleurs vives apportaient une note de gaieté supplémentaire. Du chintz parsemé de grandes fleurs jaune d'or éclairait sa chambre, tandis que celle de Pip se parait de soie rose pâle idéale pour une petite fille. La chambre de Chad, tapissée de carreaux écossais, ressemblait à toutes les chambres d'adolescents. Le bureau de Ted, était en cuir brun, mais elle n'y entrait plus jamais ; un petit salon décoré dans des tons de bleu et jaune pastel jouxtait leur chambre à coucher. Au rez-de-chaussée se trouvait un vaste salon meublé d'antiquités anglaises et dominé par une imposante cheminée. Il y avait aussi une salle à manger et un petit bureau. La cuisine était entièrement équipée ; ils n'avaient eu qu'à faire refaire la décoration, cinq ans plus tôt. Le sous-sol abritait une grande salle de jeux équipée d'un billard, d'une table de ping-pong et de jeux vidéo. Il y avait aussi une chambre destinée à accueillir une jeune fille au pair, dont ils ne s'étaient jamais servis. A l'arrière de la maison s'étendait un ravissant petit jardin. La façade en pierre était imposante ; deux arbustes soigneusement taillés, plantés dans de gros pots en terre cuite, encadraient la porte d'entrée. Une grande haie protégeait la propriété. Ted avait trouvé là la maison de ses rêves. Même si Ophélie ne partageait pas forcément ses goûts, elle ne pouvait nier qu'il s'agissait d'une belle demeure, à des années-lumière de ce que connaissaient les pauvres hères du centre Wexler. Elle était encore plongée dans ses réflexions, les yeux fixés sur un point invisible, lorsque Pip fit son apparition sur le seuil de la chambre.

— Ça va, maman ? demanda-t-elle en la dévisageant d'un air inquiet.

— Oui. J'étais juste en train de me dire que nous avions beaucoup de chance d'habiter ici. Il y a des gens dans la rue qui ne dorment jamais dans un vrai lit, qui n'ont pas de toit, rien pour se laver, qui ont faim, qui n'ont personne pour les aimer et aucun endroit où aller. C'est difficile à imaginer, Pip. Ces gens n'habitent pas le tiers-monde, non... ils vivent à quelques kilomètres d'ici.

— C'est vrai que c'est triste, maman.

Pip la considéra avec attention. A son grand soulagement, elle ne vit rien d'inquiétant dans son regard. Elle redoutait encore que sa mère ne sombre de nouveau dans le désespoir.

— N'est-ce pas, chérie ?

Ce soir-là, Ophélie fit la cuisine : elle prépara des côtelettes d'agneau et une salade, puis fit réchauffer une boîte de carottes que Pip jugea immangeables. Elle préférait nettement le maïs.

— J'essaierai de m'en souvenir, déclara Ophélie avec un sourire amusé.

Un peu plus tard, Pip vint se glisser dans le lit de sa mère. Quand le réveil sonna le lendemain, elles se hâtèrent de se préparer avant de prendre un petit déjeuner rapide. Ophélie déposa Pip au collège, puis prit la direction du centre Wexler, pleine d'énergie. C'était exactement ce qu'il lui fallait. Pour la première fois depuis des années, elle avait un but dans la vie.

14

Le reste de la semaine passa à une vitesse vertigineuse pour elles deux. Pip reprit le rythme des cours tandis qu'Ophélie poursuivait sa période d'essai au centre. Le vendredi après-midi, sa décision était prise : elle se sentait prête à travailler trois jours par semaine. A l'unanimité, l'équipe accepta sa candidature.

Elle viendrait le lundi, le mercredi et le vendredi et commencerait en passant plusieurs heures, la première semaine, dans les différents services pour se familiariser avec le travail. Il lui fallait fournir un certificat médical attestant sa bonne santé et un extrait de casier judiciaire. Ils relevèrent ses empreintes digitales le vendredi, juste avant qu'elle s'en aille. On lui demandait également deux lettres de recommandation. Andrea en rédigerait une et Ophélie appela son avocat qui accepta de produire l'autre. Tout fut réglé en un temps record. Elle ignorait encore quelles seraient ses fonctions exactes – ce serait sans doute très varié ; on attendait d'elle qu'elle se montre disponible et puisse donner un coup de main à tous ceux qui auraient besoin d'aide. On lui apprendrait aussi à gérer l'accueil et à remplir les formulaires d'admission. Bien sûr, elle ne se sentait pas encore à la hauteur, mais elle ne demandait qu'à apprendre. A la fin de la semaine, Miriam la félicita pour ses efforts et Ophélie la remercia chaleureusement avant de partir.

— Ça y est, j'ai réussi mon examen de passage, annonça-t-elle fièrement à Pip en venant la chercher au collège. Je suis désormais bénévole au centre Wexler.

Une joie immense l'habitait. La sensation de se sentir utile, même si ce n'était qu'à une toute petite échelle, l'emplissait d'une satisfaction indicible.

— C'est super, maman ! J'ai hâte d'annoncer ça à Matt, demain !

Il avait proposé de venir la voir jouer au foot, mais elle avait refusé, préférant l'inviter à un vrai match une prochaine fois. C'était la reprise, samedi, et leur premier jour d'entraînement. Petite et menue, Pip était extrêmement rapide et se débrouillait plutôt bien sur un terrain de foot. Cela faisait deux ans qu'elle jouait au sein de l'équipe de l'école et cela lui plaisait mille fois plus que la danse classique...

En rentrant, Pip se dépêcha de finir ses devoirs. Elle avait invité une amie à dormir à la maison. Andrea vint dîner avec elles. Lorsque Pip laissa échapper que Matt les emmenait dîner au restaurant le lendemain soir, elle haussa un sourcil moqueur en direction d'Ophélie.

— Tu me caches des choses, ma chère. Alors, comme ça, tu fais venir le voleur d'enfants chez toi ?

— Il avait envie de voir Pip, répondit innocemment Ophélie, bien qu'elle se réjouît également de la visite de Matt. Ce serait bien que tu arrêtes de l'appeler comme ça, ajouta-t-elle d'un ton faussement réprobateur.

— Tu as raison, je ferais mieux de parler du « prétendant d'Ophélie »...

Celle-ci s'empressa de secouer la tête.

— Certainement pas. Matt est un ami, ça me suffit largement.

Matt ressentait la même chose à son égard, et cette certitude la rassurait. Elle avait décidé de ne plus jamais tomber amoureuse. Elle ne le voulait plus. Plus jamais.

— Toi, peut-être, mais lui, qu'en pense-t-il ? Un homme invite rarement une femme à dîner dans le simple but de voir sa fille. Tu peux me croire, Ophélie, je les connais bien.

Mais Ophélie tint bon.

— Ils ne sont peut-être pas tous pareils.

— Celui-ci a décidé de prendre son temps, c'est tout, insista Andrea avec assurance. Dès qu'il te sentira à l'aise, il se dévoilera.

— J'espère bien que non.

Pour changer de sujet, Ophélie raconta à son amie sa semaine au centre Wexler. Andrea la félicita, sincèrement heureuse qu'elle ait trouvé une occupation aussi passionnante.

Quand le carillon de l'entrée retentit le lendemain après-midi, Ophélie ne put s'empêcher de songer aux paroles d'Andrea concernant son amitié avec Matt. « Pourvu qu'elle se trompe », pensa-t-elle en ouvrant la porte.

Matt se tenait sur le perron, vêtu d'un blouson en cuir, d'un pantalon à pinces gris et d'un pull à col roulé assorti. Une paire de mocassins impeccablement cirés complétait sa tenue. C'était le genre de vêtements que Ted aimait porter lui aussi, sauf que celui-ci accordait moins d'attention aux détails, comme les chaussures cirées, par exemple. C'était Ophélie qui s'en chargeait pour lui.

Matt lui adressa un sourire éclatant. A l'instant où Pip dévala l'escalier et où il la vit, Ophélie sut avec certitude qu'Andrea se trompait. Cela ne faisait aucun doute et un immense soulagement l'envahit. Matt se comportait avec Pip comme un père tendre et attentionné et comme un frère bienveillant avec elle. Lorsque Pip lui eut montré sa chambre, ses menus trésors et les dessins qu'elle avait faits depuis leur retour, Ophélie lui décrivit brièvement le fonctionnement du centre Wexler. Matt l'écouta avec intérêt. Elle lui parla également de la patrouille de nuit qui sillonnait les rues de la ville pour venir en aide aux plus démunis.

— J'espère que vous n'avez pas l'intention de vous joindre à eux, dit Matt, soudain inquiet. C'est une initiative admirable, je ne le nie pas, mais ça doit tout même comporter certains risques.

— C'est évident, admit Ophélie. Ils ont tous une solide expérience sur le terrain. Il y a deux anciens policiers, un homme et une femme, tous deux experts en arts martiaux ; le troisième était dans les commandos de marine avant de travailler pour le centre. Ils n'ont certainement pas besoin de moi ! conclut-elle en riant.

Pip ne tarda pas à les rejoindre, excitée comme une puce. Dès qu'Ophélie quitta le salon pour servir un verre de vin à Matt, elle s'enquit à mi-voix du portrait qu'il était en train de réaliser. Ce serait le plus beau cadeau que sa mère ait jamais reçu, elle le savait, et elle brûlait d'impatience de voir sa tête quand elle le découvrirait.

— Avez-vous eu le temps d'y travailler cette semaine ?

— J'ai commencé, oui, répondit Matt en souriant à sa jeune amie.

Il espérait que le résultat lui plairait. Jusqu'à présent, il était content de son travail. La profonde amitié qu'il vouait à Pip lui avait permis de saisir plus facilement sa personnalité : sa vivacité et son tempérament, le roux flamboyant de ses cheveux et ses grands yeux noisette parsemés d'éclats ambrés. Il rêvait aussi de réaliser le portrait d'Ophélie, même s'il n'avait pas peint d'adulte depuis une éternité. Peut-être l'occasion se présenterait-elle un jour.

Peu avant 19 heures, ils se levèrent pour partir. Soudain, Matt s'immobilisa dans l'entrée.

— Dis donc, toi, tu as oublié quelque chose, il me semble, déclara-t-il en baissant les yeux sur Pip.

Celle-ci hésita, surprise, avant de répondre d'un ton empreint de gravité :

— On ne peut pas emmener Mousse au restaurant.

Spécialement pour l'occasion, elle avait revêtu une petite jupe noire et un pull rouge qui lui donnaient l'air plus mûre, et sa mère avait attaché ses cheveux avec une barrette toute neuve.

— Il n'y a qu'à la plage qu'on peut l'emmener partout, expliqua-t-elle avec une moue résignée.

— Autant pour moi, je ne pensais pas à Mousse. Nous lui rapporterons les restes dans un petit sac. Mais tu ne m'as pas montré les fameux chaussons Elmo et Grover, continua-t-il d'un ton faussement sévère.

Pip éclata de rire.

— Vous voulez vraiment les voir ?

Matt se souvenait de tout ce qu'elle lui racontait et c'était aussi ça qu'elle appréciait chez lui.

— Je ne partirai pas d'ici tant que tu ne me les auras pas montrés, décréta-t-il en croisant les bras sur sa poitrine d'un air buté.

Ophélie observait la scène en souriant. Il se tourna vers elle.

— Je suis très sérieux, vous savez. Je veux voir Elmo et Grover en situation !

Aux anges, Pip courut à l'étage et reparut une minute plus tard avec les deux paires de chaussons. Elle tendit les Grover à sa mère, qui les enfila, légèrement embarrassée. Pip chaussa les siens et elles se tinrent devant Matt, avec leurs gros chaussons en fausse fourrure. Il esquissa un sourire appréciateur.

— Ils sont super. Je les adore. Je suis vraiment jaloux. Vous êtes sûres qu'il n'y en a pas de ma taille ?

— Je ne crois pas, répondit Pip sur un ton d'excuse. Maman a déjà eu du mal à en trouver pour elle et, pourtant, elle a un tout petit pied.

— Ce n'est pas juste, plaisanta Matt pendant qu'elles remettaient leurs chaussures.

Ils quittèrent la maison en riant et prirent la voiture de Matt pour se rendre au restaurant. Ils passèrent une délicieuse soirée, parlant de tout et de rien avec animation. De temps en temps, Ophélie observait Matt à la dérobée, alors qu'il bavardait avec Pip. La rupture avec ses enfants avait dû lui causer un choc terrible. Il aimait sincèrement la compagnie des enfants et savait s'y prendre avec eux. Ouvert et attentif, il s'intéressait à tout ce que lui racontait Pip. Il émanait de lui un subtil mélange de chaleur humaine et de retenue respectueuse. Ophélie n'avait jamais eu l'impression qu'il s'immisçait outre mesure dans leur vie. Il était sympathique, serviable et disponible, jamais envahissant. C'était quelqu'un de foncièrement bon, un ami merveilleux pour toutes les deux.

Ils rentrèrent à 21 h 30, gais comme des pinsons. Matt n'avait pas oublié de demander des restes pour Mousse, et Pip fila remplir son écuelle à la cuisine.

— Vous êtes adorable, Matt, murmura Ophélie en s'asseyant sur le canapé du salon.

Comme à Safe Harbour, il alluma un feu dans la cheminée. Pip les rejoignit bientôt et protesta à peine lorsque sa mère l'envoya se mettre en pyjama. Un bâillement mal étouffé avait trahi sa fatigue et déclenché l'hilarité de Matt et Ophélie.

— Vous méritez bien qu'on s'occupe de vous, Ophélie, fit-il observer en prenant place à côté d'elle après avoir refusé le verre de vin qu'elle lui proposait.

Il ne buvait presque plus d'alcool depuis quelque temps. Il prenait beaucoup de plaisir à faire le portrait de Pip, et le fait de venir les voir le remplissait de joie. Grâce à Pip et Ophélie, il ne se sentait plus ni seul ni déprimé et n'éprouvait plus du même coup le besoin de noyer ses angoisses dans l'alcool.

— Nous méritons tous de faire de belles rencontres, reprit-il sans arrière-pensée. Votre maison est magnifique, ajouta-t-il en promenant sur la pièce un regard admiratif.

Même si tout était un peu trop classique à son goût, ce n'était pas sans lui rappeler l'appartement new-yorkais qu'il avait occupé avec Sally – un duplex dans Park Avenue, entièrement aménagé par un des meilleurs décorateurs de la ville. Il ne put s'empêcher de lui demander si elle avait fait appel à un architecte d'intérieur ou si elle s'en était chargée seule.

Un sourire naquit sur ses lèvres.

— Votre question est très flatteuse. Non, c'est moi qui ai trouvé tous les meubles. J'adore aller chez les antiquaires et m'occuper de décoration, c'est une de mes activités préférées. Malheureusement, la maison est trop grande pour nous deux. Mais je n'ai pas le courage de la vendre. On s'est toujours senties bien ici, mais, maintenant, c'est différent. Il faudra bien que je prenne une décision un jour ou l'autre.

— Ne vous pressez surtout pas. J'ai souvent regretté de m'être séparé trop tôt de mon appartement new-yorkais. Mais, sans Sally et les enfants, je ne voyais pas l'utilité de le garder. Nous avions de jolies choses, pourtant, conclut-il d'un ton empreint de nostalgie.

— Vous avez tout vendu ?

— Non, j'ai tout donné à Sally, qui a tout emporté à Auckland. Dieu seul sait ce qu'elle en a fait là-bas... Elle a emménagé chez Hamish peu de temps après son arrivée. Naïvement, je pensais qu'elle louerait quelque chose et prendrait le temps de réfléchir un peu. Mais elle n'a pas perdu de temps. C'est Sally tout craché. A peine a-t-elle pris une décision qu'elle la concrétise sur-le-champ.

Ce trait de caractère avait fait d'elle une associée hors du commun, mais une épouse difficile. Il aurait préféré le contraire, mais cela n'avait plus d'importance. Matt haussa légèrement les épaules. Il semblait serein et détendu.

— Enfin, ce n'est pas bien grave. On peut toujours remplacer les objets, mais jamais les êtres humains. De toute façon, que ferais-je de tous ces objets coûteux maintenant que j'habite un bungalow en bord de mer ? Je mène une existence très simple et ça me plaît tout à fait.

Pour avoir aperçu brièvement son intérieur, Ophélie savait qu'il disait vrai. Il avait perdu beaucoup de choses en divorçant, mais ne semblait guère affecté par tout cet aspect matériel. Son train de vie quasi monacal lui convenait parfaitement. Il vivait dans une petite maison confortable et chaleureuse et se consacrait entièrement à sa passion, la peinture. D'une nature solitaire, la compagnie des gens lui manquait rarement. Et maintenant, il y avait Pip et Ophélie qu'il pouvait venir voir quand il en avait envie.

A 23 heures, Matt décida de rentrer chez lui. Le brouillard envahissait la côte à la nuit tombée et il mettrait davantage de temps à regagner son domicile. Il avait passé une excellente soirée, comme toujours avec elles. Ophélie l'accompagna jusqu'à la chambre de Pip ; Matt voulait lui souhaiter bonne nuit avant de partir, mais la petite fille dormait déjà à poings fermés. Mousse était couché au pied du lit, à côté des chaussons Elmo.

— Vous avez beaucoup de chance, Ophélie, murmura Matt en la suivant dans l'escalier. Pip est une enfant merveilleuse. Je suis heureux qu'elle soit venue me voir sur la plage ; la chance m'a souri, ce jour-là.

Que ferait-il sans elle, à présent ? Pip était une bénédiction du ciel et Ophélie la perle rare livrée avec elle.

— Nous aussi, nous avons beaucoup de chance de vous avoir, Matt. Merci pour cette belle soirée.

Elle l'embrassa sur les deux joues et Matt ne put s'empêcher de sourire. Ce témoignage d'amitié lui rappelait l'année qu'il avait passée en France dans le cadre de ses études, vingt-cinq ans plus tôt.

— Prévenez-moi quand la date du prochain match de foot sera fixée. Je viendrai la voir jouer. Enfin, appelez-moi quand vous voulez.

— Nous n'y manquerons pas, fit Ophélie en laissant échapper un rire amusé.

Tous deux savaient pertinemment que Pip lui téléphonerait dès le lendemain. Ophélie n'y voyait aucun inconvénient. Sa fille avait besoin d'une présence masculine dans sa vie, quoi de plus normal ? L'amitié qui s'était tissée entre eux les comblait tous les trois.

Ophélie le regarda s'éloigner au volant de son vieux break. Puis elle ferma la porte et éteignit les lumières. Pip s'était endormie dans sa chambre ce soir-là et Ophélie alla se coucher dans son grand lit vide. Incapable de trouver le sommeil, elle songea à la soirée qu'ils avaient passée et à cet homme qui avait sympathisé avec Pip avant de devenir son ami, à elle aussi. Quel bonheur que leurs chemins se soient croisés ! Puis ses pensées se tournèrent vers Ted. Les souvenirs qu'elle gardait de lui étaient tantôt idylliques, tantôt troublants. De vieilles souffrances, d'anciennes frustrations ressurgissaient parfois dans son esprit, insidieuses. Malgré tout, il continuait à lui manquer cruellement. Se remettrait-elle un jour de la disparition de son mari ? Elle en doutait. Sa vie de femme s'était éteinte en même temps que lui. Quant à son rôle de mère, il ne durerait qu'un temps. Chad n'était plus là et dans quelques années Pip partirait vivre sa vie. Cette perspective lui glaçait le sang. Elle se retrouverait seule pour de bon, alors. Certes, il lui resterait encore quelques amis, Andrea et Matt, mais quelle serait sa raison de vivre si Pip n'avait plus besoin d'elle ? Comme à chaque fois que l'angoisse sourdait en elle, oppressante, elle se réfugia dans les souvenirs de sa vie d'antan, quand Ted était encore là. Une vie qui appartenait maintenant au passé, alors que l'avenir l'emplissait de crainte et d'angoisse. Dans ces moments, elle comprenait ce que Chad avait enduré toutes ces années. Et c'étaient uniquement ses responsabilités de mère qui l'empêchaient de commettre un acte stupide, regrettable. Parfois, au cœur de la nuit, lorsque l'angoisse lui nouait la gorge, la tentation devenait plus forte. C'était mal. Que deviendrait Pip sans elle ? Et pourtant, comme la mort lui semblait douce, en ces instants-là.

15

Trois jours après leur dîner avec Matt, Ophélie dut faire face à une épreuve qu'elle redoutait depuis quelque temps. Après quatre mois de soutien, d'écoute et de dialogue, sa thérapie de groupe touchait à sa fin. La dernière séance était censée être vécue comme un jour de fête ; il était temps pour eux de se « réinsérer » dans la réalité. Mais l'idée d'être brutalement privés de l'écoute et de la complicité qu'ils avaient partagées tout au long de ces quatre mois déclenchait souvent des réactions inverses. Comme les autres, Ophélie pleura quand il fallut se séparer.

Ils s'étreignirent longuement, échangèrent leurs coordonnées et promirent de rester en contact. Chacun parla de ses projets. M. Feigenbaum avait rencontré une charmante vieille dame de soixante-dix-huit ans au cours d'un tournoi de bridge et se montra intarissable au sujet de la nouvelle élue de son cœur. Certains avaient recommencé à sortir, d'autres projetaient de voyager. Après avoir longuement tergiversé, une des participantes s'était finalement résolue à vendre sa maison ; une autre avait accepté d'aller vivre avec sa sœur. Un homme qu'Ophélie n'appréciait guère s'était enfin réconcilié avec sa fille après la mort de son épouse, alors que leur dispute datait de presque trente ans. Mais, pour la plupart d'entre eux, la route serait encore longue et semée d'embûches, ils en étaient tous conscients.

Pour sa part, Ophélie se réjouissait d'avoir trouvé ce poste de bénévole au centre Wexler. Elle en parla longuement, insistant sur le fait qu'elle se sentait mieux depuis qu'elle s'était lancée dans cette aventure. Elle sombrait encore de temps en temps dans le gouffre noir dont ils parlaient tous et qui leur faisait peur. Mais il n'était plus aussi profond et elle réussissait à remonter la pente plus rapidement. Comme les autres, elle ne se berçait pas d'illusions : la bataille n'était pas encore gagnée. Il faudrait encore surmonter des épreuves, apprendre à vivre sans les êtres chers qu'elle avait perdus. Au cours de ces quatre mois de thérapie, elle avait découvert certaines techniques qui lui permettraient de lutter plus efficacement contre le désespoir. Tous se sentaient globalement mieux – sur la bonne voie, en tout cas.

Malgré tout, un terrible sentiment de vide s'abattit sur elle quand il fallut dire au revoir à Blake. C'était encore une page qui se tournait et il fallait tenir bon, seule. Sa mélancolie n'échappa pas à Pip, lorsque sa mère vint la chercher à la sortie du collège.

— Que se passe-t-il, maman ? demanda la petite fille, en proie à une sourde angoisse.

— Rien... C'est idiot mais... ma thérapie s'est terminée aujourd'hui et les réunions de groupe vont me manquer, avoua-t-elle d'un trait. J'ai rencontré des gens sympas là-bas et, même si je rechignais parfois à y aller, ça m'a fait un bien fou.

— Tu ne peux pas continuer ?

Pip dévisagea sa mère d'un air inquiet. Elle n'aimait pas l'expression qui voilait son visage – Chad arborait le même masque dans ses moments les plus sombres : un mélange de douleur, de désespoir et d'indifférence qui semblait les retenir prisonniers dans une bulle inaccessible. Comment faire pour la briser ? Pip n'en avait aucune idée.

— Je peux m'inscrire dans un autre groupe, si j'en éprouve le besoin. Mais ce ne sera pas pareil.

Pip sentit son estomac chavirer.

— Tu devrais essayer quand même…

— Ça va aller, Pip, je t'assure.

Ophélie tapota le bras de sa fille dans un geste apaisant. Le reste du trajet se déroula en silence. De retour à la maison, Pip fila à l'étage et se réfugia dans le petit salon pour appeler Matt. Il pleuvait à Safe Harbour. Matt était en train de travailler à son portrait. A l'approche de l'hiver, il descendait de plus en plus rarement à la plage. Mais, dans l'ensemble, le temps était encore clément.

— Maman est complètement abattue, confia-t-elle à son ami dans un murmure.

Pourvu que sa mère ne décroche pas le téléphone d'une autre pièce de la maison. Elle avait pris la précaution d'appuyer sur le bouton « conversation privée », mais elle n'était pas sûre que cette fonction soit vraiment efficace.

— J'ai peur, Matt, continua-t-elle. L'année dernière, j'ai bien cru que… elle passait toutes ses journées au lit, elle ne s'habillait plus… elle avait perdu l'appétit… elle ne fermait pas l'œil de la nuit… et elle ne m'adressait même plus la parole, articula-t-elle, les yeux embués de larmes.

Bouleversé par la détresse de Pip, Matt sentit son cœur se serrer.

— Tu as l'impression que ça recommence ? demanda-t-il, sincèrement inquiet.

Ophélie lui avait paru en forme samedi soir, mais il savait d'expérience que les choses pouvaient rapidement basculer. Certaines personnes savaient parfaitement cacher leur mal de vivre. Ophélie en faisait-elle partie ? Malgré son jeune âge, Pip connaissait bien sa mère.

— Pas encore, répondit-elle. Mais elle a l'air vraiment triste.

— C'est normal, elle redoute sûrement de perdre le soutien de son groupe. Et puis, ce n'est pas facile de dire au revoir pour elle, maintenant. Vous avez subi une perte terrible, Pip, souligna-t-il, gêné de devoir lui rappeler le drame qui avait bouleversé leur existence.

En même temps, il la savait suffisamment armée pour en discuter. Parfois, il avait même l'impression de s'adresser à une adulte. Elle avait beaucoup mûri en un an. Dans un mois, ce serait l'anniversaire de la disparition de son père et de son frère.

— Ouvre l'œil, Pip, mais si tu veux mon avis, ta maman va s'en sortir. Elle allait plutôt bien l'autre soir, et chaque fois que je l'ai vue ici, à Safe Harbour. C'est sans doute un petit coup de blues, mais ça va aller, ne t'en fais pas. Sinon, je passerai vous voir pour me rendre compte par moi-même de la situation.

En tant qu'ami, il trouverait peut-être un moyen de l'aider et de soutenir Pip dans cette nouvelle épreuve. Après un an de solitude forcée, la fillette était si heureuse de l'avoir rencontré ! Il n'imaginait pas à quel point elle lui était reconnaissante.

— Merci, Matt, murmura-t-elle du fond du cœur, apaisée par leur conversation.

— Appelle-moi demain pour me donner des nouvelles. Au fait, ton portrait est en train de prendre forme…

— Je suis impatiente de voir ça !

Quelques minutes plus tard, elle reposa le combiné, un petit sourire aux lèvres. Comme c'était rassurant de savoir qu'à tout moment elle pouvait compter sur Matt !

D'humeur morose, Ophélie était en train de préparer le dîner quand le carillon tinta dans le hall d'entrée. Elle sursauta. Qui cela pouvait-il être ? Elle n'attendait aucune visite ; Matt n'était pas en ville et Andrea téléphonait toujours avant de venir. Peut-être était-ce une livraison… ou bien son amie avait-elle décidé, pour une fois, de passer à l'improviste ?

En ouvrant la porte, Ophélie ne reconnut pas immédiatement son visiteur. Il était grand, chauve et portait des lunettes. Il lui fallut une bonne minute pour se souvenir.

Il s'agissait d'un membre de son groupe de thérapie, Jeremy Atcheson. En dehors du contexte, elle avait eu toutes les peines du monde à mettre un nom sur son visage.

— Bonsoir, que se passe-t-il ? s'enquit-elle poliment tandis qu'il jetait un coup d'œil par-dessus son épaule.

Il paraissait nerveux, debout sur le perron. Que venait-il faire ici ? Elle l'avait à peine remarqué pendant les séances de thérapie : c'était un individu effacé qui participait très peu aux débats. En fait, elle ne lui avait même jamais adressé la parole.

— Bonsoir, Ophélie, commença-t-il d'une voix mal assurée. Puis-je entrer ?

Il esquissa un sourire hésitant. Des gouttes de sueur perlaient au-dessus de sa lèvre supérieure, son haleine sentait l'alcool et, en l'observant plus attentivement, Ophélie remarqua ses cheveux en bataille et son regard brillant. Il vacilla légèrement sur ses jambes.

— Je suis en train de préparer le repas, répondit-elle, mal à l'aise.

Il avait trouvé son adresse sur la liste qui leur avait été distribuée le jour même, afin qu'ils puissent rester en contact s'ils le désiraient.

— Ça tombe bien ! s'exclama-t-il en esquissant un sourire déplaisant. Je n'ai pas mangé. Qu'y a-t-il au menu ?

Ophélie le fixa d'un air interdit. Quel toupet ! L'espace d'un instant, elle crut qu'il allait entrer sans y être invité et elle repoussa légèrement la porte, en proie à un mauvais pressentiment.

— Je suis désolée, Jeremy, je dois vous laisser. Ma fille meurt de faim et j'attends un ami qui ne devrait plus tarder à arriver, mentit-elle avec une assurance qu'elle était loin d'éprouver.

Comme elle s'apprêtait à refermer la porte, il passa la main dans l'entrebâillement et la retint. Elle voulut crier, mais, à part Pip, il n'y avait personne à la maison. L'« ami imaginaire » ne viendrait pas à sa rescousse...

La sensation d'être violée dans son intimité la terrifia. C'était en contradiction totale avec les valeurs de respect et de dignité qui avaient prévalu dans le groupe durant la thérapie.

— Rien ne presse, non ? fit-il d'une voix éraillée en faisant un pas vers elle.

Heureusement, l'alcool qu'il avait absorbé diminuait visiblement sa rapidité de réaction. De lourds effluves enveloppèrent Ophélie.

— Vous avez un rendez-vous galant ?

— Oui, c'est ça.

« Un champion de karaté d'un mètre quatre-vingt-quinze », ajouta-t-elle en son for intérieur, tandis que la panique montait en elle.

— Vous mentez, railla son visiteur. Vous répétiez sans cesse que vous n'aviez aucune envie de rencontrer quelqu'un... On pourrait dîner ensemble, je suis sûr que j'arriverais à vous faire changer d'avis...

Sous le choc, Ophélie ne sut que répondre. La peur l'empêchait de réagir. Elle n'avait pas eu à gérer ce genre de situation depuis son mariage avec Ted. Elle se souvint du soir où une bande d'étudiants ivres avait fait irruption dans le dortoir de l'université... Paralysée par une peur panique, elle avait été incapable de réagir. Finalement, c'était la surveillante d'étage qui, en les voyant, avait averti les agents de sécurité. Mais ce soir, il n'y avait pas de surveillante d'étage. Il n'y avait que Pip.

— C'est très aimable à vous d'être passé, murmura-t-elle d'un ton faussement courtois, dans l'espoir de gagner un peu de temps.

Aurait-elle la force de lui claquer la porte au nez ?

— Mais maintenant, j'aimerais que vous partiez.

— Je n'ai pas envie de partir. Vous non plus, d'ailleurs, n'est-ce pas, chérie ? Que craignez-vous ? La thérapie est terminée, on peut sortir avec qui on veut. Mais ce sont peut-être les hommes qui vous font peur... ? Seriez-vous lesbienne, par hasard ?

Il était plus soûl qu'elle ne l'avait cru au premier abord et elle prit soudain conscience qu'elle était vraiment en danger. S'il arrivait à pénétrer dans la maison, il deviendrait peut-être violent, s'en prendrait à elle... et à Pip, qui sait ? Cette simple idée lui donna la force nécessaire pour le repousser sans ménagement d'une main, tandis qu'elle claquait brusquement la porte de l'autre.

Alerté par son instinct, Mousse apparut en haut de l'escalier qu'il dévala en aboyant furieusement. Tremblant de tout son corps, Ophélie enclencha la chaîne de sécurité. De l'autre côté de la porte, le visiteur indésirable l'injuriait.

— Espèce de salope ! Tu crois sans doute que t'es trop bien pour moi, c'est ça ?

La peur au ventre, Ophélie prit appui contre le chambranle de la porte. De violents frissons la parcouraient. Elle se souvint tout à coup que Jeremy Atcheson avait rejoint le groupe à la suite du décès de son frère jumeau, renversé par un chauffard qui avait pris la fuite. Les rares fois où elle lui avait prêté attention, il lui avait semblé nourrir une colère noire contre le responsable de l'accident. La disparition de son jumeau l'avait plongé dans un abîme de désespoir, où l'alcool était apparu comme une échappatoire, un leurre.

Encore sous le choc, elle fit exactement ce que Pip avait fait en rentrant un peu plus tôt : elle alla décrocher le téléphone et composa le numéro de Matt. D'une voix blanche, elle lui raconta ce qui venait de se passer. Devait-elle avertir la police, à son avis ?

— Il est encore devant chez vous ? demanda-t-il d'un ton inquiet.

— Non, je l'ai entendu partir en voiture pendant que je composais votre numéro.

— Dans ce cas, vous êtes en sécurité. A votre place, j'appellerais tout de même le responsable du groupe. Il pourra peut-être lui faire la leçon. D'après ce que vous me dites, il était sous l'empire de l'alcool, mais ce n'est pas une raison pour vous effrayer comme ça. C'est peut-être un fou.

Pire encore, il aurait pu la violer, ajouta-t-il mentalement sans oser le dire à voix haute.

— Il avait bu, c'est sûr, mais il m'a fichu une peur bleue, répondit Ophélie. J'avais tellement peur qu'il entre et qu'il s'en prenne à Pip !

— Ou même à vous. Pour l'amour du ciel, Ophélie, promettez-moi de ne plus ouvrir sans vérifier d'abord l'identité de votre visiteur.

Pour la première fois depuis qu'il la connaissait, Matt ouvrait les yeux sur un autre aspect de la réalité : Ophélie était une femme seule et séduisante, qui vivait avec sa fille dans une grande et belle maison. Ce qui en faisait quelqu'un d'extrêmement vulnérable.

— Demandez à votre thérapeute de mettre ce type en garde. Qu'il lui dise clairement que vous n'hésiterez pas à prévenir la police s'il revient vous importuner et qu'il risque de se retrouver derrière les barreaux pour harcèlement. Et s'il revient à la charge ce soir, appelez la police puis prévenez-moi. Je viendrai aussitôt et je dormirai sur le canapé du salon si cela peut vous rassurer.

— Non, Matt, ça va aller, répondit Ophélie, quelque peu rassérénée par ses paroles. C'est juste que... je n'ai pas compris ce qui se passait. J'ai eu très peur sur le coup. Il s'était peut-être imaginé des choses sur moi pendant la thérapie, je n'en sais rien. C'est un sentiment très déstabilisant, c'est le moins qu'on puisse dire.

C'était déjà suffisamment pénible de se retrouver seule après presque vingt ans de mariage. S'il fallait en plus qu'elle se méfie de tous les gens qui croisaient son chemin... Et pourtant, elle n'avait pas le choix. Matt n'était pas son garde du corps ; elle devrait apprendre à rester sur ses gardes et se sortir seule des situations délicates. Quel dommage que la thérapie soit terminée ! Elle aurait aimé discuter de sa mésaventure avec les autres membres du groupe. Au lieu de quoi, elle remercia Matt de sa sollicitude et de ses précieux conseils, raccrocha et appela aussitôt Blake Thompson. Ce dernier fut profondément contrarié par l'incident.

Il promit d'appeler Jeremy le lendemain, quand celui-ci aurait recouvré sa lucidité, pour le sermonner fermement. Il avait non seulement violé la confiance sacrée qui régnait au sein du groupe, mais il en avait abusé.

Ophélie avait recouvré son calme lorsque Matt l'appela pour prendre des nouvelles, après le dîner. Elle n'avait rien dit à Pip pour ne pas l'effrayer. L'homme avait trop bu, mais il n'était pas méchant. Ophélie était convaincue qu'il s'agissait là d'un incident isolé, même si cette intrusion l'avait beaucoup secouée.

De son côté, Pip fut soulagée de voir sa mère sortie de sa torpeur. Et le lendemain matin, elle semblait en forme.

Elle se rendit au centre Wexler après avoir déposé Pip au collège. Dans la matinée, elle reçut un appel de Blake Thompson. Il avait parlé à Jeremy, qu'il avait menacé de porter plainte s'il recommençait à importuner Ophélie. Jeremy avait fondu en larmes comme un gamin pris sur le fait. Il avait avoué s'être enivré dans un bar après la réunion d'adieu, puis avait décidé sur un coup de tête de passer chez elle. Consterné par sa propre conduite, il avait demandé à Blake de lui présenter des excuses et avait accepté d'entreprendre une psychothérapie individuelle. Blake rassura Ophélie : l'incident ne se reproduirait pas. Mais elle devrait désormais se montrer plus prudente à l'égard des gens qu'elle ne connaissait pas ou très peu. Le monde recelait de pièges dont elle n'avait encore jamais soupçonné l'existence, protégée par son statut de femme mariée. C'était une perspective plutôt angoissante.

Elle remercia Blake d'avoir pris le temps de régler le problème, puis retourna au travail et oublia vite toute l'histoire. En rentrant chez elle dans l'après-midi, elle trouva une lettre d'excuses de Jeremy. Repentant, il lui promettait de ne plus jamais recommencer. Ophélie poussa un soupir. Manifestement, ils avaient tous souffert de l'éclatement du groupe et cherché, chacun à leur manière, une façon de surmonter cette nouvelle épreuve – celle de Jeremy étant, de loin, la plus agressive. Ophélie aussi avait éprouvé un moment de flottement, la veille. Comme les autres, elle devait à présent trouver sa place et tenter d'avancer, armée de tout ce qui l'avait enrichie au cours de sa thérapie.

Heureusement, son travail de bénévole au centre Wexler l'aida à chasser ses fantômes. Elle eut à peine le temps de souffler jusqu'à 15 heures. Elle adorait ce qu'elle faisait et ce qu'elle apprenait. Ce jour-là, elle procéda à deux admissions. La première concernait un couple avec deux enfants, originaires d'Omaha. Les parents avaient perdu leur emploi peu de temps après leur arrivée à San Francisco, et tout s'était très vite enchaîné. Ils n'avaient plus de quoi se nourrir, payer un loyer, prendre soin de leurs enfants. Ils n'avaient ni famille ni amis dans la région. Le centre ouvrit un dossier : on leur donna des bons de nourriture, on inscrivit les parents au chômage et les enfants à l'école. Ils seraient hébergés dans une structure d'accueil d'ici à une semaine, et il y avait de fortes chances, grâce à l'appui du centre, qu'ils puissent garder leurs enfants avec eux, ce qui relevait de l'exploit. En les écoutant raconter la triste histoire de leur déchéance, Ophélie lutta contre les larmes. Elle parla longuement avec leur fille, qui avait exactement le même âge que Pip. Le destin s'acharnait parfois cruellement… Une fois encore, Ophélie prit conscience de sa chance, dans son malheur. Et si Ted les avait laissées démunies, Pip et elle… ?

Elle reçut ensuite une mère et sa fille. Agée de presque quarante ans, la première était alcoolique tandis que sa fille de dix-sept ans était toxicomane ; toutes deux vivaient dans la rue depuis deux ans. Pour couronner le tout, l'adolescente avoua à Ophélie qu'elle était enceinte de quatre mois. Avec l'aide d'une assistante sociale, Miriam s'occupa du dossier. On leur trouva une place dans un centre de désintoxication qu'elles devaient intégrer dès le lendemain matin, et on envoya l'adolescente chez un gynécologue pour un examen prénatal, avec une prise en charge de tous les frais de santé.

A la fin de la semaine, Ophélie était à la fois épuisée et ravie. Jamais encore elle ne s'était sentie aussi utile. Le centre était une formidable école d'humilité. Chaque jour, elle voyait, entendait et apprenait des choses qu'elle n'aurait jamais crues possibles. Combien de fois, au cours de cette première semaine, eut-elle envie d'enfouir son visage dans ses mains pour donner libre cours à ses larmes ? Mais il fallait tenir bon, ne pas se laisser aller devant tant de détresse, tant de tragédie. Quelles que soient leurs situations – parfois désespérées, à quoi bon le nier ? –, il fallait trouver une solution pour aider toutes ces personnes. Elles comptaient sur tous les employés du centre, et elle en faisait partie désormais. Profondément émue par ce qu'elle voyait, Ophélie n'avait qu'un seul regret : elle aurait aimé partager ce qu'elle ressentait avec Ted le soir, en rentrant chez elle. Elle se plaisait à croire qu'il aurait pris plaisir à l'écouter. Au lieu de quoi, elle devait se contenter de raconter brièvement sa journée à Pip, sans trop entrer dans les détails de peur de l'effrayer. Car certaines histoires étaient tristes à mourir, d'autres proprement terrifiantes. La semaine passée, un clochard était mort à la porte du centre. Il avait succombé à une déficience rénale, aggravée par la faim et l'alcoolisme.

Quand arriva le vendredi après-midi, Ophélie fut certaine d'avoir pris la bonne décision. C'était également l'avis de tous. Educateurs, assistantes sociales, travailleurs sociaux, tous la considéraient comme un véritable atout et, pour la première fois depuis un an, elle se réveillait le matin avec l'impression d'avancer dans la bonne direction.

Elle s'apprêtait à partir quand Jeff Mannix, de la patrouille de nuit, arriva pour se servir une tasse de café.

— Alors, comment va ? Grosse semaine ? lança-t-il avec un sourire en coin.

— J'ai l'impression, oui. Je n'ai pas encore de point de comparaison, mais si ça continue comme ça, j'ai bien peur qu'il faille fermer les portes si l'on ne veut pas mourir piétinés.

— Ce serait une bonne idée, plaisanta-t-il en prenant une gorgée de café brûlant.

D'habitude, il arrivait à 18 heures et sillonnait les rues jusqu'à 3 ou 4 heures du matin avec ses coéquipiers. Mais aujourd'hui, il était venu plus tôt pour vérifier le stock et ajouter des produits de toilette et des médicaments dans les colis qu'ils distribuaient la nuit.

Ils parlèrent un moment du clochard qu'on avait trouvé mort sur les marches du centre, le mercredi précédent. Ophélie était encore sous le choc.

— C'est triste à dire, fit Jeff, mais je vois ça tellement souvent dans la rue que ça ne me surprend plus. Je ne peux même pas vous dire le nombre de types que j'ai essayé de réveiller pendant nos rondes... Je les secoue un peu et quand je les retourne... ils ne font déjà plus partie de ce monde. Il y a des femmes, aussi.

Elles étaient malgré tout moins nombreuses que les hommes à rester dans la rue. La plupart trouvaient refuge dans des foyers, ce qui ne signifiait pas forcément qu'elles étaient tirées d'affaire, au contraire. Ophélie avait eu vent d'histoires terrifiantes, à ce sujet. Deux femmes qu'elle avait admises dans la semaine lui avaient raconté qu'elles avaient été violées dans des foyers de la ville et, apparemment, leur cas n'était pas exceptionnel.

— Au début, on s'imagine qu'on finira par s'y habituer, reprit Jeff d'un ton grave. Mais c'est faux.

Il la considéra avec attention. Toute la semaine, il avait entendu des appréciations positives sur elle.

— Alors, quand venez-vous faire un tour avec nous ? Vous avez travaillé dans tous les services, il me semble. On m'a dit que vous étiez devenue une pro des admissions et des commandes. Mais vous ne saurez rien tant que vous ne serez pas venue avec Bob, Millie et moi. A moins que ce ne soit trop dur pour vous ?

C'était un défi qu'il lui lançait, et Ophélie le prit comme tel. Malgré tout le respect qu'il vouait à ses collègues du centre, il savait que leur patrouille de nuit abattait le plus gros du travail en allant sur le terrain. Ils n'hésitaient pas à prendre des risques pour venir en aide aux plus défavorisés et traitaient davantage de demandes en une nuit que le centre en une semaine. Il lui paraissait important qu'Ophélie découvre aussi cet aspect-là de leur mission.

— Je ne suis pas sûre de vous être d'une grande aide, commença Ophélie avec franchise. En fait, je suis d'un naturel plutôt craintif. D'après vos collègues, vous êtes de vrais héros... alors que moi, à votre place, je ne sais même pas si j'oserais sortir de la fourgonnette...

— Les cinq premières minutes, sans doute. Mais on surmonte vite sa peur pour faire ce qu'on a à faire. Vous n'avez pas l'air d'avoir froid aux yeux.

On disait qu'elle avait de l'argent, personne n'en était vraiment sûr, mais elle était toujours impeccablement habillée et elle habitait Pacific Heights, un des quartiers chics de la ville. Ce qui ne l'empêchait pas de travailler aussi dur que les autres, plus dur même, au dire de Louise.

— Qu'est-ce que vous faites, ce soir ? insista-t-il. Vous avez un rendez-vous amoureux ?

Son franc-parler plaisait à Ophélie. Jeff était un jeune homme plein de détermination, passionné par son métier. Quelqu'un lui avait raconté qu'il avait failli être poignardé au cours d'une de leurs patrouilles, mais il était retourné sur le terrain dès le lendemain. Téméraire, voire imprudent, mais admirable. Il n'hésitait pas à mettre sa vie en danger pour aider les exclus.

— Je ne sors pas le soir, répondit-elle simplement. Je reste avec ma fille à la maison. J'ai promis de l'emmener au cinéma aujourd'hui.

Elle n'avait projeté aucune autre activité pour le week-end, à part cette sortie et le premier match de foot de Pip, le lendemain.

— Vous n'avez qu'à reporter ça à demain. J'aimerais beaucoup vous compter parmi nous, ce soir. J'en parlais encore avec Millie, hier. Il faut que vous voyiez ça, au moins une fois. Vous en reviendrez transformée.

— Surtout si je me fais agresser, répliqua-t-elle d'un ton sec, voire tuer. Ma fille n'a plus que moi.

— C'est triste, murmura Jeff en fronçant les sourcils. Vous devriez profiter davantage de la vie, Opie.

Il trouvait qu'elle avait un joli prénom, mais il avait un mal fou à le prononcer correctement. Il l'avait déjà taquinée à ce sujet le jour où ils avaient fait connaissance, décrétant finalement qu'il l'appellerait « Opie ».

— Allez, laissez-vous tenter... Nous prendrons soin de vous, ne vous inquiétez pas. Alors... ?

— Je n'ai personne pour faire garder ma fille, objecta Ophélie, tentée de relever le défi presque malgré elle.

— Vous la faites encore garder à onze ans ?

Il leva les yeux au ciel, tandis qu'un sourire fendait son visage chocolat, dévoilant une rangée de dents étincelantes. C'était un bel homme, une force de la nature qui dominait tout le monde du haut de son mètre quatre-vingt-quinze. Il avait fait partie des commandos de marine pendant neuf ans.

— Ça, c'est la meilleure... A son âge, je veillais sur mes cinq frères et j'allais sortir ma mère du trou presque toutes les semaines. C'était une prostituée, ajouta-t-il avec un haussement d'épaules fataliste.

Sa vie frisait la caricature, mais elle n'avait rien d'un roman. Depuis qu'elle travaillait au centre, Ophélie avait entendu tous ses collègues vanter les qualités humaines de Jeff. Il avait élevé ses frères alors que lui-même n'était encore qu'un enfant et tous avaient brillamment réussi. L'un d'eux avait décroché une bourse pour étudier à Princeton, un autre avait été admis à Yale. Tous deux étaient devenus avocats. Le plus jeune poursuivait des études de médecine. Membre d'un puissant lobby, un autre encore donnait des conférences sur la violence urbaine. Quant au cinquième, il était père de cinq enfants et projetait de se présenter au Congrès. Jeff était un être d'exception, qui savait aussi se montrer très persuasif. Alors qu'elle avait juré ses grands dieux qu'elle ne se joindrait jamais à la patrouille de nuit, Ophélie sentit ses résolutions fondre comme neige au soleil.

— Allez, accorde-nous une petite chance. Tu ne voudras plus jamais t'asseoir derrière ce fichu bureau, après avoir été avec nous ! Tu seras au cœur de l'action et tu comprendras pourquoi nous faisons ce travail. On part à 18 h 30. Je compte sur toi.

C'était plus un ordre qu'une invitation. Encore hésitante, Ophélie répondit vaguement qu'elle essaierait de trouver une solution pour se libérer. Elle y songeait encore en allant chercher Pip, une demi-heure plus tard. Tiraillée entre des envies contradictoires, elle garda le silence pendant le trajet.

— Ça va, maman ? demanda finalement Pip, intriguée par son mutisme.

Ophélie s'empressa de la rassurer et Pip la crut, cette fois. Elle avait appris à reconnaître chez sa mère les signes avant-coureurs d'un accès de désespoir. Ce jour-là, elle semblait simplement distraite... presque rêveuse.

— Qu'est-ce que tu as fait, aujourd'hui, au centre ?

Comme d'habitude, Ophélie lui livra une version édulcorée de sa journée. De retour à la maison, elle monta directement dans sa chambre et appela Alice, sa femme de ménage. Par chance, celle-ci était libre et accepta volontiers de venir tenir compagnie à Pip. Elle serait là à 17 h 30. Elle n'était pas sûre de la réaction de sa fille et elle ne voulait pas la décevoir. Mais dès qu'elle lui parla, celle-ci déclara qu'il serait préférable d'aller au cinéma le samedi. Elle tenait à être au meilleur de sa forme pour le premier match de foot de la saison, le lendemain matin. Soulagée, Ophélie expliqua que quelque chose se préparait au centre et qu'elle souhaitait y participer. Pip n'y vit aucun inconvénient, au contraire. Elle était heureuse de voir sa mère s'épanouir dans son activité de bénévole. Tout plutôt que de la voir passer ses journées au lit et errer comme une âme en peine la nuit !

Alice arriva à 17 h 30 précises. Pip regardait la télé quand Ophélie vint lui dire au revoir. Elle avait revêtu un jean, un gros pull et une doudoune qu'elle avait dénichée tout au fond de sa penderie. Pour compléter sa tenue, elle avait enfilé des chaussures de randonnée qu'elle n'avait pas mises depuis des années. Elle avait également pris un petit bonnet et des gants en laine. Quelle que soit la saison, les nuits étaient généralement très fraîches à San Francisco – particulièrement l'été, aussi bizarre que cela puisse paraître. Depuis quelques semaines, les températures commençaient à chuter sensiblement le soir. Les membres de la patrouille de nuit emportaient toujours des beignets, des sandwichs et des thermos de café ; au dire de Jeff, ils avaient coutume de faire une pause au McDonald au milieu de la nuit. Ophélie se sentait prête à les accompagner ; elle les aiderait du mieux qu'elle pourrait. Lorsqu'elle gara sa voiture devant le centre, une bouffée d'excitation l'envahit. Ce serait une nuit intéressante, elle le savait. Peut-être même passionnante. Si Matt, Andrea ou Pip avaient su ce qui l'attendait, ils auraient tout fait pour l'en empêcher, imaginant déjà le pire. Pourquoi se voiler la face ? Elle avait peur, elle aussi.

Elle se dirigea vers le garage situé derrière le bâtiment et aperçut Jeff, Bob et Millie en train de charger les fourgonnettes. Ils entreposaient des cartons et des sacs de couchage à l'arrière du premier véhicule et des piles de vêtements dans l'autre. Le visage de Jeff s'illumina dès qu'il la vit.

— Tiens, tiens, tiens... Salut, Opie... Bienvenue dans le vrai monde.

Ophélie ne sut comment interpréter cette entrée en matière sibylline. Jeff semblait pourtant heureux de la voir, Millie aussi... C'était là l'essentiel.

— Je suis contente que vous ayez pu vous libérer, fit la jeune femme avant de poursuivre sa besogne.

Ophélie les aida à charger les cartons restants. C'était un travail éreintant... et pourtant, la soirée ne faisait que commencer. Lorsqu'ils eurent terminé, une demi-heure plus tard, Jeff lui expliqua qu'elle ferait équipe avec Bob.

Imperturbable, le grand Asiatique lui fit signe de prendre place à côté de lui, sur le siège passager.

— Vous êtes sûre de vouloir nous accompagner ? demanda-t-il en tournant la clé de contact.

Il connaissait les manières persuasives de Jeff, mais le courage d'Ophélie forçait son admiration. Elle n'était pas obligée de les suivre et n'avait rien à prouver à personne. Elle semblait appartenir à un autre monde et pourtant... pourtant, elle était venue, elle était là, prête à découvrir l'envers du décor, prête à prendre des risques.

— Vous n'êtes pas obligée, vous savez. Ici, tout le monde nous surnomme les cow-boys et on est tous un peu dingos. Personne ne vous traitera de mauviette si vous changez d'avis.

Il lui laissait une chance de tourner les talons avant qu'il soit trop tard. C'était important pour lui de la mettre en garde une dernière fois, quelle que soit sa décision finale.

— Jeff me traitera de poule mouillée, lui, objecta-t-elle en esquissant un pâle sourire.

Il partit d'un éclat de rire.

— Ouais... C'est bien possible. Et alors ? Tout le monde s'en fout, non ? Alors, Opie, vous venez ou vous préférez renoncer ? C'est comme vous voulez. Il n'y a pas de honte à avoir. Prenez votre décision.

Ophélie réfléchit longuement avant de lever les yeux sur Bob. Elle l'enveloppa d'un regard intense, inspira profondément et, l'espace d'une fraction de seconde, eut une immense envie de changer d'avis. Mais elle continua à le fixer et elle sut tout à coup qu'elle serait en sécurité avec lui. Ce fut comme un déclic : elle ne le connaissait pas et pourtant, elle sentait qu'elle pouvait lui faire entièrement confiance, sans qu'elle puisse s'expliquer pourquoi. Assis au volant de l'autre fourgonnette, Jeff klaxonna, impatient. Que se passait-il, à la fin ?

— Alors, vous venez ou vous rentrez chez vous ? demanda Bob, toujours aussi calme.

Les yeux rivés aux siens, elle prit lentement sa respiration et deux petits mots s'échappèrent de ses lèvres.

— Je viens.

— A la bonne heure ! s'écria-t-il en souriant de toutes ses dents.

Sans plus attendre, il enfonça la pédale d'accélérateur et les deux camionnettes quittèrent le garage, chargées à bloc. Il était 19 heures.

16

Pendant les huit heures qui suivirent, Ophélie vit des choses qu'elle n'aurait jamais imaginées, et certainement pas à quelques kilomètres de chez elle. Ils parcoururent des quartiers qu'elle ne connaissait pas, sillonnèrent d'obscures contre-allées qui lui donnèrent la chair de poule et croisèrent des gens si misérables qu'elle en eut le cœur déchiré. Certains couverts de plaies et d'escarres, en haillons, les pieds enveloppés dans des chiffons, parfois même sans rien aux pieds et à moitié nus dans le froid. D'autres au contraire s'attachaient à conserver une allure digne et une hygiène correcte, même s'ils dormaient sous les ponts, dans des abris en carton tapissés de papier journal. Partout où ils passèrent, ils entendirent des « mercis » et des « Dieu vous bénisse », telle une litanie. Ce fut une nuit longue et éprouvante. En même temps, Ophélie n'avait encore jamais éprouvé un tel sentiment de plénitude et de satisfaction du devoir accompli – sauf peut-être lorsqu'elle avait donné naissance à Chad et Pip. Oui, c'était à peu près ça.

Toute la nuit, Bob et elle travaillèrent en parfaite harmonie. Il n'eut pas besoin de lui dire ce qu'elle devait faire. Il suffisait d'écouter son cœur et le reste suivait naturellement. Ici, on donnait des sacs de couchage ; un peu plus loin des vêtements chauds. De leur côté, Jeff et Millie distribuaient des médicaments et des articles de toilette. Ils tombèrent par hasard sur un squat de jeunes fugueurs près des docks, derrière South Market, et Bob nota scrupuleusement son emplacement, en expliquant à Ophélie qu'une autre équipe s'occupait spécialement des jeunes fugueurs. Il leur communiquerait l'information dès le lendemain et ils essaieraient de nouer le dialogue, ce qui n'était jamais facile. Parmi cette population juvénile, rares étaient ceux qui acceptaient de quitter la rue de leur plein gré. Plus encore que leurs aînés, ils nourrissaient une grande méfiance à l'égard des foyers et des plans d'action sociale. En outre, ils redoutaient de devoir retourner chez eux. La plupart du temps, la vie qu'ils avaient fuie était encore plus cauchemardesque que ce qu'ils enduraient dans la rue.

— Un grand nombre d'entre eux sont SDF depuis des années et, paradoxalement, ils vivent mieux ainsi que chez eux. Certains programmes visent à la réunification des familles mais bien souvent cela échoue. Les parents se moquent comme d'une guigne de savoir où se trouvent leurs gamins. Ils viennent des quatre coins du pays et se débrouillent pour vivoter jusqu'à leur majorité.

— Et après ? demanda Ophélie, bouleversée.

Tant de misère et si peu de moyens... elle tombait des nues. C'était comme si leur cause était perdue d'avance. D'ailleurs, Bob les appelait « les oubliés de la société ». Et pourtant, c'étaient des êtres pleins de reconnaissance qui acceptaient en pleurant le peu qu'on leur offrait.

— Je sais, murmura Bob lorsqu'elle regagna la fourgonnette, les yeux brillants de larmes. Il m'arrive encore de pleurer de temps en temps, moi aussi. Les jeunes me font mal au cœur... les vieux aussi. On ne peut pas s'empêcher de penser qu'ils ne survivront pas longtemps dans ces conditions. Mais c'est tout ce qu'on peut faire pour eux. Et c'est tout ce qu'ils veulent. Ils refusent de venir au centre. Ça peut nous paraître incroyable, mais ils ont leurs raisons. Ils n'ont plus aucun repère, sont parfois malades, complètement brisés. Ils ne se voient pas vivre ailleurs qu'ici, dans la rue. Les Etats ont supprimé pas mal de subventions au cours des dernières années et, de ce fait, les hôpitaux psychiatriques n'ont plus la place de les accueillir. Même ceux qui semblent relativement bien dans leur tête ne sont pas à l'abri d'une crise de démence. C'est à cause de toutes les substances qu'ils ingurgitent, de tous les médicaments qu'ils avalent pour tenter d'oublier leur malheur. Qui pourrait leur jeter la pierre ? A leur place, je serais sans doute accro à la came moi aussi. C'est tout ce qui leur reste...

Cette nuit-là, Ophélie apprit beaucoup plus sur la nature humaine que durant toute sa vie. C'était une leçon qu'elle n'oublierait pas. Et lorsqu'ils commandèrent des hamburgers au McDonald à minuit, elle se sentit presque coupable. La nourriture et le café chaud eurent du mal à passer alors qu'autour d'eux il y avait des gens affamés et transis de froid qui auraient donné leurs maigres possessions pour être à leur place.

— Alors, comment ça va ? lança Jeff en les rejoignant.

Derrière lui, Millie était en train de retirer ses gants.

— C'est incroyable... Vous êtes de vrais envoyés de Dieu, répondit Ophélie, pleine d'admiration pour ses trois compagnons.

De son côté, Bob était très impressionné par les facultés d'adaptation de sa coéquipière. Elle s'occupait des sans-abri avec douceur et compassion, respect et dignité, tout en évitant l'écueil de la pitié et de la condescendance. Et elle ne rechignait pas à la tâche. Il confia ses impressions à Jeff en sortant du fast-food. Ce dernier hocha la tête en silence. Il savait très bien ce qu'il faisait en insistant pour qu'elle se joigne à eux ce soir-là. Au centre, tout le monde chantait ses louanges et il espérait bien la recruter dans leur équipe avant que la paperasserie l'engloutisse. Il avait senti presque aussitôt qu'elle serait la coéquipière idéale. Il ne lui restait plus qu'à la convaincre. Les risques qu'ils encouraient et les horaires de nuit, souvent anarchiques, rebutaient la plupart des bénévoles et des travailleurs sociaux. Et puis, il y avait la peur, qui touchait tout le monde. Même les hommes.

Après leur courte pause, ils se rendirent à Potrero Hill puis à Hunters Point. La Mission serait leur dernière halte. Sur la route, Bob lui demanda de rester derrière lui et de se montrer vigilante. Il n'était pas rare que les plus hostiles les agressent avec des seringues usagées. Ophélie songea aussitôt à Pip. Et s'il lui arrivait quelque chose ? L'espace d'un instant, elle regretta presque d'être venue. C'était de la pure folie... Peut-être, mais c'était aussi comme une drogue et elle était devenue accro avant même que la tournée prenne fin. Ce que ses compagnons accomplissaient là, toutes les nuits, était à ses yeux le plus bel acte d'amour et de générosité qui puisse exister. Au péril de leur vie, sans armes, sans assistance particulière, ils allaient au-devant de ceux qui n'avaient plus ni la force ni le courage de réclamer de l'aide. C'était à la fois admirable et tellement naturel. A sa grande surprise, Ophélie n'éprouvait pas la moindre fatigue quand les camionnettes rentrèrent finalement au garage. Au contraire, elle se sentait sereine, pleine d'énergie, comme revigorée.

— Merci, Opie, fit Bob en coupant le moteur. Vous avez fait du bon boulot.

Ophélie esquissa un sourire.

— Merci.

Dans la bouche de Bob, c'était un vrai compliment. Elle l'appréciait encore plus que Jeff. Discret, courageux, doux et gentil avec les sans-abri, il l'avait conseillée et soutenue avec beaucoup de tact. Au cours de la nuit, elle avait appris que son épouse était morte d'un cancer, quatre ans auparavant. Il élevait ses trois enfants avec l'aide de sa sœur. Le travail de nuit lui permettait de passer du temps avec eux le jour. Quant aux dangers de la rue, ils ne l'effrayaient guère ; il avait connu pire, à l'époque où il faisait partie de la police. Son salaire n'était pas mirobolant, mais sa pension d'officier de police venait compléter ses revenus. Il adorait plus que tout son boulot. Moins « cow-boy » que Jeff, il s'était montré extrêmement prévenant à son égard. A la fin de la tournée, Ophélie découvrit avec stupeur qu'ils avaient englouti à eux deux une boîte entière de beignets. Etait-ce le stress ou l'effort ? Peu importait, au fond. Elle avait passé une nuit extraordinaire, riche de leçons et d'enseignements. Et pendant ces heures magiques, Bob et elle s'étaient liés d'amitié. Elle le remercia encore une fois, du fond du cœur.

— On te revoit lundi, Opie ? demanda Jeff lorsqu'ils sortirent du véhicule.

Ophélie le fixa d'un air surpris.

— Vous voulez encore de moi ?

— Nous te voulons dans l'équipe, corrigea-t-il d'un ton résolu.

— Je... il faut que j'y réfléchisse, balbutia Ophélie, flattée malgré elle par la proposition. Une chose est sûre en tout cas : je ne pourrai pas me libérer tous les soirs.

C'était même déloyal envers Pip d'accepter ce genre de mission. Mais il y avait tous ces gens, tous ces visages, ces âmes en peine dormant près des voies de chemin de fer, sous les ponts et sur les docks. Ce fut comme un appel, elle avait trouvé sa voie, et le risque importait peu.

— Si j'accepte, ce ne serait que deux nuits par semaine. J'ai ma fille, vous comprenez...

— Si tu sortais avec quelqu'un, tu serais encore moins souvent chez toi, intervint Jeff d'un ton moqueur. Mais tu as dit que tu n'avais personne.

Elle l'avait dit, en effet... et ce n'était pas tombé dans l'oreille d'un sourd ! Prise de court, Ophélie soupira.

— Vous m'accordez un temps de réflexion ?

— Est-ce vraiment nécessaire ? Si tu veux mon avis, ta décision est déjà prise.

Il avait raison, une fois de plus. Mais elle ne voulait pas donner sa réponse à la hâte, alors qu'elle était encore sous le coup des émotions de la nuit, des émotions fortes et nouvelles pour elle.

— Allez, Opie... arrête de réfléchir. On a besoin de toi... et eux aussi, reprit Jeff en l'enveloppant d'un regard implorant.

— D'accord, dit-elle dans un souffle. C'est d'accord. Deux soirs par semaine.

Ainsi, elle travaillerait le mardi et le jeudi soir, au lieu de venir au centre les lundi, mercredi et vendredi.

Le visage de Jeff s'illumina.

— Marché conclu ! s'écria-t-il en lui tapant dans la main.

Ophélie rit de bon cœur.

— Comment te résister ?

— N'est-ce pas ? N'oublie jamais ça ! Tu as fait du bon boulot, Opie... A mardi !

Sur un dernier signe de la main, il disparut. De son côté, Millie monta dans une voiture garée sur le parking, tandis que Bob raccompagnait Ophélie à la sienne.

— Rien ne te retient, tu sais, fit-il gentiment. Le jour où tu voudras partir, dis-le-nous, c'est aussi simple que ça.

Ces paroles la rassurèrent. Comment réagirait son entourage en apprenant la nouvelle ? Il vaudrait peut-être mieux attendre un peu avant de les mettre au courant. Oui, c'était plus sage.

— Merci de le préciser, Bob.

— Dis-toi bien que tout ce que tu feras sera positif, même si ça ne dure qu'un temps. On fait tous ce qu'on peut, tant qu'on peut. Et si on jette l'éponge, tant pis. On aura donné le maximum, et c'est ça l'essentiel. Surtout, essaie de prendre les choses avec détachement, Opie, conclut-il comme elle se glissait au volant de sa voiture. A la semaine prochaine.

— Bonne nuit, Bob, murmura Ophélie, rattrapée par la fatigue.

La tension de la nuit était en train de retomber, il était temps d'aller se reposer.

— Et merci encore...

Il lui adressa un petit signe puis remonta la rue, tête baissée, en direction de son quatre-quatre. Ophélie le suivit des yeux. A cet instant, elle réalisa avec un sentiment d'allégresse qu'elle faisait partie de leur équipe, désormais. Elle avait rejoint la bande des cow-boys... Waouh !

17

En rentrant chez elle tard dans la nuit, Ophélie contempla son intérieur d'un œil neuf. Tout ce luxe, ce confort, cette chaleur, ces couleurs, le réfrigérateur copieusement rempli, la grande baignoire et l'eau chaude dans laquelle elle se glissa en soupirant. Tout lui semblait infiniment précieux, soudain, alors qu'elle se prélassait dans son bain en songeant à ce qu'elle venait de voir et de faire. A la mission qu'elle venait d'accepter. Elle se sentait privilégiée et n'avait plus peur de rien. Cette nuit-là, dans la rue, confrontée à ce qu'elle redoutait le plus au monde – sa propre mort –, elle avait été obligée de relativiser tout le reste : ses angoisses, les fantômes qui hantaient son esprit, le sentiment de culpabilité qui l'assaillait chaque fois qu'elle se remémorait la façon dont elle avait insisté pour que Chad parte avec Ted, et ce chagrin qui lui vrillait le cœur depuis le drame. Si elle était capable de résister aux dangers de la rue, alors elle surmonterait le reste.

En rejoignant Pip qui s'était endormie dans le lit de sa mère, elle fut envahie d'un immense sentiment de gratitude. Sa fille la comblait de bonheur, elle avait une chance inouïe de l'avoir auprès d'elle ! L'enlaçant tendrement dans ses bras, elle murmura en silence des prières de remerciement, avant de sombrer dans un profond sommeil.

La sonnerie du réveil la fit sursauter. Désorientée, elle mit quelques instants avant de reprendre contact avec la réalité. Elle avait rêvé des rues sombres et des gens qu'elle y avait croisés. Tous ces visages resteraient à jamais gravés dans sa mémoire.

— Quelle heure est-il ? gémit-elle en arrêtant le réveil.

— 8 heures, répondit Pip. Le match commence à 9 heures, maman.

— Oh… oui, c'est vrai…

Le quotidien reprit brusquement ses droits. En l'occurrence, son quotidien à elle tournait entièrement autour de Pip. Elle avait pris des risques énormes, la nuit précédente. Que deviendrait sa fille s'il lui arrivait quelque chose ? Pourtant, elle ne s'était pas sentie en danger. Ses coéquipiers étaient tous des professionnels ; conscients des risques qu'ils encouraient, ils se montraient vigilants à l'extrême. Car la menace était bel et bien là. Mais Pip aussi était là, qui comptait sur elle.

Tiraillée par des sentiments contradictoires, Ophélie se leva et s'habilla, avant de descendre préparer le petit déjeuner.

— Comment c'était hier soir, maman ? Qu'est-ce que tu as fait, au juste ?

— Des trucs drôlement intéressants, figure-toi. J'ai donné un coup de main à l'équipe qui sillonne les rues de la ville, la nuit, expliqua-t-elle avant de raconter brièvement en quoi consistait leur action.

— Ce n'est pas un peu dangereux ? demanda Pip en levant sur elle un regard empreint d'inquiétude.

Elle avala son jus d'orange puis attaqua ses œufs brouillés.

— Si, dans une certaine mesure, admit Ophélie. Mais les gens avec qui je travaille connaissent bien leur métier et se montrent très prudents. Il n'y a pas eu d'incident hier soir. Malgré tout, il faut être vigilant.

— Tu comptes y retourner ?

— J'aimerais bien, oui. Qu'en penses-tu ?

Pip réfléchit un quart de seconde.

— Ça t'a plu ?

— Oui, énormément. Tous ces pauvres gens ont tellement besoin qu'on les aide !

— Alors, vas-y, maman. Mais promets-moi seulement
de faire très attention à toi. Je ne voudrais pas qu'il
t'arrive quelque chose.

— Bien sûr, chérie. J'aimerais y retourner une ou deux
fois, juste pour me faire une idée plus précise. Si ça me
paraît trop risqué, j'arrêterai.

— Bonne idée. Au fait, lança-t-elle par-dessus son
épaule alors qu'elle montait chercher ses crampons, j'ai
proposé à Matt de venir me voir jouer ce matin. Il a dit
qu'il serait au rendez-vous.

— Ce n'est pas un peu tôt pour lui ? fit observer
Ophélie qui anticipait déjà la déception de sa fille, au
cas où Matt n'aurait pas pu se libérer. De mon côté, j'ai
invité Andrea. Tu auras toute une équipe de supporters,
dis-moi !

— J'espère être à la hauteur, dit Pip en enfilant un
sweat-shirt.

Elles se mirent en route. Mousse grimpa sur la banquette arrière et, quelques minutes plus tard, la voiture
roulait en direction du terrain de polo situé dans le Golden
Gate Park, où se tenait le match. Le brouillard nappait
encore la ville, mais la journée s'annonçait ensoleillée. Pip
alluma la radio, un peu trop fort au goût d'Ophélie qui se
surprit à songer de nouveau à la misère qu'elle avait vue
dans les rues de cette même ville, tous ces indigents entas-
sés dans des squats sordides, recroquevillés dans des abris
en carton ou allongés à même le sol, vêtus de loques. Dans
la claire lumière du matin, ces images semblaient encore
plus irréelles. En cet instant, elle éprouva un vif sentiment
de joie à l'idée d'avoir rejoint l'équipe de nuit. Elle avait
hâte de les retrouver, le mardi suivant. Un sourire flottait
encore sur ses lèvres lorsqu'elle sortit de la voiture. A sa
grande surprise, Matt les attendait devant l'entrée. Pip
poussa un cri de joie et courut se jeter dans ses bras. Viril
et séduisant, il portait une veste en peau retournée qui

239

avait connu des jours meilleurs, un jean et des tennis. Enchantée, Pip prit la direction du terrain de foot, laissant derrière elle Matt et Ophélie.

— Vous êtes un véritable ami, fit celle-ci avec un sourire reconnaissant. Vous vous êtes levé à l'aube, j'imagine...

— Même pas. Je me suis mis en route à 8 heures.

Avant son divorce, Matt n'avait jamais raté un seul match de son fils, Robert, et il en avait même vu quelques-uns à Auckland. Robert s'était également mis au rugby, là-bas.

— Elle comptait tellement sur votre présence ! Merci, Matt.

Depuis qu'ils se connaissaient, Matt n'avait encore jamais déçu Pip. On pouvait compter sur lui, la mère et la fille le savaient désormais.

— Je n'aurais raté ça pour rien au monde. J'ai même été entraîneur, à une époque.

— Ne le lui dites surtout pas. Elle serait capable de vous engager !

Ils rirent, puis le match commença et ils le suivirent avec attention, côte à côte au bord du terrain. Pip jouait bien. Elle venait de marquer un but quand Andrea les rejoignit. Le petit William babillait dans sa poussette. Feignant d'ignorer le clin d'œil entendu de son amie quand elle aperçut Matt, Ophélie se chargea des présentations et tous trois bavardèrent avec animation. Puis William se mit à pleurer – c'était l'heure de sa tétée – et Andrea prit congé, non sans avoir gratifié Ophélie d'un petit signe complice. En la regardant s'éloigner avec la poussette, cette dernière sut qu'elle ne tarderait pas à avoir de ses nouvelles.

— Andrea est la marraine de Pip, expliqua-t-elle à l'adresse de Matt. C'est aussi ma meilleure amie.

— Oui, Pip m'a déjà parlé d'elle et du bébé. Si ses explications quelque peu confuses sont exactes, votre amie est très courageuse.

Ophélie comprit aussitôt l'allusion et apprécia sa délicatesse.

— C'est courageux, en effet, mais c'était à ses yeux le seul moyen d'avoir un bébé. Elle est aux anges depuis qu'il est né.

— Il est mignon comme tout, fit Matt avant de reporter son attention sur le match.

L'équipe de Pip remporta le match haut la main, pour leur plus grande joie. Quelques minutes après la fin, Pip les rejoignit et reçut avec plaisir leurs félicitations. Un sourire victorieux fendait son visage.

Matt les invita à prendre un brunch dans une crêperie voisine. Ils passèrent un agréable moment ensemble puis il fallut se dire au revoir. Matt avait hâte de retourner travailler à son portrait, souffla-t-il à Pip comme ils regagnaient leurs voitures respectives, et elle lui adressa un clin d'œil complice avant de s'éloigner.

La sonnerie du téléphone retentit à l'instant où Pip et Ophélie franchissaient le seuil de la maison. Avant même de décrocher, Ophélie sut de qui il s'agissait.

— Alors, comme ça, il se déplace même pour les matchs de foot de Pip… ? attaqua directement Andrea. J'ai l'impression que tu ne me dis pas tout, petite cachottière.

Ophélie secoua la tête en pouffant.

— Il est peut-être amoureux de Pip… Tu imagines, ce sera peut-être mon gendre, un jour, plaisanta-t-elle en riant de plus belle. Au risque de te décevoir, ma chère, je ne te cache rien du tout.

— Alors tu es complètement folle. C'est l'homme le plus séduisant que j'ai rencontré depuis longtemps, crois-moi. S'il est hétéro, saute-lui dessus, voyons ! Il l'est, à ton avis ?

— Il est quoi ? répéta Ophélie, perplexe.

Elle n'avait jamais songé à ça… Pire : elle s'en moquait complètement ! Matt et elle étaient juste des amis.

— Hétéro. Tu crois qu'il est homo ?

241

— Non… non, je ne pense pas. Enfin, je ne lui ai jamais posé la question. Pour l'amour du ciel, Andrea, il a été marié et il est père de deux enfants ! Quoi qu'il en soit, ce ne sont pas mes affaires.

— Il aurait très bien pu devenir gay après cette fâcheuse expérience, rétorqua Andrea, pragmatique. Mais bon, je ne le crois pas. Ce que je crois, en revanche, c'est que tu es folle de ne pas tenter ta chance. Les types comme lui trouvent chaussure à leur pied avant que tu aies le temps de dire ouf.

— Pour ta gouverne, « ouf » ne fait pas partie de mon vocabulaire et je ne pense pas que Matt cherche « chaussure à son pied », comme tu dis. Il est très attaché à sa solitude.

— Il fait peut-être une dépression. Il suit un traitement ? Tu devrais aborder le sujet, ça débloquerait peut-être la situation. Le problème, ce sont tous les effets indésirables liés à la prise d'antidépresseurs. Il paraît que ça diminue nettement la libido, chez certains hommes. Dieu merci, il y a toujours le Viagra, enchaîna Andrea.

Ophélie leva les yeux au ciel.

— Compte sur moi pour lui suggérer tout ça. Il sera ravi, j'en suis sûre. Cela dit, il n'a pas besoin de prendre du Viagra pour dîner avec nous. Et je ne pense pas non plus qu'il soit en pleine dépression. C'est un homme meurtri, c'est tout.

— C'est du pareil au même, décréta Andrea. Depuis combien de temps sa femme est-elle partie ? Dix ans ? Ce n'est pas normal qu'il soit encore seul. Et puis, je ne vois pas comment quelqu'un comme lui peut se satisfaire d'une amitié avec une petite fille. Ce qu'il lui faut, c'est une aventure avec une femme de son âge. Et toi aussi. Avec un *homme* de ton âge, évidemment…

— Merci du conseil, docteur, ironisa Ophélie. Je me sens déjà mieux. Le pauvre, s'il savait que tu es en train de réaménager sa vie de fond en comble – et la mienne, par la même occasion.

— Il faut bien que quelqu'un vous prenne par la main, puisque vous êtes incapables de le faire vous-mêmes. Tu ne vas tout de même pas passer le restant de ta vie à te morfondre seule dans ta grande maison ! Un jour ou l'autre, Pip partira, ne l'oublie pas.

— J'y ai déjà songé, figure-toi, et cette idée me terrifie, merci de me le rappeler. Mais bon, il me reste encore quelques années pour m'y habituer.

A chaque fois qu'elle pensait au jour où Pip prendrait son envol, une peur panique lui coupait le souffle. Mais Matt Bowles n'était certainement pas la solution à ses problèmes. Elle devrait s'habituer peu à peu à la solitude... et profiter pleinement de Pip d'ici là. Personne ne réussirait à combler le vide qu'avaient laissé Chad et Ted. Ce serait la même chose le jour où Pip quitterait la maison. Elle n'avait plus qu'à se consacrer à ses amis et à son nouveau travail.

— Matt ne résoudra rien, déclara-t-elle simplement.

— Pourquoi ? Il me semble plutôt bien, ce type...

— Alors vas-y, mets-toi sur les rangs s'il te plaît tant que ça... et n'oublie pas la boîte de Viagra. Je suis sûre qu'il appréciera, répliqua Ophélie en riant.

Andrea avait toujours eu le goût de la provocation, c'était précisément ce trait de caractère qu'appréciait Ophélie. Elles étaient si différentes, toutes les deux !

— Ce n'est peut-être pas une mauvaise idée, après tout. Quand doit avoir lieu le prochain match de Pip ?

— Tu es vraiment incorrigible ! File plutôt à Safe Harbour et défonce sa porte à coups de hache. Ta détermination à le sauver de ses propres griffes l'impressionnera sûrement !

— Tu veux que je te dise ? Tu es géniale ! approuva Andrea, imperturbable.

Elles bavardèrent encore quelques minutes. Ophélie passa délibérément sous silence la nuit exceptionnelle qu'elle avait passée dans les rues de San Francisco. En fin d'après-midi, elle emmena Pip au cinéma. Elles rentrèrent dîner à la maison et à 22 heures, toutes deux dormaient comme des loirs dans le lit d'Ophélie.

A la même heure, à Safe Harbour, Matt travaillait encore au portrait de Pip. Ce soir-là, il bataillait avec sa bouche, s'efforçant de se remémorer le sourire qu'elle arborait après le match de foot. Un sourire irrésistible. Il aimait tout chez elle, il aimait sa compagnie et il aimait la dessiner. Elle était un ange, à ses yeux, un elfe, une brindille fragile, un petit esprit sage enfermé dans un corps d'enfant, et plus il avançait dans son portrait, plus ses qualités apparaissaient sous son pinceau. Satisfait de son travail, il alla enfin se coucher. Il dormait encore quand Pip l'appela le lendemain matin.

— Je suis désolée de vous avoir réveillé, Matt, fit-elle d'un ton penaud. Je ne pensais pas que vous dormiez encore.

Il était 9 h 30, mais Matt ne s'était pas couché avant 2 heures du matin.

— Ce n'est pas grave. J'ai travaillé tard sur un certain tableau secret, expliqua-t-il dans un sourire. J'aurai bientôt terminé.

— Maman sera folle de joie, déclara Pip, ravie. Vous pourriez passer nous voir la semaine prochaine pour que j'y jette un coup d'œil.

— Ça semble formidable. Quel est votre rôle dans tout ça, Ophélie ?

— Elle sillonne les rues avec la patrouille de nuit, répondit Pip avant que sa mère ait eu le temps d'ouvrir la bouche.

Matt les considéra à tour de rôle, frappé de stupeur.

— C'est vrai ? demanda-t-il à Ophélie qui fut bien obligée d'acquiescer, non sans avoir au préalable foudroyé sa fille du regard.

— J'essaierai, promit-il avant de raccrocher.

Mais la vie en décida autrement : pris par leurs occupations respectives, ils ne se revirent pas avant plusieurs semaines. Matt travailla sans relâche au portrait de Pip et dut aussi régler quelques affaires en attente. Quant à Ophélie, elle n'eut pas le temps de souffler tant elle était prise par ses engagements au centre. Finalement, elle avait décidé de travailler trois jours par semaine en plus des deux nuits qu'elle passait avec la patrouille. C'était un emploi du temps chargé. Quant à Pip, elle croulait sous les devoirs.

Le 1er octobre, Matt appela Ophélie pour les inviter à venir passer une journée à Safe Harbour, le week-end suivant. Ophélie hésita.

— Nous aurons célébré la veille le premier anniversaire de la mort de Ted et Chad, expliqua-t-elle finalement d'une voix étranglée. Ce sera sûrement une journée éprouvante, je ne suis pas certaine d'être suffisamment en forme pour prévoir une sortie à la plage. Je ne voudrais pas vous imposer notre peine, Matt. Je crois qu'il vaudrait mieux remettre ça à la semaine suivante. En plus, ce sera l'anniversaire de Pip.

Matt se souvenait vaguement de la date. Pip ne l'avait mentionnée qu'une fois, alors qu'ils venaient de faire connaissance.

— On peut essayer de maintenir les deux, insista-t-il avec douceur. Ça vous fera peut-être du bien de changer d'air, justement. Ecoutez, c'est simple : vous n'aurez qu'à vous décider à la dernière minute. Si l'envie vous prend de venir, appelez-moi le matin même, ce n'est pas un problème. En ce qui concerne l'anniversaire de Pip, je vous invite toutes les deux au restaurant, si vous pensez que cela lui fera plaisir.

— Elle sera enchantée, assura Ophélie.

Elle accepta de lui passer un coup de fil, le lendemain de la date anniversaire qu'elle redoutait tant. De toute façon, ils auraient l'occasion de se parler avant. Malgré son emploi du temps surchargé, elle prenait toujours autant de plaisir à bavarder avec lui.

Les deux invitations réjouirent Pip, même si elle appréhendait elle aussi le triste anniversaire de la mort de son père et de son frère. Par-dessus tout, elle redoutait que sa mère sombre de nouveau dans la dépression. Elle semblait tellement bien, ces derniers temps… Pourtant, cette date planait au-dessus d'elles comme une menace pour leur fragile équilibre.

Ophélie avait demandé au prêtre de l'église Saint Dominic de dire une messe à la mémoire des défunts. Aucune commémoration spéciale n'était prévue. L'appareil avait explosé avant de prendre feu, réduisant en cendres les corps des deux passagers. Ophélie n'avait pas jugé utile de faire dresser des tombes sur des cercueils vides. L'idée de devoir se rendre à un endroit précis pour pleurer ses morts lui répugnait. Elle les portait dans son cœur en permanence, comme elle l'avait expliqué à Pip, l'année passée. Au milieu des débris calcinés, on avait retrouvé la boucle métallique de la ceinture de Chad ainsi que l'alliance de Ted, toutes deux déformées par l'intense chaleur. Ophélie les avait récupérées et les gardait précieusement.

Après la messe, la mère et la fille avaient prévu de passer le reste de la journée à la maison, au calme, pour mieux se souvenir des êtres chers qui les avaient quittées si brutalement. C'était précisément ce que craignait Pip. Plus la date approchait, plus Ophélie redoutait elle aussi cette épreuve.

A la vérité, cette journée l'emplissait d'effroi.

18

Un doux soleil baignait la ville le jour du premier anniversaire de la mort de Ted et Chad. Quand Ophélie se réveilla auprès de Pip, une lumière dorée entrait déjà dans la chambre. Elles avaient dormi ensemble presque toutes les nuits depuis leur retour à San Francisco début septembre. Matt avait eu une idée de génie en faisant cette suggestion. Mais, ce jour-là, en ouvrant les yeux, elles restèrent silencieuses.

Les souvenirs leur revinrent aussitôt : un an plus tôt, la cérémonie s'était déroulée par une journée aussi belle, aussi douloureuse. Tous les collègues et les associés avec qui Ted avait travaillé ces dernières années avaient assisté à la messe ; il y avait aussi leurs amis, ceux de Chad ainsi que tous ses camarades de classe. Plongée dans une espèce de brouillard confus, Ophélie n'avait gardé que de vagues souvenirs de la cérémonie. Elle se rappelait simplement l'océan de fleurs et Pip qui serrait sa main à lui faire mal. Et puis, s'élevant de nulle part, comme un chœur du paradis, l'Ave Maria qui ne lui avait jamais semblé aussi pur, aussi beau que ce jour-là. Ce souvenir ne la quitterait jamais.

Comme prévu, Ophélie et Pip allèrent à la messe. Lorsque le prêtre prononça les noms de Ted et Chad dans ses prières, le regard d'Ophélie s'embua et elle serra la main de Pip, comme l'année précédente. A la fin de la messe, elles allèrent remercier le prêtre puis allumèrent chacune un cierge : Ophélie pour son mari et Pip pour son frère. Elles reprirent ensuite en silence le chemin de la maison. Celle-ci était vide et silencieuse, comme le jour de l'accident. Aucune d'elles ne mangea. Elles n'échangèrent pas un mot et sursautèrent violemment lorsque le carillon de l'entrée retentit dans l'après-midi. C'étaient des fleurs de la part de Matt qui avait envoyé un petit bouquet à chacune. Touchées, elles lurent la carte qui disait simplement : « Je pense bien à vous aujourd'hui. Affectueusement, Matt. »

— Je l'aime, murmura simplement Pip en glissant la carte dans l'enveloppe.

Les choses étaient si simples à son âge !

— C'est un homme bien et un véritable ami, compléta Ophélie.

Pip approuva d'un hochement de tête et emporta ses fleurs dans sa chambre. Même Mousse était calme, comme s'il percevait leur peine. La veille, Andrea leur avait également envoyé des fleurs. Elle aurait assisté à la messe si elle avait été croyante ; quoi qu'il en soit, elle pensait à Pip et à Ophélie, c'était là l'essentiel.

Quand la nuit tomba enfin, toutes deux avaient hâte d'aller se coucher. Lorsque Pip alluma la télévision dans la chambre de sa mère, celle-ci lui demanda de bien vouloir aller la regarder ailleurs. Peu désireuse de se retrouver seule, la petite fille éteignit le poste et resta avec Ophélie dans la grande chambre silencieuse. Finalement, un sommeil salvateur les emporta toutes les deux, blotties l'une contre l'autre. Pip savait que sa mère avait longuement pleuré dans la chambre de Chad, un peu plus tôt. Ce furent des moments difficiles. Comme la plupart des jours de l'année écoulée, celui-ci fut placé sous le signe de la tristesse et du deuil.

Lorsque le téléphone sonna le lendemain matin, Pip et Ophélie se trouvaient dans la cuisine. La première jouait avec son chien, tandis que la seconde feuilletait le journal du matin. Ophélie décrocha ; c'était Matt.

— Je n'ose pas vous demander comment s'est passée la journée d'hier, commença-t-il prudemment.

— Il ne vaut mieux pas, en effet. C'était aussi pénible que nous le redoutions. Mais c'est passé. Merci beaucoup pour les fleurs.

Pourquoi les dates anniversaires étaient-elles aussi symboliques ? Objectivement, il n'y avait aucune raison pour que cette journée soit pire que celle de la veille ou du lendemain, et pourtant elle leur rappelait inévitablement le calvaire qu'elles avaient enduré un an plus tôt, ce jour funeste où leur vie avait basculé. Matt l'écouta avec sympathie et compassion mais cette fois il n'eut aucun conseil à prodiguer, n'ayant pas vécu le même cauchemar, brutal et irrémédiable.

— Je n'ai pas appelé hier ; je craignais de vous déranger, expliqua-t-il avec douceur.

— Vous avez bien fait, Matt. Les bouquets étaient ravissants, nous sommes très touchées.

— Voulez-vous venir à la plage, aujourd'hui ? Ça vous changerait les idées, qu'en pensez-vous ?

Ophélie n'en avait pas vraiment envie, mais l'idée enchanterait Pip, à n'en pas douter.

— Je crains de ne pas être au mieux de ma forme, répondit-elle d'un ton hésitant.

La journée de la veille l'avait épuisée – surtout ces longues heures qu'elle avait passées dans la chambre de Chad, la tête enfouie dans l'oreiller pour étouffer les sanglots qui la secouaient, incontrôlables. Presque imperceptible, son odeur s'échappait encore des draps et de la taie qu'elle n'avait jamais lavés.

— Mais je ne peux pas répondre à la place de Pip, reprit-elle. Elle aura peut-être envie de vous voir. Ecoutez, je vais lui en parler et je vous rappelle ensuite, d'accord ?

A peine eut-elle raccroché que Pip sauta de joie dans la cuisine.

— Je veux y aller ! Je veux y aller ! s'écria-t-elle, comme revigorée.

Bien qu'Ophélie ne fût pas d'humeur à se déplacer, elle n'eut pas le cœur de décevoir sa fille. Et puis, ce n'était pas un long trajet – une heure, tout au plus ; si son moral ne s'améliorait pas, elles pourraient toujours écourter leur visite. Matt comprendrait.

— Alors, maman, on y va ? S'il te plaît !

— D'accord, fit Ophélie. Mais je te préviens tout de suite : nous ne resterons pas longtemps. Je suis fatiguée.

Il ne s'agissait pas seulement de fatigue, Pip n'était pas dupe, mais elle espérait que sa mère se détendrait un peu à Safe Harbour. La compagnie de Matt et une longue balade sur la plage lui remonteraient forcément le moral…

Comme convenu, Ophélie rappela Matt pour lui dire qu'elles arriveraient vers midi. Ce dernier fut heureux de leur décision. Elle proposa d'apporter le repas mais il déclina son offre : il avait prévu de préparer une omelette et, si cela ne plaisait pas à Pip, elle pourrait toujours se rabattre sur la confiture et le beurre de cacahouète qu'il avait achetés spécialement pour elle, la veille. Ophélie ne put s'empêcher de sourire. C'était exactement ce qu'il leur fallait, au fond.

Confortablement installé dans une vieille chaise longue, Matt prenait le soleil sur la terrasse quand elles arrivèrent. Un sourire éclaira son visage dès qu'il les aperçut. L'instant d'après, Pip se jeta dans ses bras puis Ophélie l'embrassa sur les deux joues. La tristesse qui assombrissait son beau visage le frappa aussitôt. On aurait dit qu'un poids immense écrasait sa poitrine. Il la fit asseoir dans la chaise longue et la couvrit d'un plaid. Qu'elle reste ici, qu'elle se repose un peu, ordonna-t-il avant d'entraîner Pip dans la cuisine pour qu'elle l'aide à préparer l'omelette aux champignons et aux fines herbes. La petite fille ne se fit pas prier. Après avoir ciselé les herbes, elle dressa la table et, lorsque Matt l'envoya chercher sa mère, celle-ci semblait déjà plus en forme, un peu comme si le bloc de glace qui enserrait son cœur avait commencé à fondre au soleil. Elle ne fut pas très loquace pendant le repas, mais au grand soulagement de Pip un sourire flotta sur ses lèvres quand Matt apporta des fraises à la crème pour le dessert. Un peu plus tard, alors qu'il préparait du thé, Ophélie alla chercher quelque chose dans la voiture et Pip en profita pour chuchoter quelques mots à son ami.

— On dirait que ça va un peu mieux, vous ne trouvez pas ?

Matt hocha la tête, touché par l'inquiétude de Pip.

— Ça va aller, ne t'en fais pas. La journée d'hier a été éprouvante pour elle comme pour toi, c'est bien normal. Nous irons nous promener sur la plage tout à l'heure et ça ira encore mieux, tu verras.

Pip lui tapota le bras, rassérénée. L'instant d'après, Ophélie les rejoignit, tenant à la main un article sur le centre Wexler qu'elle désirait montrer à Matt. Le texte décrivait de manière détaillée le fonctionnement et les missions du foyer.

Matt le lut avec attention, hochant la tête de temps en temps. A la fin, il leva les yeux sur Ophélie, impressionné.

— Ça semble formidable. Quel est votre rôle dans tout ça, Ophélie ?

— Elle sillonne les rues avec la patrouille de nuit, répondit Pip avant que sa mère ait eu le temps d'ouvrir la bouche.

Matt les considéra à tour de rôle, frappé de stupeur.

— C'est vrai ? demanda-t-il à Ophélie qui fut bien obligée d'acquiescer, non sans avoir au préalable foudroyé sa fille du regard.

Réalisant qu'elle venait de commettre un impair, la pauvre Pip baissa la tête, penaude. Ce n'était pourtant pas dans ses habitudes de faire ce genre de gaffe... Pourvu que sa mère ne soit pas trop fâchée...

— L'article explique que l'équipe de nuit va dans les quartiers les plus sensibles pour porter secours à tous ceux qui sont trop déséquilibrés ou trop affaiblis pour venir au centre, reprit Matt, visiblement contrarié. Ce n'est pas un travail pour vous, Ophélie. C'est beaucoup trop dangereux.

Il fixa sur elle un regard mi-alarmé, mi-réprobateur.

— Ce n'est pas aussi risqué que ça en a l'air, protesta Ophélie d'un ton posé.

Elle en voulait à Pip de ne pas avoir su tenir sa langue, mais la petite fille n'avait pas pensé à mal en répondant franchement à la question de Matt. Et la réaction de ce dernier était tout à fait compréhensible. Elle-même était consciente des risques qu'elle courait en se joignant à l'équipe de nuit. Un léger incident avait ponctué la semaine écoulée : sous l'empire de la drogue, un homme les avait menacés d'une arme. Mais Bob avait réussi à lui faire entendre raison et le toxicomane avait finalement baissé son revolver. Ils n'avaient pas le droit de le lui confisquer. Le danger était donc là, bien réel, chaque fois qu'ils descendaient du fourgon.

— L'équipe est excellente, très bien entraînée. Deux d'entre eux sont d'anciens policiers, parfaitement formés aux arts martiaux, et le troisième faisait partie des commandos de marine.

— Tout cela ne veut rien dire, rétorqua Matt d'un ton sec. Vous n'êtes pas à l'abri d'un accident, Ophélie. Les choses peuvent basculer en un instant, dans la rue. Vous le savez certainement mieux que moi. Vous ne pouvez pas vous permettre de prendre de tels risques, conclut-il en jetant un regard entendu en direction de Pip.

Désireuse de dissiper la tension qu'elle sentait monter de seconde en seconde, Ophélie proposa une promenade sur la plage. Tous trois franchirent les dunes et se dirigèrent vers l'océan. Matt marchait lentement, le visage fermé. Pip s'élança joyeusement sur le sable, talonnée par Mousse. Dès qu'elle fut à distance raisonnable, il reprit la parole.

— Vous ne pouvez pas faire ça, Ophélie. Je n'ai aucun droit pour vous dicter votre conduite, je le sais. Il s'agit peut-être d'une envie suicidaire, même inconsciente, tapie au fond de vous. Mais vous n'avez pas le droit de prendre un tel risque : Pip n'a plus que vous. Et même sans envisager le pire, pourquoi risquer d'être blessée ? Je vous en prie, Ophélie, promettez-moi de réfléchir à la question, conclut-il le visage sombre.

Ophélie s'exhorta au calme.

— Je suis consciente des risques que je cours en allant dans les rues, Matt. Mais le danger nous guette partout, dans n'importe quelle situation. Prenez le bateau, par exemple. Il pourrait très bien vous arriver quelque chose en pleine mer, quand vous partez faire de la voile tout seul. En ce qui me concerne, ceux avec qui je travaille sont des gens responsables et intelligents. Je n'ai pas peur avec eux.

C'était presque la vérité. Ils étaient tellement occupés à faire la navette entre les fourgons et les sans-abri qu'elle n'éprouvait plus la sensation de danger qu'elle avait ressentie les premières nuits. Mais Matt ne parut guère convaincu par ses explications.

— Vous êtes folle, martela-t-il d'un ton réprobateur. Si je faisais partie de votre famille, je n'hésiterais pas à vous enfermer dans votre chambre. Ce n'est pas le cas, malheureusement. Et eux, alors, ils sont inconscients ou quoi ? Comment peuvent-ils emmener avec eux dans les rues une femme totalement inexpérimentée ? Ils n'ont donc aucun sens des responsabilités ?

Il hurlait presque pour se faire entendre entre deux rafales de vent. Devant eux, Pip gambadait comme un cabri, heureuse de retrouver l'océan. A ses côtés, Mousse courait après les mouettes en jappant ; de temps en temps, il prenait dans sa gueule des bouts de bois qu'il courait déposer aux pieds de sa jeune maîtresse, tout fier de lui. Mais pour une fois, Matt ne leur prêtait aucune attention.

— Ils sont aussi cinglés que vous, dans ce centre ! gronda-t-il, furieux.

— Matt, je suis majeure. J'ai le droit de prendre des initiatives et même celui de courir des risques. Si je sens que nos expéditions nocturnes deviennent trop dangereuses, j'arrêterai.

— Vous serez déjà morte d'ici là, bon sang ! Je n'arrive pas à croire que vous agissiez de manière aussi irréfléchie. Franchement, ça me dépasse !

S'il reconnaissait que leur action était à la fois nécessaire et courageuse, il ne comprenait pas qu'Ophélie se lance dans une aventure aussi téméraire, compte tenu de ses responsabilités familiales.

— S'il m'arrive quoi que ce soit, répliqua Ophélie d'un ton léger, vous n'aurez plus qu'à épouser Andrea et à vous occuper de Pip tous les deux. Sans compter que ce serait super pour le bébé.

— Je ne trouve pas ça drôle, fit Matt d'un air sévère qui ne lui ressemblait guère – c'était davantage dans la nature de Ted, songea Ophélie en jetant un coup d'œil furtif dans sa direction.

A l'évidence, il se faisait un sang d'encre pour elle...

— Je n'ai pas fini de vous rebattre les oreilles avec ça, prévint-il comme ils rebroussaient chemin. Je compte bien vous harceler jusqu'à ce que vous renonciez à cette folie. Pourquoi ne continuez-vous pas à travailler au centre pendant la journée, tout simplement ? Cette patrouille de nuit est bonne pour les cow-boys, les illuminés, et ceux qui n'ont pas de charge de famille.

— Mon coéquipier est veuf et père de trois enfants en bas âge, riposta posément Ophélie en glissant son bras sous celui de son compagnon.

— C'est qu'il a lui aussi des envies suicidaires. Je ne lui jette pas la pierre, j'en ferais peut-être autant si ma femme était morte en me laissant trois gosses à élever.

Pour ma part, je ne peux pas vous laisser agir ainsi. Ne cherchez surtout pas à obtenir ma bénédiction : vous ne l'aurez pas. Si vous vouliez en revanche me faire mourir d'inquiétude, bravo, c'est réussi ! Je me rongerai les sangs chaque fois que je vous saurai dans les rues. Pensez un peu à Pip, Ophélie !

« Et à moi », faillit-il ajouter, mais il se retint à temps.

— Pip aurait mieux fait de tenir sa langue, observa calmement Ophélie.

Il secoua la tête avec véhémence.

— Je suis bien content qu'elle ait dit la vérité, au contraire. Sinon, je crois bien que je n'en aurais jamais rien su. J'ai la ferme intention de vous faire entendre raison, Ophélie. Promettez-moi au moins d'y réfléchir sérieusement.

— Je vous le promets. Mais ce n'est pas aussi dangereux que ça en a l'air, Matt, je vous assure. J'arrêterai dès que je ne me sentirai plus à l'aise, ce qui n'est pas le cas pour le moment. Contrairement à ce que vous semblez croire, mes collègues sont des personnes extrêmement équilibrées et responsables.

Elle se garda en revanche de lui dire que l'équipe était très réduite et qu'ils étaient souvent obligés de se séparer. Si un désaxé leur tirait dessus ou les menaçait d'une arme, il y avait peu de chance pour qu'ils puissent se défendre. Sur le terrain, il fallait faire preuve de bon sens, agir vite et rester sur ses gardes. En dehors de ces mesures de précaution élémentaires, il ne leur restait qu'à compter sur leur propre vivacité, sur la bienveillance des gens qu'ils secouraient et sur la grâce de Dieu. Le danger était présent, aucun d'eux ne cherchait à le nier. C'était précisément ce qui terrifiait Matt.

— Le sujet est loin d'être clos, Ophélie, conclut-il d'un ton grave en poussant la porte de son bungalow.

— Je n'avais pas vraiment envisagé de me lancer dans une telle aventure, se défendit Ophélie. C'est arrivé comme ça. Ils m'ont emmenée avec eux un soir et ce fut comme une révélation ; j'y ai pris goût tout de suite. Vous devriez venir avec nous, un de ces soirs, pour mieux vous rendre compte.

— Désolé, je ne suis ni aussi courageux, ni aussi fou que vous. Je crois que je serais mort de peur !

Ophélie ne put s'empêcher de rire devant son air horrifié. Pour une raison qu'elle ignorait, elle se sentait bien dans la rue, la peur des premières nuits l'avait rapidement désertée. Elle était même restée étonnamment calme le soir où le drogué avait brandi son arme sur eux – incident qu'elle se garda bien de lui raconter…

— Je vous assure, Matt, ce n'est pas aussi terrible que ça, insista-t-elle, désireuse d'apaiser ses inquiétudes. C'est très émouvant, au contraire, à tel point que j'ai très souvent envie de pleurer. Leur détresse déchire le cœur, Matt.

— J'espère surtout qu'une balle ne vous traversera pas la tête un jour, maugréa ce dernier.

Il n'avait trouvé que ces mots crus pour exprimer ce qu'il ressentait. Cela faisait longtemps qu'il n'avait pas éprouvé un tel désarroi. Il se souvenait avoir ressenti la même chose, un mélange de colère et de frustration, le jour où Sally lui avait annoncé qu'elle partait s'installer à Auckland avec les enfants. Il redoutait par-dessus tout que les choses tournent mal pour Ophélie, lors d'une de ses expéditions. Pip et elle occupaient une place à part dans son cœur ; il ne supporterait pas qu'il lui arrive quelque chose.

Il entreprit d'allumer un feu dans la cheminée. Ophélie l'avait aidé à faire la vaisselle, avant de partir en promenade. La cuisine et le salon étaient propres et rangés. Matt se perdit un long moment dans la contemplation des flammes. Tout à coup, il la fixa intensément.

— J'ignore encore par quel moyen je réussirai à vous convaincre de cesser cette folie, Ophélie, mais je ferai tout ce qui est en mon pouvoir pour parvenir à mes fins.

Craignant d'inquiéter Pip, il n'aborda plus le sujet mais resta d'humeur morose pendant le restant de l'après-midi, jusqu'à ce qu'elles partent. Avant de se quitter, ils convinrent de se revoir la semaine suivante, pour fêter l'anniversaire de Pip.

— Je suis désolée de lui avoir parlé de ton travail, maman, murmura Pip sur le chemin du retour.

Ophélie la rassura d'un sourire.

— Ce n'est rien, chérie. De toute façon, ce n'est pas bien de garder des secrets.

— Est-ce que c'est vraiment aussi dangereux que Matt semble le croire ? demanda Pip, préoccupée à son tour.

— Pas vraiment, non, répondit-elle avec franchise. Tout va bien tant que nous restons vigilants. Aucun membre de l'équipe n'a jamais été blessé et nous veillons tous à ce que ça n'arrive pas.

Pip se tourna vers sa mère.

— Tu devrais dire ça à Matt. Il s'inquiète vraiment pour toi, tu sais.

— C'est plutôt gentil de sa part. Ça veut dire que nous comptons pour lui.

D'un autre côté, il y avait tant d'autres dangers, tant d'autres menaces dans la vie ! A bien y réfléchir, rien n'était dénué de risque.

— Je l'aime, tu sais, déclara Pip d'une voix très douce.

C'était la deuxième fois qu'elle prononçait ces mots en deux jours. Ophélie garda le silence. Il y avait bien longtemps que personne n'avait cherché à la protéger de la sorte. Même Ted ne se préoccupait pas autant d'elle. Plongé dans son travail, il ne s'était guère intéressé à ses faits et gestes au cours des dernières années. Pour sa part, Ophélie s'était toujours fait beaucoup de souci pour Chad, surtout après ses tentatives de suicide, mais même cela n'avait pas réussi à inquiéter Ted, trop centré sur son petit monde à lui. Mais c'était ainsi qu'elle l'aimait.

Le soir venu, Pip appela Matt pour le remercier de la belle journée qu'ils avaient passée ensemble. Au bout de quelques minutes, il demanda à parler à Ophélie. Celle-ci prit le combiné.

— J'ai repensé à notre conversation ; je suis furieux contre vous, attaqua-t-il d'emblée. Une femme dans votre position n'a pas le droit d'agir ainsi ; c'est totalement irresponsable de votre part. Je crois que vous devriez consulter un psy ou retourner à vos réunions de groupe.

— C'est le thérapeute de mon groupe qui m'a encouragée à travailler comme bénévole au centre Wexler, rétorqua Ophélie.

A l'autre bout du fil, Matt émit un grognement.

— Il ne se doutait sûrement pas que vous rejoindriez l'équipe de nuit, il vous imaginait plutôt en train de servir du café ou de classer des dossiers...

— Tout ira bien, Matt, je vous le promets.

— Vous ne pouvez pas promettre, c'est bien là le problème ! Qui peut se targuer de prévoir et de maîtriser ce qui se passe toutes les nuits dans les quartiers mal famés ?

— D'accord, vous marquez un point, concéda Ophélie. D'un autre côté, je peux très bien me faire renverser par un bus en traversant la rue demain, ou même mourir cette nuit d'une crise cardiaque.

Depuis le décès de son mari et de son fils, Ophélie était devenue très philosophe. La mort ne la terrorisait plus comme avant, sachant que personne ne pouvait la contrôler.

— C'est tout de même moins probable statistiquement, objecta Matt.

Comme chacun campait sur ses positions, la conversation tourna court au bout de quelques minutes. Ophélie ne céderait pas, Matt le savait pertinemment. Il y songea toute la semaine et aborda de nouveau le sujet après le dîner d'anniversaire de Pip, quand celle-ci monta se coucher.

Il les avait invitées dans un charmant petit restaurant italien que Pip avait adoré. Au moment du dessert, les serveurs avaient tous chanté « Joyeux Anniversaire » de

eurs voix de barytons et Matt lui avait offert le matériel
le dessin dont elle rêvait depuis longtemps, ainsi qu'un
weat-shirt sur lequel il avait peint : « Tu es ma meilleure
mie ». Emue, Pip s'était confondue en remerciements.
Tous trois avaient passé une merveilleuse soirée. Comme
l'habitude, Ophélie en était profondément reconnais-
ante à Matt. Mais elle le connaissait bien, à présent, et
lle devinait à son expression déterminée qu'il ne tarde-
ait pas à revenir à la charge.

— Vous savez ce que je m'apprête à vous dire, n'est-ce
pas ? commença-t-il d'un ton empreint de gravité.

Ophélie acquiesça en silence, regrettant presque que
Pip ne soit pas restée avec eux.

— Je m'en doute un peu, oui.

Un pâle sourire étira ses lèvres. La sollicitude dont il
aisait preuve à leur égard la touchait beaucoup. Matt
comptait énormément pour elle aussi ; le lien qui les
unissait se renforçait à chacune de leurs rencontres. Il
aisait désormais partie de leur vie.

— Alors, avez-vous pris le temps d'y réfléchir ? Je
continue à croire que vous devriez renoncer à ce travail
de nuit, décréta-t-il en fixant sur elle un regard pénétrant.

— Je le sais bien. Pip voulait que je vous dise que personne n'a jamais été blessé dans l'équipe. Ce sont des
professionnels, Matt. Ils savent parfaitement ce qu'ils
font et moi aussi. Etes-vous rassuré ?

— Absolument pas. Si vous voulez mon avis, ils ont eu
de la chance, c'est tout. Mais le danger n'en demeure pas
moins présent, et vous le savez aussi bien que moi.

— C'est peut-être une question de foi, insista Ophélie.
Ça va vous paraître absurde, mais j'ai l'impression que
Dieu me protège, quand Il me voit en train de faire le
bien.

— Et s'Il est appelé ailleurs, un de ces soirs ? Il doit
gérer des famines, des catastrophes naturelles, des
guerres... Il n'y a pas que vous sur terre, Ophélie !

259

Elle ne put s'empêcher de rire, surprise par son emportement. Même Matt esquissa un sourire.

— Vous finirez par me rendre fou, à la longue. Je n'a jamais connu quelqu'un d'aussi têtu que vous. Ni d'auss courageux, ajouta-t-il d'un ton radouci, d'aussi hon nête... ou d'aussi cinglé, malheureusement. J'ai telle ment peur qu'il vous arrive quelque chose, conclut-1 sombrement. Vous savez, Pip et vous comptez beaucoup pour moi.

— C'est réciproque, Matt. Grâce à vous, Pip a eu un fabuleux anniversaire.

Le précédent avait été épouvantable. La disparition brutale de Ted et Chad datait alors d'une semaine. Cette année, au contraire, Matt avait tout fait pour la comble de joie. Ophélie avait organisé une soirée pyjama ave quatre de ses camarades de classe, le week-end suivant et Pip s'en réjouissait à l'avance. Le seul bémol de la soirée concerna cette histoire de patrouille de nuit pomme de discorde entre Matt et Ophélie. Une foi encore, aucun d'eux ne changea d'avis et ils abordèren finalement d'autres sujets, conscients de leur obstination mutuelle.

Confortablement installés près du feu, un verre de vir à la main, ils parvinrent même à se détendre. Ophélie s sentait tellement à l'aise en compagnie de Matt ! Elle n'avait jamais été aussi sereine, aussi décontractée avec un homme... pas même avec Ted. Matt partageait ce sentiment. Il paraissait moins soucieux lorsque vint pou lui le moment de prendre congé, même s'il n'avait aucu nement l'intention de renoncer à son combat. Il ferai tout ce qui était en son pouvoir pour faire changer d'avi son amie, compte tenu du rôle limité qu'il jouait dans si vie.

En montant l'escalier dans l'obscurité pour alle embrasser Pip, Ophélie songea à Matt. C'était ur homme d'une rare gentillesse, un ami exceptionnel ; elle avait beaucoup de chance de l'avoir rencontré. Parfois pourtant, elle s'inquiétait de son attachement grandissant pour lui, de plus en plus profond... Mais bien vite, elle balayait ces pensées. Tous deux avaient la situation bien en main. Ils étaient amis, rien de plus.

Au volant de sa voiture, Matt esquissa un sourire, surpris par sa propre audace. Jamais il ne se serait cru capable d'un tel geste, mais c'était pour la bonne cause... L'idée avait germé en lui, alors qu'ils bavardaient tranquillement devant la cheminée, lorsque son regard avait glissé par hasard sur une photo posée sur la table basse. Il avait attendu qu'Ophélie monte voir Pip dans sa chambre pour passer à l'acte. Tandis qu'il rentrait chez lui, se remémorant la soirée et l'expression de Pip quand les serveurs s'étaient approchés de la table pour lui souhaiter un joyeux anniversaire, un cadre en argent reposait sur le siège du passager. Sur la photo logée à l'intérieur, Chad lui souriait.

19

Pip et Ophélie ne revirent pas Matt avant le dîner père-fille organisé par l'école, trois semaines plus tard. Tous trois étaient occupés, chacun de leur côté. Il appela Pip presque tous les jours et, quand elle l'avait au téléphone, Ophélie évitait soigneusement le délicat sujet de son travail au centre Wexler, de peur de le froisser davantage.

Le soir du dîner, il arriva pile à l'heure exacte, élégamment vêtu d'un blazer, d'un pantalon à pinces gris et d'une chemise bleu ciel agrémentée d'une cravate bordeaux. Un sourire plein de fierté flottait sur les lèvres de Pip lorsqu'ils partirent pour la grande soirée qui se tenait dans le gymnase de l'école. De son côté, Ophélie avait prévu de dîner dans un bar à sushis en compagnie d'Andrea, qui avait fait appel à une baby-sitter pour l'occasion.

— Alors, quoi de neuf ? demanda cette dernière en enveloppant son amie d'un regard perçant.

— J'ai un boulot fou au centre, et Pip se plaît bien au collège. C'est à peu près tout en ce qui nous concerne. Tout va bien. Et toi ?

Ophélie semblait en forme ces temps-ci ; son travail lui apportait beaucoup de plaisir et Andrea s'en réjouissait.

— Si je comprends bien, ta vie est aussi monotone que la mienne, gémit-elle en esquissant une moue dégoûtée. Ce n'est pas ce que je te demandais, tu le sais très bien. Quoi de neuf avec Matt ?

— Il emmenait Pip au repas père-fille organisé par
'école, ce soir, répondit Ophélie d'un ton innocent.

— Je le sais, idiote ! Quoi de neuf entre vous ?

— Arrête tes bêtises. Il demandera la main de Pip un
le ces jours et deviendra mon gendre, point à la ligne.

— Tu es folle. Ce type est forcément homo.

— J'en doute. Quand bien même, cela ne me regarde
>as.

Devant l'air impassible d'Ophélie, Andrea se carra
lans son fauteuil, frustrée. Elle-même sortait depuis peu
ivec un de ses collègues ; Ophélie n'était pas sans savoir
jue celui-ci était marié, mais ce genre de « détail » n'avait
amais gêné Andrea. Elle avait fréquenté un nombre
mpressionnant d'hommes mariés et cette situation lui
convenait tout à fait, puisqu'elle n'avait elle-même
aucune envie de s'engager. Du moins le prétendait-elle,
mais Ophélie la soupçonnait de se voiler la face depuis
léjà un certain temps. Avec le bébé, il aurait été bon
pour elle de trouver un compagnon stable. Mais plus le
temps passait, moins elle y croyait ; aussi se contentait-
elle d'aventures sans lendemain, le plus souvent avec des
hommes déjà pris.

— Tu n'as même pas envie de sortir avec lui ? insista
Andrea, sincèrement surprise.

A bientôt quarante-trois ans, Ophélie était une femme
séduisante, bien trop jeune pour renoncer aux plaisirs de
l'amour... Trop jeune aussi pour passer le restant de ses
jours à pleurer Ted. Du moins était-ce l'avis d'Andrea.

— Non, répondit son amie, catégorique. Je n'ai pas
envie de sortir tout court. Je me sens toujours liée à Ted.

Ce qu'elle éprouvait – ou n'éprouvait pas – pour Matt
n'avait aucune importance. Tous deux appréciaient leur
relation telle qu'elle était. Ce serait trop s'exposer, à ses
yeux, que d'en attendre davantage. Elle n'avait pas envie
de gâcher ce qu'ils partageaient en ce moment. A quoi
bon expliquer cela à Andrea ? Prônant au contraire

l'assouvissement des désirs, son amie n'aurait pas com
pris.

— Et si Ted n'avait pas partagé tes sentiments ? argua
justement cette dernière. Je veux dire, comment crois-tu
qu'il aurait réagi si tu étais partie à sa place ? Penses-tu
sincèrement qu'il aurait porté le deuil toute sa vie ?

Le visage d'Ophélie s'assombrit. Les questions d'Andrea
rouvraient en elle d'anciennes blessures, elle le savait
pertinemment. Mais Andrea supportait mal de voir son
amie gâcher sa vie pour un homme qui, au fond, n'en
valait pas la peine, même si Ophélie l'avait aimé aveuglé-
ment. Ce n'était pas normal que son amie se condamne
à la solitude, sous prétexte qu'elle désirait lui rester
fidèle. C'était pourtant le choix affirmé d'Ophélie.

— Peu importe ce qu'il aurait fait à ma place, répondit-
elle calmement. Je sais ce que je fais, Andrea, et je sais ce
que je veux.

C'était la vérité, et c'était ce qui lui convenait. Que
Matt soit incroyablement gentil et séduisant n'avait
aucune importance. En face d'elle, Andrea soupira.

— D'accord, Matt n'est peut-être pas ton genre. Mais
dans ce foyer où tu travailles... il n'y a personne qui te
plaît ? A quoi ressemble le directeur ?

Ophélie gloussa.

— Je l'apprécie beaucoup. Pour ta gouverne, c'est une
femme.

— J'abandonne. Tu veux que je te dise ? Tu es un cas
désespéré, déclara Andrea en levant les mains devant
elle.

— A la bonne heure. Et toi, où en es-tu ? Parle-moi un
peu de ton nouveau jules...

— Il est tout ce que j'aime. Sa femme attend des
jumeaux pour le mois de décembre. Il semblerait qu'elle
n'ait pas inventé le fil à couper le beurre. Leur mariage
bat de l'aile depuis des années, c'est d'ailleurs pour cela
qu'elle s'est fait faire un gosse... deux, plus exactement.
C'est idiot, n'est-ce pas ? Mais c'est le réflexe de pas mal

d'épouses malheureuses. Bref, ce n'est certainement pas l'homme de ma vie, mais on prend du bon temps ensemble.

Jusqu'à la naissance des bébés... jusqu'à ce qu'il tombe de nouveau amoureux de sa femme, ou peut-être pas. Quoi qu'il en soit, ce n'était pas la solution idéale, toutes deux le savaient. Mais Andrea maintenait qu'elle ne cherchait pas de relation durable, juste des moments de plaisir volés par-ci par-là, pour se prouver qu'elle était encore bien vivante.

— Il ne t'apportera pas grand-chose d'autre, on dirait, fit observer Ophélie d'un ton compatissant.

Jusque-là, Andrea n'avait jamais fait le bon choix.

— Tu as raison, mais je n'en demande pas plus pour le moment. Quand les jumeaux seront là, il retournera sans doute à son train-train. En attendant, sa femme est clouée au lit ; ils n'ont pas fait l'amour depuis le mois de juin, imagine...

Ophélie se sentit tout à coup déprimée. Ce qu'Andrea lui racontait la consternait. C'était tout ce qu'elle n'avait jamais voulu pour elle : des aventures bâclées, vite expédiées, dont on se contentait juste pour avoir une présence à ses côtés, au lit.

Malgré le caractère difficile de Ted, Ophélie s'était pleinement épanouie dans son mariage. Elle l'avait chéri de tout son cœur, soutenu avec amour dans les moments difficiles et porté aux nues quand ses efforts avaient enfin été couronnés. Ils avaient passé tant de temps ensemble ! Vécu et partagé tant de choses ! Pas une seule fois elle n'avait éprouvé l'envie de le tromper. Et même si, de son côté, Ted lui avait été infidèle, elle n'avait jamais douté de son amour et lui avait volontiers pardonné son écart. L'idée qu'on la considère désormais comme une femme célibataire, donc disponible, l'horrifiait. Elle n'avait aucune envie de rencontrer d'autres hommes, elle était bien mieux chez elle, avec Pip, et n'avait cure de tous ces célibataires en quête d'une aventure, ou de ces maris infidèles désireux de pimenter leur quotidien. Son amitié avec Matt était belle, c'eût été dommage de la gâcher. Elle ne voulait ni le blesser ni prendre le risque de souffrir encore. Ils étaient heureux ainsi, malgré ce que semblait croire Andrea.

Pip et Matt rentrèrent à 22 h 30, ce soir-là. Les cheveux en bataille, l'uniforme en désordre, Pip rayonnait. Matt s'était débarrassé de sa cravate au cours de la soirée. Ils avaient mangé du poulet frit et dansé sur les tubes de rap sélectionnés par les filles du collège. Bref, ils s'étaient amusés comme des fous. Epuisée et heureuse, Pip ne tarda pas à aller se coucher. Ophélie servit à Matt un verre de vin blanc.

— J'ai tout de même un peu de mal avec ce genre de musique, avoua-t-il en riant. Pip l'adore, elle. Et elle danse drôlement bien !

— J'aimais beaucoup danser aussi, fit Ophélie.

Un sourire flottait sur ses lèvres. Elle était ravie qu'ils aient passé une bonne soirée. Une fois de plus, Matt avait été providentiel.

— Et vous n'aimez plus ça ? s'enquit Matt en s'asseyant sur le canapé.

Ophélie l'imita.

— Ted détestait danser, expliqua-t-elle. C'était pourtant un cavalier tout à fait correct. Pour tout vous dire, cela fait des années que je n'en ai pas eu l'occasion.

Et les circonstances faisaient que cela n'était pas près de se produire. Tant pis, Pip n'aurait qu'à danser pour deux. Cette époque était révolue pour elle. Elle avait choisi de vivre en recluse, maintenant qu'elle était veuve. Elle ne ferait plus jamais l'amour non plus. Elle s'interdisait même d'y songer.

— On devrait peut-être aller danser tous les deux, histoire de ne pas perdre la main. Ou plutôt les pieds, plaisanta Matt.

Ophélie rit de bon cœur.

— J'ai bien peur que mes pieds aient perdu leur agilité. De plus, je suis d'accord avec vous au sujet de la musique qu'affectionne Pip. C'est insupportable. Elle met la radio tous les matins, sur le chemin du collège ; je vais finir par devenir sourde, si ça continue !

— Je me suis fait la même réflexion ce soir. Imaginez un peu : accident du travail au bal du collège. D'accord, en tant que peintre, ce ne serait pas une grosse perte. Ce serait plus délicat si j'étais musicien ou chef d'orchestre…

Ils bavardèrent encore un moment, heureux et détendus. Au grand soulagement d'Ophélie, Matt n'aborda pas l'épineux sujet de son travail. Tout allait bien au centre et les rondes de nuit se déroulaient sans problème. Elle se sentait de plus en plus à l'aise, en sécurité au sein de l'équipe. Bob et elle avaient beaucoup sympathisé, au cours de leurs expéditions nocturnes. Elle lui donnait des conseils concernant l'éducation de ses enfants, bien qu'il n'ait visiblement pas besoin d'aide, et parlait beaucoup de Pip. Il sortait depuis peu avec la meilleure amie de sa défunte épouse et cette nouvelle avait réjoui Ophélie. Les enfants l'adoraient, et c'était bon pour eux aussi.

Il était presque minuit quand Matt prit congé. Des milliers d'étoiles piquetaient le ciel ; la route serait belle et tranquille, à cette heure-ci. En cet instant précis, Ophélie se prit à envier son ami. La plage lui manquait terriblement. Il s'apprêtait à partir lorsqu'elle dévala les marches du perron.

— Matt ! Je voulais vous demander quelque chose ! s'écria-t-elle en le rejoignant. J'ai failli oublier… Qu'avez-vous prévu pour Thanksgiving ?

La fête aurait lieu trois semaines plus tard ; cela faisait déjà plusieurs jours qu'elle voulait lui poser la question.

— Comme tous les ans, j'ai prévu de faire comme si de rien n'était. Vous avez devant vous le rabat-joie de service. Je ne crois ni à la dinde, ni à Noël. Ma religion me l'interdit.

Ophélie devina facilement les raisons de son dégoût des fêtes familiales. Depuis le départ de ses enfants, c'était autant de moments éprouvants pour lui, qui vivait seul. Mais peut-être qu'avec Pip et elle, il réussirait à voir les choses d'un autre œil.

— Vous ne voulez pas essayer encore une dernière fois ? J'ai prévu de fêter Thanksgiving à la maison, avec Pip et Andrea. Qu'en dites-vous ?

— J'en dis que c'est très gentil à vous d'avoir pensé à moi, mais je préfère ne pas tenter l'expérience. L'eau a coulé sous les ponts, les dindes se sont succédé sans moi, c'est trop tard, maintenant. Pourquoi ne viendriez-vous pas passer la journée du lendemain à la plage ? Ça me ferait plaisir.

— Pip serait ravie, et moi aussi, répondit Ophélie, préférant ne pas insister au sujet de Thanksgiving – elle était bien placée pour comprendre les raisons de son refus, cette période avait été horrible l'année précédente. Je tenais simplement à vous le proposer.

Au prix d'un effort, elle parvint à dissimuler sa déception. Matt avait déjà fait beaucoup pour elles. Il ne leur devait rien, après tout.

— Merci, Ophélie, murmura-t-il, touché par son invitation.

— Merci encore pour Pip, fit-elle en lui adressant un sourire reconnaissant.

— J'ai passé une excellente soirée. Je crois que je vais me mettre au rap et prendre quelques cours de danse. Je ne voudrais pas lui faire honte, l'année prochaine !

Quel homme charmant ! songea Ophélie en suivant des yeux la voiture qui tourna bientôt au coin de la rue. C'était drôle comme on pouvait reprendre goût à la vie, songea-t-elle. On refaisait lentement surface, puis on essayait de tourner la page et on trouvait alors des amis sur qui on pouvait compter à la place des conjoints disparus. Pip, Matt et elle faisaient partie de la même famille, désormais, tous trois blottis dans le même bateau perdu dans la tempête. Jamais elle n'aurait imaginé ça, mais les effets étaient là, bénéfiques. Chacun y trouvait son compte. Ce n'était plus la cellule familiale classique mais qu'importe, au fond ? Seul comptait le résultat. De toute façon, ils n'avaient pas le choix. Ophélie prenait avec bonheur toutes les mains qui se tendaient vers elle dans l'obscurité, comme celles de Matt. Infiniment reconnaissante envers lui, elle verrouilla la porte d'entrée et monta se coucher dans la grande maison silencieuse.

20

La journée de Thanksgiving s'avéra plus éprouvante qu'elle ne l'avait imaginé. Sans Ted et Chad, les fêtes familiales n'avaient plus vraiment de raison d'être. A quoi bon faire semblant ? La réalité reprenait brutalement ses droits, dans ces moments-là. Avant de passer à table, Ophélie prononça le traditionnel bénédicité, remercia Dieu pour ce repas de fête et le pria de bien vouloir bénir son fils et son mari disparus. A peine eut-elle prononcé ces mots qu'elle fondit en larmes, bientôt imitée par Pip et Andrea. Percevant leur détresse, le petit William se mit à pleurer à son tour. Même Mousse semblait malheureux. C'était si pathétique qu'au bout de quelques instants, Ophélie éclata de rire. Toute la journée se déroula ainsi, entre les larmes et les fous rires nerveux.

La dinde était bonne, la farce peut-être un peu sèche, mais aucune d'elles n'avait réellement le cœur à manger. Elles avaient décidé de dresser la table dans la cuisine ; à sept mois, William prenait un malin plaisir à plonger ses petites mains potelées dans son assiette, éclaboussant joyeusement tout ce qui l'entourait. Ophélie se félicita d'avoir préféré la cuisine au salon. Là-bas, elle n'aurait pas pu s'empêcher de revoir Ted en train de découper cérémonieusement la dinde, et Chad dans son costume... Chad qui se plaignait sans cesse d'être obligé de porter une cravate. Les souvenirs étaient encore trop frais, le drame trop récent.

Andrea rentra chez elle en fin d'après-midi, et Pip monta dans sa chambre pour dessiner. Ça n'avait pas été une journée facile. La petite fille ouvrit sa porte au moment où Ophélie s'apprêtait à se glisser dans la chambre de Chad. Elle enveloppa sa mère d'un regard implorant.

— Je t'en prie, maman, n'y va pas. Tu vas encore te faire du mal.

Elle s'allongerait sur le lit de Chad, enfouirait son visage dans l'oreiller qui gardait encore un peu de son odeur, s'imprégnerait de sa présence et pleurerait plusieurs heures d'affilée. Pip entendait souvent ses sanglots étouffés à travers la porte, et la tristesse de sa mère lui fendait le cœur. Jamais elle ne remplacerait Chad aux yeux de celle-ci. De son côté, Ophélie n'arrivait pas à lui expliquer que cela n'avait rien à voir avec elle, qu'en partant Chad avait laissé derrière lui un vide que personne ne réussirait jamais à combler. Mais cela ne signifiait en aucun cas qu'elle l'aimait moins que Chad.

— Juste une minute, murmura Ophélie d'un ton suppliant.

Les yeux de Pip s'embuèrent de larmes. Sans un mot, elle se retira dans sa chambre et ferma la porte derrière elle. Submergée par une vague de culpabilité, Ophélie gagna directement sa propre chambre. Là, elle ouvrit l'armoire de Ted et contempla ses vêtements soigneusement alignés. Elle éprouva soudain le besoin de toucher, de palper – une veste, une chemise, un bout d'étoffe qui dégagerait encore l'odeur de son eau de toilette. A moins d'avoir vécu un drame similaire, personne ne pouvait comprendre cette envie impérieuse, irrépressible. C'était tout ce qui lui restait : leurs affaires, leurs vêtements, des choses qu'ils avaient touchées, manipulées. Depuis un an, elle portait autour du cou l'alliance de Ted, accrochée à une fine chaîne en or. Personne ne le savait. Parfois, sa main effleurait l'anneau à travers ses vêtements, juste pour s'assurer qu'il était bien là, que leur mariage n'était pas une invention, qu'il l'avait aimée, autrefois. Dans ces moments-là, la panique la submergeait en même temps que la réalité s'abattait durement sur elle : il était parti, il ne reviendrait plus. Le même sentiment d'effroi s'empara d'elle lorsqu'elle se blottit contre une veste accrochée à un cintre, enfouissant son visage dans les revers du col. C'était comme si les bras de Ted l'enlaçaient de nouveau. Sur une impulsion, elle décrocha la veste du cintre et l'enfila.

Elle se tint un long moment immobile, désorientée. Les manches recouvraient ses mains. Parcourue d'un frisson, elle enroula ses bras autour d'elle. Un bruissement s'échappa d'une des poches et elle plongea la main à l'intérieur, intriguée. C'était une lettre. L'espace d'un instant, elle espéra de tout son cœur qu'il s'agissait d'un mot que Ted lui aurait écrit. Elle déplia la feuille dactylographiée, signée d'une simple initiale. Non, ce n'était pas une lettre de Ted. Elle se sentit mal à l'aise de lire quelque chose qui ne lui était pas destiné. Mais ce papier, c'était un peu de lui, puisqu'il l'avait tenu entre ses mains, l'avait lu. Ses yeux parcoururent lentement le texte. Etait-il possible que ce soit elle qui l'ait écrit ? Non. Les battements de son cœur s'accélérèrent tandis qu'elle reprenait la lecture depuis le début.

« Ted chéri, je sais que cette nouvelle est un choc pour tous les deux, mais il arrive parfois que les plus grosses surprises se transforment en merveilleux cadeaux. Pour être franche, je n'avais pas prévu ça non plus. Mais la vie est ainsi faite… Je ne suis plus toute jeune, j'ai bien peur que l'occasion ne se représente plus pour moi, que ce soit avec toi ou avec un autre. Ce bébé compte plus que tout au monde pour moi, parce que tu en es le père.

« Ni l'un ni l'autre n'avions envisagé cela, j'en suis consciente. Notre histoire a commencé comme ça, un peu par hasard. Nous avons tant de choses en commun, toi et moi, et je sais que la vie n'a pas toujours été facile ces derniers temps, chez toi. Je suis bien placée pour être au courant, n'est-ce pas ? Si tu veux mon avis, elle s'est fourvoyée, aussi bien en ce qui concerne Chad qu'en ce qui concerne tes rapports avec lui. Je suis sûre qu'il n'aurait jamais essayé de se suicider (si c'est vraiment ce qui s'est passé) si elle ne l'avait pas éloigné de toi au fil des années. Je sais combien ce fut pénible pour toi et je partage ton avis. Chad n'est pas réellement malade ; je n'ai jamais cru aux diagnostics des psychiatres. Pour moi, ses prétendues tentatives de suicide ne visent qu'à attirer ton attention, qu'à te demander de l'aide et peut-être tout simplement à échapper à l'emprise de sa mère. A mes yeux, elle se trompe depuis le début. Si, comme je l'espère et comme tu me l'as laissé entendre, nous décidons enfin de vivre ensemble, la solution serait peut-être que Chad vienne avec nous et que Pip reste avec elle. Il serait bien plus heureux si elle cessait d'être toujours à tourner autour de lui, dans un perpétuel état de panique. Ce n'est pas bon pour lui. Il te ressemble tellement ! Beaucoup plus qu'à elle, en tout cas. Je le sens proche de moi aussi. Il est clair qu'elle ne le comprend pas. Peut-être parce que son intelligence la dépasse, comme elle nous dépasse aussi. Si tu le souhaites, en tout cas, je serai prête à l'accueillir chez nous.

« En ce qui nous concerne, je reste persuadée que notre histoire ne fait que commencer. Ta vie avec elle est terminée. Cela fait des années que votre couple bat de l'aile. Bien sûr, elle préfère se voiler la face. Comment pourrait-il en être autrement ? Elle dépend complètement de toi et des enfants. Sans vous, sa vie n'a plus de sens. Elle se nourrit de vous pour continuer à avancer. Mais tôt ou tard, il faudra bien qu'elle apprenne à vivre seule, rien que pour elle. A long terme, cela lui fera peut-être du bien de prendre

conscience du vide de son existence, du peu d'importance que tu lui accordes. Cela fait des années qu'elle
te pompe toute ton énergie, Ted.

« Le bébé qui grandit en moi symbolise le lien indéfectible qui nous unit, notre espoir d'un avenir
meilleur. Je sais que tu n'as pas encore pris de décision, mais je crois deviner tes souhaits les plus chers.
Il te suffit de tendre la main et de me le demander
pour obtenir ce que tu veux, comme tu l'as fait, il y a
un an. Ce bébé est un signe du destin ; il n'aurait pas
existé si tu ne nous désirais pas aussi passionnément.

« Il nous reste six mois pour y réfléchir et prendre les
bonnes décisions au bon moment. Six mois pour tirer
un trait sur le passé et repartir de zéro. Pour moi, les
choses sont claires : il n'y a rien de plus important que
vous deux, toi et le bébé que je porte en moi. Je t'offre
ma confiance, ma loyauté, mon amour, mon admiration et mon respect. Tu es tout ce dont j'ai toujours
rêvé.

« L'avenir nous appartient. Notre bébé verra bientôt
le jour. Une vie nouvelle s'offre à nous, comme pour
le petit être qui grandit en moi. Bizarrement, je suis
sûre que ce sera un garçon et qu'il te ressemblera.
Dieu nous offre un nouveau départ, la chance de
goûter enfin à la vie que nous désirons tant, celle de
deux êtres qui se comprennent et se respectent, enfin
réunis en un, le fruit de notre amour.

« Je t'aime de tout mon cœur. Si tu décides de me
rejoindre – ou plutôt : quand tu décideras de me
rejoindre, car je suis convaincue que ce jour est proche
– je promets de te rendre heureux. Encore une fois,
mon chéri, l'avenir nous appartient comme je t'appar-
tiens. Avec tout mon amour. A. »

La lettre avait été écrite une semaine avant l'accident.
Comme si la foudre venait de la frapper, Ophélie tomba
à genoux et la relut, encore et encore. Les lignes dan-

saient, elle n'en croyait pas ses yeux, elle n'arrivait pas à concevoir qui en était l'auteur. Non, c'était impossible. Un tissu de mensonges. Une mauvaise farce qu'on leur aurait jouée. Un odieux chantage, peut-être ? songea-t-elle tandis que la veste glissait lentement de ses épaules.

Tenant la feuille d'une main tremblante, elle prit appui contre le mur pour se relever. Au fur et à mesure qu'elle comprenait, qu'elle réalisait ce que signifiait cette lettre, l'envie de mourir la submergeait. Le bébé dont il était question était né six mois après la mort de Ted. William Theodore. Elle n'avait tout de même pas osé l'appeler Ted, mais il s'en était fallu de peu. Contrairement à ses explications, ce n'était pas en mémoire de son ami défunt qu'elle l'avait baptisé ainsi, mais en mémoire de son amant, du père de son enfant. Le deuxième prénom de Ted était William. Elle n'avait fait qu'inverser l'ordre. Ainsi, ce bébé n'était pas le fruit d'un père inconnu, provenant d'une banque de sperme. Andrea était l'auteur de la lettre, l'initiale de son prénom figurait au bas de la feuille. Andrea qui avait appuyé Ted dans son déni de la maladie de Chad, Andrea qui n'avait pas hésité à critiquer sévèrement son attitude envers son fils ! Cette missive avait été écrite par celle qu'Ophélie considérait comme sa meilleure amie depuis dix-huit ans. Cela dépassait l'entendement. C'était au-delà du supportable, au-delà du concevable. Andrea l'avait trahie. Et Ted aussi. Ainsi, il ne l'aimait plus. Il était amoureux d'Andrea à qui il avait fait un bébé. Sans lâcher la lettre, Ophélie se précipita dans la salle de bains, en proie à une violente nausée. Livide, accrochée au rebord du lavabo, elle tremblait comme une feuille lorsque Pip fit son apparition.

— Tu ne te sens pas bien, maman ? Que se passe-t-il ?

— Rien… Ça va aller, articula Ophélie en se rinçant la bouche.

275

Elle n'avait vomi que de la bile, son estomac était presque vide. Pourtant, elle eut l'impression de vomir, d'un seul coup, son cœur, son âme et son mariage.

— Veux-tu t'allonger un peu ? proposa Pip en examinant d'un air inquiet le visage blafard de sa mère.

— Oui, j'irai me reposer dans un petit moment. Ne t'en fais pas, ça va aller.

Quel ignoble mensonge ! Ça n'irait plus jamais, plus jamais ! Mille et une pensées, toutes terrifiantes, défilaient dans son esprit confus. Et s'il l'avait quittée ? Et s'il avait pris Chad avec lui ? Nul doute qu'elle en serait morte… Chad aussi, d'ailleurs, s'ils s'étaient obstinés à nier sa maladie. Mais à quoi bon remuer toute cette boue ? Chad et Ted n'étaient plus là, toutes ces questions n'avaient plus d'importance. Quant à elle, elle venait de recevoir une balle en plein cœur. A cause de cette lettre, tout s'écroulait : son mariage – une mascarade ! –, son amitié avec Andrea – de la poudre aux yeux. Comment pouvait-on être aussi fourbe, aussi cruelle, aussi malhonnête, aussi abjecte ?

— M'man, je t'en prie, va t'allonger un peu, implora Pip, au bord des larmes.

Elle ne l'avait pas appelée ainsi depuis toute petite. La peur la submergeait.

— Il faut que je sorte, déclara Ophélie en se tournant vers sa fille.

Pip eut du mal à la reconnaître : elle ressemblait à un cadavre, avec son teint cireux et ses yeux brillants, soulignés de cernes rougeâtres. Où était passée sa mère ?

— Ça ne te dérange pas de rester ici toute seule ?

— Où vas-tu ? Tu veux que je vienne avec toi ? demanda Pip, parcourue à son tour de violents frissons.

— Non, je ne serai pas longue. Ferme la porte à clé derrière moi et reste avec Mousse.

C'était bien la voix de sa mère, même si son visage était métamorphosé. Mue par une force dont elle ne soupçonnait pas l'existence, Ophélie n'avait plus qu'une seule idée en tête. Tout à coup, les crimes passionnels ne lui semblaient plus aussi absurdes. Mais non, elle n'avait pas envie de la tuer. Non, elle désirait juste la voir, une dernière fois, cette femme qui avait brisé son couple et réduit en poussière tous les beaux souvenirs de Ted qu'elle gardait dans son cœur, toutes ces années de pseudo-bonheur qu'elle avait vécues auprès de lui. Elle n'arrivait même pas à le détester, lui. Non, toute la souffrance, tout le chagrin qu'elle endurait depuis un an se focalisèrent sur Andrea. Ils venaient de la tuer. Et rien de ce qu'elle pourrait leur faire n'équivaudrait à ce qu'ils lui avaient fait.

Figée en haut de l'escalier, Pip regarda sa mère partir, puis elle se laissa tomber sur la dernière marche et se blottit contre Mousse. Sensible à sa détresse, le labrador lécha son visage baigné de larmes. Ils n'avaient plus qu'à attendre ensemble le retour d'Ophélie.

Celle-ci parcourut d'une traite les dix pâtés de maisons qui la séparaient de celle d'Andrea, sans s'arrêter aux passages pour piétons, aux panneaux de stop et aux feux de croisement. Arrivée à destination, elle gara sa voiture sur le trottoir, gravit quatre à quatre les marches du perron et appuya sur la sonnette. Elle n'avait pas pris le temps d'enfiler un manteau par-dessus son fin chemisier, mais elle ne sentait pas le froid. Andrea ne tarda pas à ouvrir la porte. Elle tenait William dans ses bras, en pyjama, et tous deux sourirent en l'apercevant sur le seuil.

— Salut... commença-t-elle avant de s'apercevoir qu'Ophélie tremblait violemment. Ça ne va pas ? Que s'est-il passé ? Où est Pip ?

— Il s'est passé quelque chose, en effet, répondit Ophélie en brandissant la feuille d'une main tremblante. J'ai trouvé ta lettre.

Elle blêmit de plus belle et Andrea pâlit à son tour, sans se donner la peine d'objecter. Elles ressemblaient à deux poupées de cire, parfaitement immobiles sur le perron balayé par le vent.

— Tu veux entrer ?

Andrea avait apparemment des choses à lui dire, mais Ophélie n'esquissa pas le moindre geste. Elle n'avait aucune envie d'entendre ses explications.

— Comment as-tu pu me faire ça ? Pendant toute une année, une année durant laquelle tu as continué à te comporter comme ma meilleure amie ! Comment peux-tu faire croire à tout le monde que tu ne connais pas le père de ton enfant ? Comment as-tu osé écrire de telles insanités sur Chad, dans le seul but de manipuler son père ? Tu sais parfaitement ce qu'éprouvait Ted à son égard. Mais tu es tellement calculatrice... Je me demande même si tu l'aimais vraiment ! Tu n'aimes personne, Andrea. Tu ne m'aimes pas, tu ne l'aimais pas, lui... Tu n'aimes probablement pas ce pauvre enfant. Malgré tout, tu n'aurais pas hésité à me prendre Chad, juste pour impressionner Ted, et tes manigances l'auraient tué ! Tu veux que je te dise, Andrea ? Tu es pathétique... Tu es un monstre ! Tu es l'être le plus ignoble que je connaisse... Je te hais... Tu as détruit la seule chose qui me restait... la certitude qu'il m'aimait. Même s'il ne m'aimait pas et même si tu ne l'aimais pas non plus, moi, je l'aimais ! Je l'ai toujours aimé, de tout mon cœur, même s'il n'était pas toujours facile, même s'il n'était pas souvent disponible pour nous... mais toi, toi... tu es incapable d'aimer qui que ce soit... oh, mon Dieu, comment as-tu pu faire ça ?

Ophélie avait l'impression de mourir lentement, là, sur le perron, mais cela lui était bien égal. Ils l'avaient détruite, anéantie, terrassée. Un an après la disparition de Ted, ils avaient réussi à l'éliminer. Pourquoi ? Pourquoi, mon Dieu ?

— Je ne veux plus jamais te voir, tu m'entends ? Ne t'approche plus de nous, martela-t-elle d'une voix blanche. N'essaie pas de nous appeler. Tu n'existes plus pour moi. Tu es morte, comme Ted... J'espère que c'est assez clair...

Sa voix se brisa. Andrea ne chercha pas à se défendre. Elle tremblait de la tête aux pieds, elle aussi. Bouleversées, transies de froid, elles se regardèrent un moment en silence. Andrea avait longtemps songé à cette lettre, folle d'inquiétude... Qu'en avait fait Ted ? Mais le temps avait passé et elle avait fini par penser qu'il l'avait détruite. Du moins l'avait-elle espéré, de tout son cœur. Mais elle avait encore une chose à dire à cette femme, qui avait été sa fidèle amie pendant de longues années.

— Ophélie, il faut que tu m'écoutes... Je suis sincèrement désolée... Je ne me le pardonnerai jamais, mais William est là maintenant ; il n'a rien à se reprocher, lui...

— Je me moque bien de toi et de ton bébé !

Une sourde douleur lui transperça le cœur, tandis qu'elle mentait avec une assurance qu'elle était loin d'éprouver. C'était faux, archifaux... Comment aurait-elle pu balayer dix-huit années d'amitié et ce bébé dont le père était son mari ? La ressemblance lui sauta soudain au visage, aveuglante.

— Ecoute-moi, Ophélie, je t'en prie ! Ecoute ce que j'ai à te dire. Ted n'avait pas encore pris de décision. Il ne pouvait se résoudre à te quitter ; il disait que tu l'avais toujours aimé et soutenu, même dans les moments les plus difficiles. Il était égoïste, il n'en faisait qu'à sa tête... Nous avions beaucoup de points communs, tous les deux. Il m'a toujours attirée et je lui plaisais aussi. Lorsque l'occasion s'est présentée, l'été où tu es partie en France avec les enfants, je l'ai saisie aussitôt. Il ne s'est pas fait prier, mais je n'ai jamais su s'il m'aimait vraiment. Peut-être pas. Il ne t'aurait peut-être jamais quittée. Il n'avait encore rien décidé, je veux que tu le saches. C'était justement pour essayer de le convaincre que je lui avais écrit cette lettre. Il était dans l'incertitude la plus complète. Il aurait très bien pu choisir de rester avec toi. Pour être franche, je ne suis pas sûre qu'il nous ait aimées, l'une comme l'autre. Etait-il capable d'aimer ? J'en doute. C'était un homme brillant, mais extrêmement narcissique. Il ne pensait qu'à lui. En tout cas, s'il a aimé l'une de nous deux, c'était forcément toi. Il me l'a dit. Et je crois qu'il était sincère. Pour ma part, j'ai toujours pensé que tu méritais mieux qu'un type comme Ted, qui ne s'est jamais vraiment intéressé à toi. Mais je crois qu'il t'aimait, à sa manière. Voilà ce que je voulais te dire.

— Ne m'adresse plus jamais la parole, martela Ophélie d'un ton dur.

Pivotant sur ses talons, elle descendit les marches d'un pas tremblant et s'engouffra dans sa voiture, sans un regard en arrière. Elle ne voulait plus jamais la revoir, elle ne reviendrait pas sur sa décision.

Secouée de sanglots, Andrea regarda la voiture s'éloigner à vive allure. Elle avait dit la vérité, c'était déjà ça. Ted hésitait. Il se sentait redevable envers Ophélie et il n'était pas impossible qu'il eût finalement décidé de rester auprès d'elle, si Dieu lui avait prêté vie. Ophélie aurait alors remporté la partie. En l'occurrence, ils étaient tous perdants. Ted, Chad, Ophélie, Andrea... même le petit William. Ils avaient tous perdu. Ted avait emporté sa décision avec lui, en oubliant de détruire la lettre. Peut-être l'avait-il laissée à dessein dans la poche d'une de ses vestes, dans l'espoir qu'Ophélie la découvrirait un jour. Poussé dans ses retranchements, il aurait ainsi été obligé de trouver une solution. Toutes les supputations étaient permises, personne ne saurait jamais la vérité. Andrea tenait simplement à lui dire ce qu'elle savait : qu'il était encore en pleine incertitude lorsque la mort l'avait emporté et que peut-être, peut-être seulement, il l'avait aimée, du mieux qu'il pouvait.

21

Ophélie ne sut jamais par quel miracle elle réussit à rentrer chez elle saine et sauve. Elle laissa la voiture dans l'allée et ouvrit la porte d'entrée. Pip était assise là où elle l'avait laissée, en haut des marches, blottie contre son chien.

— Qu'y a-t-il, maman ? Où es-tu allée ?

A son grand désarroi, sa mère semblait encore plus mal en point que lorsqu'elle était partie, une demi-heure plus tôt. Elle fut prise d'une nouvelle nausée en montant l'escalier et se hâta jusqu'à sa chambre, le regard vide.

— Il ne s'est rien passé, Pip, répondit-elle d'une voix métallique qui lui glaça le sang.

Ainsi, ils étaient parvenus à leurs fins, tous les deux. Andrea et lui. Il leur avait fallu un an pour mettre leur plan à exécution, mais ils avaient réussi : ils l'avaient assassinée. Ophélie posa sur sa fille un regard sans vie. Le robot était de retour, tout déglingué, irréparable cette fois.

— Je vais me coucher, annonça-t-elle de la même voix sans âme.

Abasourdie, Pip quitta la chambre pendant qu'Ophélie éteignait les lumières et se mettait au lit, les yeux grands ouverts. La petite fille se rua alors dans le bureau de son père et décrocha le téléphone. Elle pleurait à chaudes larmes lorsque Matt répondit. Il eut du mal à comprendre ce qu'elle lui disait au début, mais elle semblait très malheureuse.

— Il… il s'est passé quelque chose… maman ne va pas bien…

Matt recouvra rapidement ses esprits. Pip paraissait bouleversée, presque terrifiée.

— Elle est blessée ? Réponds-moi, Pip, je t'en prie. Dois-je appeler les urgences ?

— Je ne sais pas. On dirait qu'elle est devenue folle. Je lui ai demandé ce qui n'allait pas, mais elle n'a pas voulu me répondre.

Elle lui raconta ce qui s'était passé et Matt demanda à parler à sa mère. Mais lorsqu'elle alla la chercher, Pip se heurta à une porte fermée à clé, et Ophélie resta sourde à ses appels. Pleurant de plus belle, Pip reprit le combiné et, entre deux hoquets, lui expliqua la situation. Matt fronça les sourcils. Il n'aimait pas ça du tout… D'un autre côté, était-il vraiment nécessaire d'appeler la police ? D'une voix qu'il voulait apaisante, il invita Pip à frapper de nouveau à la porte de la chambre. Qu'elle dise à sa mère qu'il désirait lui parler.

Pip frappa à plusieurs reprises. Un bruit sourd retentit soudain de l'autre côté, comme si une lampe était tombée par terre. Au bout de ce qui lui parut une éternité, sa mère entrouvrit lentement la porte. Son visage était encore ravagé par les larmes, mais elle n'avait plus cet air hagard qui l'avait terrifiée une demi-heure plus tôt.

L'enveloppant d'un regard désespéré, Pip effleura doucement sa main, comme pour s'assurer qu'elle était bien vivante.

— Matt est au téléphone, murmura-t-elle d'une voix étranglée. Il aimerait te parler.

— Dis-lui que je suis fatiguée, répondit Ophélie en fixant sa fille avec intensité. Je suis désolée, Pip… vraiment désolée… dis-lui que je le rappellerai demain.

— Si tu refuses de lui parler, il va venir, insista Pip.

Sans un mot, Ophélie disparut dans sa chambre et décrocha l'appareil posé sur sa table de chevet. La pièce était plongée dans la pénombre, mais Pip distingua la lampe que sa mère avait renversée en venant lui ouvrir à tâtons.

— Bonsoir.

Au son de sa voix, Matt sentit une sourde angoisse l'envahir.

— Ophélie, que se passe-t-il ? Pip est paniquée. Voulez-vous que je vienne ?

Ophélie savait qu'il n'hésiterait pas à faire le déplacement si elle l'appelait au secours, mais pour le moment, elle avait envie d'être seule. Sans Matt. Sans Pip. Elle était encore sous le choc. Jamais encore elle n'avait éprouvé un tel sentiment d'abandon, de vide, de désespoir intense... pas même le jour de l'accident.

— Tout va bien, répondit-elle d'un ton peu convaincant. Restez chez vous, je vous en prie.

— Dites-moi au moins ce qui se passe, ordonna Matt avec fermeté.

— Je ne peux pas. Pas maintenant.

— Expliquez-moi ce qui ne va pas, Ophélie.

A l'autre bout du fil, Ophélie secoua la tête. Un sanglot s'échappa de ses lèvres.

— J'arrive tout de suite, déclara Matt, gagné par la panique.

— Non, Matt, je vous en prie. Je préfère rester seule.

Sa voix avait repris un peu d'assurance, comme si elle alternait les phases de lucidité et d'hystérie, mais il n'avait pas la moindre idée de ce qui se passait.

— Pensez à Pip, Ophélie. La pauvre petite se fait un sang d'encre !

— Je sais... je sais... je suis désolée...

Les sanglots redoublèrent.

— Je vous en prie, Ophélie, dites-moi ce qui ne va pas.

— Pas maintenant, Matt, n'insistez pas.

— Ça va aller, vous en êtes sûre ?

A l'évidence, Ophélie craquait, mais il était difficile d'évaluer la gravité de son état au téléphone. Quelle en était la cause ? Peut-être était-ce tout simplement la fête

283

de Thanksgiving qui avait éveillé en elle des souvenirs à jamais perdus. Ce qu'il ignorait, c'est qu'Ophélie avait été confrontée à une triple perte, ce jour-là : en plus de la disparition de son fils et de son mari, elle avait vu s'envoler toutes les belles illusions qu'elle nourrissait sur son mariage. La voix de Matt l'arracha à ses sombres réflexions.

— Répondez-moi, Ophélie, ça va aller ?

— Je ne sais pas, répondit-elle franchement.

— Voulez-vous que j'appelle un médecin ?

Matt hésitait encore à téléphoner aux urgences. Pourquoi n'appellerait-il pas plutôt Andrea ? Curieusement, une espèce de sixième sens le dissuada d'alerter quiconque.

— Non. Non, ça va aller, ne vous inquiétez pas. J'ai juste besoin de temps.

— Avez-vous des calmants à portée de main ?

Même si l'idée le rebutait – ce n'était pas très prudent de lui suggérer d'avaler des calmants alors qu'elle était seule avec Pip –, c'était malgré tout la seule solution qui lui venait à l'esprit.

— Je n'ai pas besoin de me calmer. Je suis déjà morte... Ils... ils m'ont tuée, articula-t-elle entre deux hoquets.

— Qui vous a tuée ?

— Je ne veux pas en parler. Ted n'est plus là.

— Je sais qu'il n'est plus là, Ophélie, je sais...

Un pli soucieux barra le front de Matt. Que se passait-il ? Avait-elle trop bu ?

— Je veux dire qu'il est parti définitivement. Pour toujours. Il n'existe plus pour moi et notre mariage non plus. D'ailleurs, a-t-il jamais existé ?

— Je comprends, fit Matt dans le seul but de l'apaiser.

— Non, vous ne comprenez pas. Et moi non plus, d'ailleurs. Je suis tombée sur une lettre.

— De Ted ? intervint Matt, incrédule. Une lettre qui aurait parlé de suicide ?

Ted se serait-il suicidé en emmenant Chad avec lui ? Cela expliquerait la détresse d'Ophélie...

— Une lettre d'homicide, corrigea-t-elle, sibylline.

— Ophélie, êtes-vous sûre de pouvoir tenir le coup toute seule ?

— Ai-je le choix ? éluda-t-elle d'une voix atone.

— N'oubliez pas que Pip est toujours là, elle. La seule chose que je puisse faire, c'est venir vous voir.

Mais pour une fois – et pour des raisons qu'il lui expliquerait le moment venu –, Matt n'avait guère envie de quitter Safe Harbour.

— Ne vous inquiétez pas, je tiendrai le coup.

— Je veux vous voir toutes les deux à la plage demain. N'oubliez pas notre rendez-vous.

— Je ne crois pas que j'aurai le courage de me déplacer.

Dans son état, le trajet jusqu'à Safe Harbour lui paraissait impossible.

— Dans ce cas, je viendrai vous chercher. Ecoutez, je vous rappelle dans une heure pour prendre de vos nouvelles. Vous feriez peut-être mieux de dormir seule, ce soir, si vous êtes trop retournée. Pip est déjà aux cent coups ; je ne suis pas sûr que cela lui fasse du bien de vous voir dans cet état.

— Je vais lui en parler. Ne rappelez pas, c'est inutile. Ça va aller.

— Pour être franc, je ne suis guère convaincu, avoua Matt. Passez-moi Pip, s'il vous plaît.

Pip prit le téléphone dans le bureau. Matt voulait qu'elle le rappelle si la situation s'aggravait. Dans le pire des cas, elle n'aurait qu'à composer directement le numéro des urgences.

— Elle a l'air un peu mieux, confia Pip d'une petite voix.

Lorsqu'elle rejoignit sa mère quelques minutes plus tard, celle-ci avait allumé la lumière dans sa chambre.

Pâle comme un linge, elle s'efforça néanmoins de rassurer sa fille.

— Excuse-moi, Pip. Je... je crois que j'ai pris peur, tout à coup.

C'était la seule explication plausible qu'elle ait trouvée. Pip ne connaîtrait jamais la vérité. Jamais elle n'apprendrait que William, le bébé d'Andrea, était en réalité son demi-frère. Ophélie était bien décidée à garder le secret.

— Moi aussi, murmura Pip en grimpant dans le lit de sa mère pour se blottir dans ses bras.

Ophélie était gelée et Pip remonta la couverture pour lui tenir chaud.

— Veux-tu que je t'apporte quelque chose, maman ?

Elle alla chercher un verre d'eau. Ophélie en but une petite gorgée pour faire plaisir à sa fille. Elle s'en voulait terriblement de lui avoir causé une telle peur ! C'était comme si elle avait momentanément perdu la raison.

— Ça va mieux, Pip, ne t'inquiète pas. Tu veux dormir avec moi, cette nuit ?

Ophélie se déshabilla et enfila sa chemise de nuit. Un moment plus tard, Pip la rejoignit, en pyjama. Mousse la suivait de près. Elles s'étreignirent un long moment en silence, heureuses d'être ensemble. Puis le téléphone sonna. C'était Matt qui venait aux nouvelles. Pip le rassura : sa mère allait beaucoup mieux, la crise était passée. Au son de sa voix, Matt sut qu'elle disait la vérité. Avant de raccrocher, il promit à Pip qu'ils se verraient le lendemain. Pour la première fois, il lui dit à quel point elle comptait pour lui. Elle avait bien besoin de l'entendre... et de son côté, il avait besoin d'ouvrir son cœur.

Pip se lova contre sa mère, rassurée. Toutes deux, encore sous le choc de cette fin de journée, eurent du mal à trouver le sommeil. Elles finirent par s'endormir avec les lumières allumées, comme pour chasser les démons qui les tourmentaient.

Pour Matt, Thanksgiving fut à l'opposé de l'horrible journée qu'elles avaient endurée. Il s'était levé le matin avec la ferme intention de faire comme s'il s'agissait d'un jour ordinaire – cela faisait six ans que cela se passait ainsi – et se mit au travail de bon matin. Le portrait de Pip prenait forme, il était heureux du résultat. A midi, il se prépara un sandwich au thon – au diable la dinde ! Il était en train de faire sa petite vaisselle quand on frappa à la porte. Matt fronça les sourcils. Qui pouvait bien lui rendre visite en ce jour de fête ? Il n'attendait personne et ses voisins n'avaient pas l'habitude de passer à l'improviste. Sans doute s'agissait-il d'une erreur. Il fit mine de ne pas avoir entendu, mais les coups se firent insistants. Etouffant un soupir, il se résigna à aller ouvrir. Son regard rencontra un visage inconnu. Devant lui se tenait un grand jeune homme brun aux yeux marron. Une fine barbe recouvrait ses joues. Etrangement, il avait l'impression que le visage en face de lui ne lui était pas inconnu. C'était comme s'il avait déjà vu cette tête, dans le miroir, quelques années plus tôt. Ce fut une expérience surréaliste pour Matt qui avait l'impression de contempler son double, une espèce de fantôme du passé. Lui aussi portait une barbe, plus jeune. Quand l'inconnu prit la parole, Matt sentit sa gorge se nouer.

— Papa ?

C'était Robert. Son fils. Un petit garçon de douze ans, la dernière fois qu'il l'avait vu. Comme ressuscité des cendres de son ancienne vie. Incapable d'articuler le moindre mot, Matt le prit dans ses bras et le serra à en perdre le souffle. Il n'avait pas la moindre idée de la façon dont il l'avait trouvé, ni de la raison pour laquelle il était là. Mais il était là, et c'était l'essentiel.

— Oh, mon Dieu... articula Matt en relâchant son étreinte.

Il avait du mal à croire que ce moment, dont il avait tant rêvé, était enfin arrivé ! Car il savait qu'un jour ou l'autre, ils se reverraient, c'était une certitude qu'il portait en lui depuis toujours.

— Qu'est-ce que tu fais ici ?

— Je suis étudiant à Stanford. Ça fait des mois que je te cherche. J'ai perdu ton adresse et maman m'a dit qu'elle ne l'avait pas.

— Elle t'a dit quoi ?

Sous le choc, Matt lui fit signe d'entrer.

— Assieds-toi, proposa-t-il en indiquant le vieux canapé en cuir.

Robert s'exécuta, un sourire aux lèvres. Il était aussi heureux que son père. Il s'était promis de le retrouver et c'était chose faite !

— Elle m'a dit qu'elle a perdu ta trace quand tu as cessé de nous écrire, expliqua calmement Robert.

— Elle m'envoie une carte de vœux tous les ans. Elle sait très bien où j'habite.

Robert le fixa d'un air incrédule. Matt sentit son estomac chavirer.

— Elle prétend que ça fait des années que tu n'as pas donné signe de vie.

— J'ai continué à vous écrire pendant trois ans, lorsque vous avez arrêté de répondre à mes lettres, Vanessa et toi, protesta Matt, abasourdi.

— Ce n'est pas nous qui avons arrêté d'écrire, c'est toi, murmura Robert.

— C'est faux. Ta mère m'a clairement dit que vous n'aviez plus besoin de moi, que seul Hamish comptait pour vous, désormais. A l'époque, cela faisait déjà trois ans que j'écrivais sans recevoir la moindre réponse. Elle m'a même demandé de renoncer à mes droits paternels pour permettre à Hamish de vous adopter. Inutile de te dire que j'ai catégoriquement refusé. Vous êtes mes enfants, et vous le resterez toujours. Mais au bout de trois longues années de silence, j'ai baissé les bras. Trois autres années se sont écoulées depuis. Votre mère et moi sommes toujours restés en contact. Elle m'assurait que vous étiez bien plus heureux sans moi, que vous n'aviez aucune envie d'avoir de mes nouvelles. Alors je me suis incliné.

Il leur fallut tout l'après-midi pour reconstituer le puzzle, pièce par pièce. Et lorsque chacun d'eux eut livré sa propre version de l'histoire, la vérité leur éclata au visage, cruelle, inimaginable. A l'évidence, Sally avait gardé les lettres de Matt et prétendu qu'il avait cessé de leur écrire. Dans le même temps, elle affirmait à Matt que ses enfants ne voulaient plus entendre parler de lui. Elle avait fait en sorte qu'Hamish prenne sa place, et elle avait peut-être même menti à son nouveau mari. Habile manipulatrice, elle avait écarté Matt de leur vie, pour toujours, espérait-elle sans doute. Durant six longues années, elle les avait séparés grâce à un ignoble strata- gème, d'odieux mensonges. Sa ruse avait fonctionné, elle n'avait rien laissé au hasard. Heureusement, Robert s'était mis à la recherche de son père dès le mois de sep- tembre, et l'avait retrouvé trois jours plus tôt. Il avait alors décidé de lui rendre une visite surprise pour Thanksgiving, redoutant secrètement que son père refuse de le recevoir. Le jeune homme n'avait jamais compris pourquoi ce dernier les avait abandonnés sans un mot d'explication. En arrivant chez lui, il ne s'attendait cer- tainement pas à un accueil aussi chaleureux et encore moins à l'histoire ahurissante qu'ils venaient de recom- poser. Ils pleurèrent ensemble en découvrant l'abjecte vérité, assis l'un à côté de l'autre sur le divan. Il faisait nuit lorsqu'ils eurent répondu à toutes leurs questions. Robert lui montra alors une photo de Vanessa. Matt retint son souffle. Sa petite fille était devenue une belle adolescente de seize ans. Robert savait où elle se trou- vait, et ils l'appelèrent aussitôt. Il était 3 heures de l'après-midi en Nouvelle-Zélande.

— J'ai une surprise pour toi, annonça le jeune homme d'un ton énigmatique. J'ai plein de choses à te dire, mais je t'expliquerai tout ça plus tard. En attendant, je te passe quelqu'un qui aimerait te dire bonjour.

Le regard brillant, Matt prit le combiné.

— Salut, Nessie...

Il y eut un long silence à l'autre bout du fil. Une larme glissa sur la joue de Matt.

— Papa ?

Il reconnut aussitôt la voix de celle qui était toujours sa petite fille, même si elle avait grandi à présent. Elle fondit en larmes à son tour.

— Où es-tu ? Je... je ne comprends pas... Comment Robert a-t-il fait pour te retrouver ? J'avais tellement peur que tu sois mort sans que personne ne le sache... Maman n'avait plus de nouvelles. Elle nous a juste dit que tu avais disparu de la surface de la terre.

Pas aussi loin qu'elle l'aurait souhaité, en tout cas... Quel plan machiavélique ! Dire que pendant tout ce temps, elle continuait à encaisser ses chèques et à lui envoyer des cartes de vœux...

— Je t'expliquerai tout ça bientôt. Je ne suis parti nulle part. Nous en parlerons tous les trois, Robert, toi et moi, d'accord ? Je voulais juste te dire que je t'aimais. Cela fait six ans que je meurs d'envie de te le dire. Il semblerait que maman nous ait joué une mauvaise farce. Je vous ai écrit pendant trois ans, sans jamais recevoir de réponse.

— On n'a jamais reçu tes lettres, répondit Vanessa d'une petite voix confuse.

Cela faisait beaucoup de choses à digérer. Un acte odieux, dicté par la méchanceté et l'égoïsme, avait été commis par leur mère à qui ils vouaient une confiance aveugle, par l'épouse que Matt avait jadis aimée.

— Je sais. Surtout, ne dis rien à ta mère pour le moment. Je lui en toucherai deux mots moi-même. Je suis tellement heureux de t'entendre... J'aimerais te voir bientôt, ajouta-t-il avec empressement. Peut-être pourrions-nous passer Noël ensemble ?

— Oh, ce serait trop génial ! s'écria Vanessa.

Un sourire étira les lèvres de Matt. Elle n'avait pas perdu ses intonations de jeune Américaine. Comme il avait hâte de présenter ses enfants à Pip et Ophélie !

— Je te rappellerai dans quelques jours, promit-il. On a tellement de temps à rattraper ! Robert m'a montré une photo de toi... Tu es magnifique. Tu as la chevelure de ta mère.

Dieu merci, Vanessa n'avait pas hérité de son cœur de pierre. Ni de son esprit tordu. Il n'arrivait toujours pas à croire que cette femme qu'il avait aimée et avec qui il avait été marié l'avait volontairement séparé de ses enfants six années durant. A ses yeux, c'était la pire des trahisons. Que lui était-il passé par la tête ? Il préférait recouvrer son calme avant de lui demander des explications. Il appellerait également Hamish, qu'il soupçonnait d'être complice d'une telle machination. Robert, lui, n'en était pas si sûr. Hamish avait un bon fond, il avait toujours été gentil avec eux, insista-t-il. Restait que Matt ne pardonnerait jamais à Sally d'avoir agi de la sorte.

Il bavarda encore un moment avec Vanessa, qui voulut ensuite parler à son frère. Ce dernier lui exposa les faits, dans toute leur invraisemblable cruauté. Pas une seconde Robert n'avait mis en doute les explications de son père. Il voyait bien dans ses yeux qu'il disait la vérité – il percevait aussi sa souffrance, à fleur de peau. Face à ce gâchis, sa relation avec sa mère se trouvait lourdement menacée. C'était une situation très inconfortable pour le jeune homme.

Matt et Robert parlèrent pendant des heures ; ils étaient encore en train de discuter lorsque Pip appela, affolée. Robert ne perdit rien des paroles de son père.

— Qui était-ce ? Que se passe-t-il ? demanda-t-il dès que ce dernier eut raccroché.

Il voulait tout savoir sur lui : qui étaient ses amis, que faisait-il de ses journées ?

— C'était la fille d'une amie... Il semblerait que quelque chose ne tourne pas rond.

— Cette amie... est-ce ta petite amie ? voulut savoir Robert en esquissant un sourire entendu.

Matt secoua la tête.

— Non, c'est une amie, tout simplement. La vie ne l'a pas épargnée. Elle a perdu son mari et son fils dans un accident d'avion, l'an dernier.

— C'est terrible. Sinon... as-tu une petite amie ?

Un sourire espiègle jouait sur ses lèvres. Il était si heureux d'avoir retrouvé son père ! Un peu plus tôt, Matt lui avait préparé un sandwich et un verre de vin, mais il était trop excité pour avaler quoi que ce soit.

— Eh non, je n'ai ni femme, ni petite amie, répondit Matt en riant de bon cœur. Je vis comme un moine.

— En tout cas, tu peins toujours, fit remarquer Robert en contemplant les portraits de lui et de sa sœur que son père avait faits.

Son regard s'arrêta sur celui de Pip.

— Qui est-ce ?

— La petite qui vient de m'appeler.

— Elle ressemble à Nessie, murmura Robert, captivé par le tableau.

Il y avait quelque chose de fascinant dans son regard. Son sourire était aussi très émouvant.

— N'est-ce pas ? C'est une surprise que je compte faire à sa mère pour son anniversaire, la semaine prochaine.

— Il est très beau. Tu es sûr que sa mère est une simple amie ? insista Robert, intrigué par la manière dont en parlait son père.

— Sûr et certain. Et toi, alors ? Es-tu marié ? As-tu une petite amie ?

Robert s'esclaffa, avant de lui parler de la jeune fille qu'il fréquentait depuis quelque temps, de ses études à Stanford, de ses amis, ses passions, sa vie en général. Ils avaient six ans à rattraper, six longues années au cours desquelles il s'était passé des milliards de choses ! Ils bavardèrent avec animation, sans voir les heures s'égrener. Il était 4 heures du matin lorsque Robert s'effondra sur le lit de Matt, tandis que ce dernier s'allongeait sur le canapé. En venant à Safe Harbour, Robert n'imaginait pas y passer la nuit, mais il n'avait pu se résoudre à partir, une fois son père retrouvé.

Quand ils se levèrent dans la matinée, ils se remirent à parler. Matt prépara des œufs au bacon qu'ils mangèrent de bon appétit. A 10 heures, Robert déclara qu'il devait partir non sans avoir promis de revenir la semaine suivante. Il avait des projets pour le week-end. Matt proposa de passer le voir à Stanford.

— Tu ne te débarrasseras pas de moi aussi facilement, autant te prévenir tout de suite ! lança-t-il en gratifiant son fils d'un sourire radieux.

— Ce n'est pas ce que je souhaite, répliqua Robert. Je croyais que tu nous avais rayés de ta vie. Ou que tu étais mort. En fait, c'était la seule explication plausible qui me venait à l'esprit. Je n'arrivais pas à croire que tu nous aies oubliés. Mais il fallait à tout prix que je m'en assure.

Robert avait fait preuve de beaucoup d'ingéniosité pour retrouver son père, et ses efforts avaient fini par porter leurs fruits.

— Dieu merci, tu m'as retrouvé ! J'avais l'intention de reprendre contact avec vous dans quelques années, pour voir si vous aviez changé d'avis, si vous acceptiez de me revoir. Je n'avais pas abandonné la partie, tu sais... J'attendais patiemment que l'heure arrive.

Il ne lui restait plus qu'à joindre Sally. Comment réagirait-elle en apprenant qu'ils avaient découvert le pot aux roses ? Quelle explication lui fournirait-elle ? Et comment justifierait-elle ses actes aux yeux de ses enfants ? Elle les avait privés de leur père, elle leur avait menti à tous, de manière éhontée. Aucun d'eux ne lui ferait plus confiance, désormais.

Il était 10 h 30 le vendredi matin quand Robert partit à contrecœur. Ç'avait été la plus belle fête de Thanksgiving que Matt avait jamais passée et il brûlait d'impatience de tout raconter à Ophélie et Pip. Mais il devait d'abord s'assurer que tout était rentré dans l'ordre de leur côté. Peu après le départ de son fils, il décrocha le téléphone et composa leur numéro. Matt se sentait revigoré, animé d'un nouveau souffle. Il avait retrouvé son statut de père, c'était la plus exquise des sensations. Ophélie et Pip se réjouiraient pour lui.

Pip répondit à la deuxième sonnerie. A mi-voix, elle lui confia que sa mère allait bien, mieux en tout cas que la veille. Visiblement, la tempête était passée. A la demande de Matt, elle alla chercher Ophélie.

— Comment vous sentez-vous ? demanda-t-il lorsqu'elle prit le téléphone.

— C'est difficile à dire. Sous le choc, j'imagine.

— Vous étiez au bord du gouffre, hier soir. Ça va mieux maintenant ?

— Je n'en sais rien, répondit-elle d'une voix encore mal assurée.

— Vous sentez-vous le courage de venir chez moi ? Ça vous ferait du bien de sortir un peu. Et puis, on pourrait faire une balade sur la plage.

Ophélie hésita. L'idée la tentait malgré tout. Elle éprouvait le besoin viscéral de quitter cette maison, de laisser derrière elle tout ce qui lui rappelait Ted. Elle ignorait encore si elle en parlerait à Matt. C'était une histoire tellement humiliante, tellement dégradante ! Ted l'avait trahie, avec la complicité de sa meilleure amie. Comme c'était cruel ! Et puis, il y avait Chad, qu'Andrea n'aurait pas hésité à utiliser pour parvenir à ses fins. Elle ne pourrait jamais s'en remettre, jamais lui pardonner. Partageant les mêmes valeurs de loyauté, elle savait que Matt comprendrait.

— D'accord, nous allons venir, dit-elle dans un murmure. Je ne sais pas encore si j'arriverai à parler de ce qui s'est passé hier. Je veux juste prendre l'air...

— Pas de problème. Je vous attends. Soyez prudente sur la route. Je préparerai à manger.

— Je ne suis pas sûre de pouvoir avaler quoi que ce soit.

— Comme vous voudrez. Pip mangera bien un morceau, elle. J'ai du beurre de cacahouète.

Et des photos de ses enfants à leur montrer. Robert lui avait laissé toutes celles qu'il gardait dans son portefeuille – le plus beau cadeau que Matt ait jamais reçu. Il avait l'impression qu'une bonne fée lui avait rendu son âme, cette âme que son ex-femme avait essayé de détruire, en vain. Il se sentait déjà sur la voie de la guérison. Et il avait hâte d'aller voir son fils à Stanford, la semaine suivante.

Ophélie mit plus de temps que d'habitude à se préparer. Le trajet aussi lui parut plus long. Elle avait l'étrange sensation de fonctionner au ralenti, en apesanteur. Il était midi lorsque Matt entendit une voiture se garer dans l'allée. Il s'empressa d'aller à leur rencontre. Une expression de gravité voilait le petit visage de Pip. Quant à Ophélie, elle était d'une pâleur effrayante et n'avait même pas pris la peine de se coiffer. Pip lui connaissait déjà ce visage... le même que le jour où Ted était mort. Dès qu'elle vit son ami, la jeune fille courut se jeter dans ses bras et s'accrocha à lui comme à une bouée.

— Je suis là, Pip, je suis là. Ne t'inquiète pas.

Ils s'étreignirent longuement, puis Pip entra dans la maison, talonnée par Mousse. Matt reporta alors son attention sur Ophélie. Il croisa son regard. Elle se tint devant lui, immobile, silencieuse. Au bout de quelques instants, Matt parcourut la distance qui les séparait et, glissant un bras sur ses épaules, l'entraîna à l'intérieur. Il avait pris soin de cacher le portrait avant leur arrivée et, croisant le regard interrogateur de Pip, hocha discrètement la tête pour apaiser ses inquiétudes. Le tableau était terminé et rangé, elle n'avait rien à craindre.

Il prépara des sandwichs et tous trois se mirent à table. Ophélie ne prononça pas un mot de tout le repas. Lorsqu'il sentit qu'elle était prête à se confier, Matt suggéra à Pip d'aller faire un tour sur la plage avec Mousse. Perspicace, elle ne se fit pas prier, enfila son manteau et disparut. Matt prépara du thé pour Ophélie.

— Merci, dit-elle en acceptant la tasse qu'il lui tendait. Je suis désolée, pour hier soir. Je n'étais plus moi-même. C'était affreux pour Pip. C'était comme si Ted était mort pour la deuxième fois.

— A cause de Thanksgiving ? risqua Matt.

Elle secoua la tête. Elle ne savait pas par où commencer, bien qu'elle ait très envie maintenant de tout lui raconter. Elle se dirigea alors vers son sac à main, en sortit la lettre d'Andrea et la lui tendit. Matt hésita. Etait-ce vraiment ce qu'elle désirait ? Il lut la réponse dans son regard et prit la feuille. Elle se rassit en face de lui et enfouit son visage dans ses mains, tandis qu'il lisait la missive.

Quand il eut terminé, il leva les yeux. Leurs regards se rencontrèrent. Un chagrin indicible noyait celui d'Ophélie. Il savait à présent pourquoi. Sans un mot, il se pencha vers elle et prit sa main dans la sienne. Ils restèrent un long moment ainsi, sans parler. Il avait aisément deviné que l'auteur de la lettre n'était autre qu'Andrea. Ainsi, Ted était le père de son bébé. Quelle terrible découverte ç'avait dû être ! Et Ted n'était plus là pour essayer de se justifier. Il ne restait plus que celle qu'elle croyait être sa meilleure amie... celle-là même qui se disait prête à accueillir Chad pour mieux retenir son amant...

Matt fut le premier à briser le silence.

— Vous ne savez pas quelle décision il aurait prise, Ophélie. D'après la lettre, il hésitait encore.

Piètre consolation, Matt en était conscient. Leur liaison n'en était pas moins réelle... Tout comme l'existence du petit William.

— C'est exactement ce qu'elle m'a dit, fit Ophélie d'un ton morne.

Matt arqua un sourcil stupéfait.

— Vous lui avez parlé ?

— Je suis allée la voir, oui. Pour lui dire que je ne voulais plus jamais entendre parler d'elle. Elle n'existe plus pour moi ; elle a rejoint Ted et Chad. Au fond, notre mariage était mort, lui aussi. Je n'ai jamais voulu regarder la vérité en face du vivant de Ted... Tout comme lui refusait d'accepter la maladie de Chad. Nous vivions tous les deux dans le déni... Aveugles et stupides, chacun à sa manière.

— Vous l'aimiez. C'est une réaction louable. Et malgré tout ça, il vous aimait sûrement, lui aussi.

— Je ne le saurai jamais.

C'était cette incertitude qui la torturait. La lettre lui avait ôté sa seule illusion : l'amour que Ted était censé lui porter. Quelle méchante farce !

— Mais si, voyons ! Un homme ne passe pas vingt ans de sa vie auprès d'une femme qu'il n'aime pas. Il avait peut-être des défauts, mais il vous aimait, Ophélie. N'en doutez pas.

— Il m'aurait peut-être quittée pour aller vivre avec elle.

Elle n'en était cependant pas sûre du tout. Non parce qu'il était trop attaché à elle et à ses enfants, non... mais plutôt parce qu'il n'avait jamais aimé personne à ce point. A part lui-même, bien sûr. Il aurait peut-être délaissé Andrea et le bébé, par pur égoïsme. C'était tout à fait possible.

— Il avait eu une autre liaison, des années plus tôt, reprit-elle d'une voix blanche.

Mais elle lui avait pardonné. Elle lui aurait tout pardonné, d'ailleurs... jusqu'à ce jour. Cette fois, malheureusement, ils ne pouvaient pas en discuter, s'emporter, s'expliquer. Non. Elle devrait vivre avec ce poids sur le cœur, à vie. Il n'y aurait pas de réconciliation possible.

En une soirée, à cause d'une simple lettre et de la trahison d'une amie, leur mariage avait volé en éclats.

— Ça s'est passé au moment où Chad a fait ses premières crises graves. J'ai l'impression qu'il me tenait pour responsable de sa maladie. C'était sa façon de se venger. Ou de fuir la réalité. Une manière comme une autre de se préserver. Il m'a trompée, alors que j'étais partie en France avec Pip. J'ai bien cru que j'allais mourir, le jour où je l'ai su. Finalement, il a décidé de rompre et je lui ai pardonné. Comme d'habitude. J'avais tellement besoin de l'aimer et de vivre auprès de lui. C'était tout ce qui comptait, pour moi.

Alors que Ted, lui, n'aimait personne en dehors de lui-même. C'était évident, mais Matt se garda bien de le lui faire remarquer. Ophélie savait déjà tout ça, et c'était suffisamment douloureux à admettre. Il n'avait aucune envie de la blesser davantage.

— Vous devriez essayer d'oublier tout ça, lui conseilla-t-il. Vous vous faites du mal pour rien. Ted est mort. Vous devez penser à vous, désormais.

— Ils ont tout détruit, tous les deux. Même mort, il a réussi à briser ma vie.

Comment pouvait-on être assez idiot pour garder une lettre aussi compromettante que celle-ci ? songea Matt. Et s'il l'avait fait exprès pour précipiter les choses ?

— Qu'allez-vous dire à Pip ?

— Rien. Elle n'a pas besoin de savoir. C'est une histoire entre Ted et moi. J'inventerai une raison pour justifier le fait que nous ne verrons plus Andrea. Ou je lui dirai simplement que je lui expliquerai tout plus tard. Elle sait qu'il s'est passé quelque chose de terrible hier soir, mais elle ignore tout du rôle d'Andrea. Je ne lui ai pas dit où j'allais, quand je suis sortie.

— C'est mieux ainsi.

Il serrait toujours sa main dans la sienne, luttant contre l'envie de la prendre dans ses bras. Dans son état, elle n'aurait peut-être pas supporté son contact. Elle paraissait si fragile, si vulnérable... comme un petit oiseau tombé du nid.

— J'ai perdu la tête, hier soir, reprit-elle dans un souffle. Je suis désolée, Matt. Je ne voulais pas vous inquiéter avec ça.

— Ce n'est rien. Vous savez à quel point vous comptez pour moi, Pip et vous.

Mais peut-être l'ignorait-elle... Lui-même commençait tout juste à prendre conscience de son attachement pour Ophélie. Jamais personne n'avait pris une telle place dans sa vie, à l'exception de ses enfants. A cette pensée, il reprit la parole.

— Il m'est arrivé quelque chose d'inouï, hier. J'ai reçu de la visite pour Thanksgiving... C'est la première fois depuis des années que cette fête s'avère aussi joyeuse.

Ophélie s'efforça d'émerger de son abattement.

— Qui était-ce ?

— Mon fils.

Devant son expression incrédule, il lui raconta l'incroyable journée de la veille : les retrouvailles avec Robert, le coup de fil à Vanessa, l'ignoble machination de Sally.

— Comment a-t-elle pu vous faire ça... à vous et à ses propres enfants ? Il ne lui a pas effleuré l'esprit que vous finiriez par tout découvrir ?

Ophélie était horrifiée. Matt et elle avaient été honteusement trahis par ceux qu'ils aimaient, ceux en qui ils avaient confiance. C'était pire que tout.

— Il semblerait que non. Elle a dû penser qu'avec le temps Robert et Vanessa m'oublieraient ou qu'ils me croiraient mort. Et c'est bien ce qui a failli se passer. Mais, en venant étudier à Stanford, Robert a voulu en avoir le cœur net ; il s'est lancé à ma recherche. Et il a été très surpris de me trouver là, bien vivant, en pleine forme. C'est un jeune homme formidable. J'espère que vous ferez bientôt sa connaissance, Pip et vous. On pourrait peut-être fêter Noël ensemble, conclut-il d'un ton plein d'espoir.

— Où est donc passé le « rabat-joie de service » ? fit Ophélie en souriant.

Matt laissa échapper un petit rire.

— Il s'est volatilisé, j'imagine. J'irai bientôt voir Vanessa à Auckland.

— Quelle merveilleuse nouvelle, Matt, murmura Ophélie en lui serrant doucement la main.

Au même instant, Pip fit irruption dans la pièce. Son regard glissa sur leurs doigts enlacés, et un léger sourire effleura ses lèvres.

— Je peux rentrer, maintenant ? lança-t-elle tandis que Mousse s'ébrouait joyeusement dans le salon, projetant du sable tout autour de lui.

Matt rit de bon cœur.

— J'allais justement proposer à ta maman une balade sur la plage. Tu veux venir avec nous ?

— Je suis obligée ? demanda Pip en se laissant tomber sur le canapé. J'ai un peu froid.

— Alors reste ici. On n'en a pas pour longtemps.

Il interrogea Ophélie du regard, et celle-ci acquiesça. Après avoir enfilé leurs vestes, ils sortirent. Dans les dunes, Matt l'enlaça par la taille et la serra doucement contre lui. Ophélie appuya la tête contre son épaule, tandis qu'ils parcouraient la plage en silence. Matt était son seul ami, la seule personne en qui elle avait encore confiance. Elle ne savait plus ce qu'elle devait penser de son mariage et de son défunt mari. Elle doutait de tout et de tout le monde. Sauf de Matt. Ils marchèrent jusqu'au bout de la plage, blottis l'un contre l'autre, sans échanger un mot. Accablée par le chagrin, Ophélie appréciait plus que jamais la compagnie de Matt. En toute simplicité.

22

Matt rendit visite à son fils le lundi suivant, et s'arrêta au retour chez Ophélie qui avait pris un jour de congé, encore sous le coup des émotions du week-end. Pip rentrait tout juste de l'école.

Le matin même, Ophélie avait pris la décision de se séparer des vêtements de Ted. C'était sa manière à elle de le chasser de la maison, de le punir pour tout le mal qu'il lui avait fait – sa seule vengeance possible. Il lui fallait tourner la page, à présent. Elle ne pouvait pas continuer à s'accrocher à un homme qui avait fait un enfant à sa meilleure amie... non, elle ne vivrait plus dans ses rêves et ses illusions. Il était grand temps de se réveiller, même si c'était pour affronter la solitude.

Elle le confia à Matt quand Pip monta faire ses devoirs. Par délicatesse, ce dernier se garda de lui dire ce qu'il pensait de son mari disparu. De toute façon, Ophélie avait ouvert les yeux sur sa vraie nature et il ne put qu'approuver ses décisions.

Il profita de sa visite pour les inviter la semaine suivante, le jour de son anniversaire. Pour l'occasion, il avait choisi un restaurant raffiné qui plairait à Ophélie. Elle méritait bien qu'on prît soin d'elle, après ce qu'elle venait de vivre.

Andrea lui avait envoyé une lettre, raconta-t-elle, livrée dans l'après-midi par porteur spécial. C'était une lettre d'excuses dans laquelle elle lui disait à quel point elle avait compté pour elle, tout au long de ces années, que son amitié avait été sincère et qu'elle était profondémen désolée de ce qui s'était passé, même si elle ne s'attendai pas à ce qu'Ophélie lui pardonne. Il n'en était pas ques tion, en effet. C'était trop tard.

— Je dois vous paraître impitoyable, dit-elle à Matt mais je ne me sens pas la force de pardonner. Je ne veu plus jamais entendre parler d'elle.

— C'est tout à fait compréhensible, approuva-t-il.

Lui-même avait l'intention d'appeler Sally dans l soirée – si elle acceptait de lui parler, bien entendu.

— On dirait que nous sommes tous les deux en trair de régler nos comptes, commenta tristement Ophélie.

— Il est temps, non ?

Toute la journée, Matt avait pensé à ce qu'il allait dir à son ex-épouse, qui lui avait volé ses enfants et six an de sa vie, sans compter leur mariage qu'elle avait balay sans scrupule. Il n'existait pas de réparation possibl pour ce genre de dommage. Ophélie le savait aussi.

Ils discutèrent longtemps tous les deux. Finalement Ophélie l'invita à rester dîner et Matt l'aida à la cuisine Il partit aussitôt après le repas. Rendez-vous était pri pour la semaine suivante, le jour de son anniversaire. Pi avait hâte d'y être !

Il appela Ophélie en fin de soirée, après avoir parlé Sally au téléphone. Sa voix trahissait une immense lassi tude.

— Comment a-t-elle réagi ? voulut savoir Ophélie.

— Elle a d'abord essayé de tout nier en bloc. Mais se explications ont vite tourné court. J'en sais beaucoup trop maintenant. Alors, elle s'est effondrée. Elle a pleuré e gémi pendant une heure, arguant qu'elle avait cru agi pour le bien des enfants, parce qu'elle pensait que ce serai mieux pour eux de n'avoir qu'une famille, celle qu'elle fon dait avec Hamish. Et donc de tirer un trait sur moi, j'ima gine. J'étais bon à jeter. Bref, elle n'en a fait qu'à sa tête comme d'habitude. Elle n'avait pas grand-chose à dir pour sa défense. Rien du tout, en fait. J'irai voir Vanessa la semaine prochaine, après votre anniversaire. Et Sally m'a dit qu'elle me l'enverrait pour Noël. Vous vous rendez compte ? J'aurai mes deux enfants près de moi, conclut-il d'une voix enrouée par l'émotion. J'ai envie de louer une maison à Tahoe pour les emmener skier. Ça vous dirait de vous joindre à nous ? Est-ce que Pip aime skier ?

— Elle adore ça.

Le visage de Matt s'éclaira.

— Et vous ?

— Je skie un peu, mais je ne suis pas très bonne. J'ai horreur des télésièges... En fait, j'ai le vertige.

— On les prendra ensemble. Je ne suis pas non plus un excellent skieur. Mais ça pourrait être amusant, non ? Ça me ferait très plaisir de vous avoir aussi, toutes les deux.

Ophélie hésita.

— Vos enfants préféreront peut-être passer leurs vacances seuls avec vous, après tout ce temps. Je ne voudrais surtout pas m'imposer.

Contrairement à leurs conjoints, qui n'avaient songé qu'à leur propre bien-être, Ophélie et Matt restaient à l'écoute de leurs sentiments mutuels, ce qui expliquait une certaine réserve de part et d'autre.

— Je leur poserai la question, mais je pense qu'ils n'y verront pas d'inconvénient, surtout après vous avoir rencontrées, Pip et vous. J'ai déjà parlé de vous à Robert, l'autre jour.

Il faillit ajouter que son fils avait admiré le portrait de Pip, mais se retint in extremis.

— Avez-vous l'intention d'aller travailler, demain soir ? demanda-t-il plutôt.

Ophélie acquiesça d'un signe de tête.

— Vous venez d'accuser un gros choc... Ne serait-il pas plus sage de prendre un peu de repos ?

Voire un repos définitif, ajouta-t-il en son for intérieur. Il ne s'était toujours pas habitué à ce travail dans l'équipe de nuit, mais Ophélie s'obstinait dans sa décision.

— Ils comptent sur moi, je ne peux pas leur faire faux bond. Et puis, ça me changera les idées.

Matt n'insista pas, malgré l'angoisse qui sourdait en lui chaque fois qu'il songeait aux dangers qui la guettaient dans la rue, d'autant qu'elle était plus fatiguée et certainement moins concentrée que d'ordinaire, après toutes ces émotions.

Heureusement, tout se passa bien. Ce fut même une soirée tout à fait calme, expliqua-t-elle à Matt quand il prit de ses nouvelles, le mercredi. Elle travailla de nouveau le lendemain soir, jeudi. Ils repérèrent plusieurs squats d'adolescents et d'enfants fugueurs. Certains d'entre eux étaient encore propres et bien habillés, ils venaient juste de s'enfuir de chez eux. Un élan de compassion gonfla le cœur d'Ophélie. Il y avait tant de vies brisées dans la rue… comme ce foyer de fortune qui réunissait une poignée d'hommes d'allure très respectable, qui avaient tous du travail mais pas de quoi payer un loyer.

Le samedi arriva enfin. Sa soirée d'anniversaire fut merveilleuse, encore plus belle que dans les rêves de Pip. Matt et elle avaient décidé de lui offrir son cadeau avant d'aller dîner. Excitée comme une puce, Pip la pria de fermer les yeux, pendant que Matt dépouillait le tableau de son emballage. Puis, avec un baiser, elle le tendit à Ophélie, en lui demandant d'ouvrir les yeux.

Ophélie s'exécuta ; elle retint son souffle… puis fondit en larmes.

— Oh mon Dieu… c'est magnifique… Pip… ! Matt…

Elle gardait les yeux rivés sur le portrait, fascinée par la précision et la délicatesse du trait. Matt n'avait pas seulement peint le fin visage de sa fille… il avait réussi à faire transparaître sa personnalité. Des larmes d'émotion glissaient sur ses joues. C'était superbe. Elle le posa à contrecœur, quand vint l'heure de partir pour le restaurant. Elle était impatiente de l'accrocher au mur. Sa réaction enchanta Matt ; c'était tout ce qu'il avait spéré… et même plus ! Ophélie ne cessa de le remercier tout au long de la soirée.

Un gâteau d'anniversaire acheva le délicieux dîner. Ce fut une soirée de rêve. De retour à la maison, Pip étouffa un bâillement. Cela faisait des mois qu'elle attendait ce moment ; l'excitation et la joie l'avaient épuisée. Ophélie contemplait encore le portrait d'un air émerveillé quand la petite fille vint leur souhaiter bonne nuit.

— Je ne sais comment vous remercier, murmura-t-elle à l'adresse de Matt. C'est le plus beau cadeau qu'on n'ait jamais fait.

C'était un cadeau plein d'amour, de la part de Pip mais aussi de Matt.

— Vous êtes une femme étonnante, fit celui-ci en s'asseyant auprès d'elle sur le canapé.

— Et vous, vous êtes adorable, murmura Ophélie. Aussi bien avec Pip qu'avec moi.

Plongeant son regard dans le sien, il lui prit la main. Il avait tant envie qu'elle lui offre sa confiance !

— Vous méritez bien qu'on prenne soin de vous, Ophélie. Et Pip aussi.

Elles faisaient partie de sa famille désormais – et lui de la leur, maintenant qu'ils avaient tout perdu.

Sans la quitter des yeux, il inclina légèrement la tête et effleura ses lèvres d'un baiser. Cela faisait des années qu'il n'avait pas embrassé une femme. Quant à Ophélie, aucun homme ne l'avait approchée depuis la disparition de son mari. Ils étaient là tous les deux, à la fois fragiles et prudents, comme deux étoiles suspendues dans le ciel. Il vit de la surprise dans le regard d'Ophélie mais, à son grand soulagement, elle ne chercha pas à le repousser. Ils fermèrent les yeux, savourant ces instants de tendresse. Et lorsque Matt s'écarta, ils se contemplèrent en silence. Avec une douceur infinie, il l'enlaça et la serra dans ses bras.

— Qu'est-ce qui nous prend, Matt ? C'est de la folie, non ?

Elle avait un tel besoin de réconfort et de stabilité. E
il n'y avait qu'auprès de Matt qu'elle éprouvait ce senti
ment de sérénité qui lui manquait tant, ces temps-ci.

— Je ne crois pas, non. Mes sentiments pour toi on
évolué au fil des mois, sans même que j'en prenn
conscience. J'avais peur de t'effrayer en t'ouvrant mo
cœur. Tu as tant souffert...

— Toi aussi, chuchota-t-elle en caressant tendremen
sa joue. C'est Pip qui va être contente, ajouta-t-elle, ur
sourire mutin aux lèvres.

Matt sourit à son tour.

— Je l'aime aussi, tu sais. J'ai tellement hâte de vou
présenter mes enfants !

— Moi aussi, j'ai hâte de les rencontrer, répondi
Ophélie, les yeux brillants de joie.

Il l'embrassa de nouveau.

— Joyeux anniversaire, ma chérie, murmura-t-il contr
ses lèvres.

Lorsqu'il prit congé un peu plus tard, une certitud
s'imposa à Ophélie : ç'avait été le plus bel anniversair
de sa vie.

23

Le mardi soir, Ophélie alla travailler. Pour la première fois depuis qu'elle avait rejoint l'équipe de nuit, Bob lui fit remarquer qu'elle n'était pas assez prudente en inspectant l'intérieur de ce qu'ils appelaient les « clapiers », ces abris de fortune que les sans-abri construisaient avec des morceaux de carton. Ils vérifiaient chacun d'eux et proposaient leur aide, s'ils trouvaient quelqu'un à l'intérieur. Ce faisant, ils devaient sans cesse rester sur leurs gardes, afin d'éviter les mauvaises surprises. Ce soir-là, Ophélie, perdue dans ses pensées, avait à plusieurs reprises tourné le dos à des bandes de jeunes qui gravitaient autour d'eux. Dans la rue, les gens étaient curieux de savoir qui ils étaient, d'où ils venaient et ce qu'ils faisaient. Ce qui n'empêchait pas qu'il leur fallait toujours observer une extrême prudence. C'était la loi de la jungle qui régnait ici et il fallait en respecter les principes, même si leurs interlocuteurs pouvaient paraître sympathiques. Car parmi tous ceux qui les accueillaient avec chaleur et reconnaissance se glissaient inévitablement des rebelles, des fauteurs de troubles et des prédateurs prêts à les attaquer et à les dépouiller du peu qu'ils avaient. Ophélie avait été choquée d'apprendre que le tiers, voire parfois la moitié des colis qu'ils distribuaient étaient en réalité récupérés par ces individus. Dans ce monde-là, le code de l'honneur s'appelait « survie ». Ophélie l'avait appris au fil de ses sorties, et il n'y avait pas grand-chose à faire, à part donner son maximum, en espérant que leur action porterait ses fruits, même à petite échelle.

— Hé, Opie ! Fais gaffe à toi, ma jolie. Que se passe t-il, ce soir ?

Bob lui jeta un regard mi-inquiet, mi-réprobateur tandis qu'ils regagnaient la fourgonnette, après le second arrêt. La sécurité de toute l'équipe reposait sur chacun d'eux. Et même si l'ambiance était joyeuse et détendue, ils devaient rester sur leurs gardes en permanence. Ils étaient obligés d'anticiper le pire, pour éviter qu'il ne se produise. Combien de policiers, bénévoles, travailleurs sociaux avaient été tués dans la rue à la suite d'une imprudence – combien d'entre eux avaient été abattus parce qu'ils s'étaient aventurés seuls dans un quartier mal famé ? Tous en étaient conscients et, pourtant, la tentation était parfois grande de se croire au-dessus de tout ça, intouchable en quelque sorte. Une vigilance de tous les instants était le seul garant de leur sécurité.

— Je suis désolée, répondit Ophélie avec une moue penaude. Je ferai plus attention la prochaine fois.

Au prix d'un effort, elle se ressaisit. Presque malgré elle, Matt occupait toutes ses pensées.

— Tu as intérêt, ma belle. Qu'est-ce que tu as ? On dirait presque que tu es amoureuse, fit Bob en la scrutant avec attention.

Il était bien placé pour savoir de quoi on avait l'air quand on était amoureux : il vivait une belle aventure avec la meilleure amie de sa défunte épouse. En montant dans la camionnette, Ophélie ne put s'empêcher de sourire. Bob avait deviné juste. Elle avait pensé à Matt toute la journée et encore ce soir. Le baiser qu'ils avaient échangé la veille l'avait à la fois ravie et terrifiée. C'était tout ce qu'elle désirait... et tout ce qu'elle redoutait. Car il s'agissait de vulnérabilité. De sentiments. D'amour. De chagrin, inévitablement. Tout ce qui l'avait terrassée à la mort de Ted ; tout ce qui avait manqué la tuer le jour où elle avait découvert la lettre d'Andrea. Encore mainteant, lorsqu'elle tentait d'analyser ses sentiments, elle avait l'impression d'être devenue insensible. Vis-à-vis de Ted, d'Andrea, et même de Matt. Cela faisait tant de choses à digérer, à comprendre. Et pourtant, comme il eût été tentant de tomber dans les bras de Matt et de réapprendre à vivre à ses côtés !

— Allez, dis-moi tout... insista gentiment son coéquipier.

— Je ne sais pas. C'est bien possible, murmura-t-elle alors qu'ils se dirigeaient vers Hunters Point.

La nuit était déjà bien entamée. Plus les heures passaient, plus le calme s'installait dans la rue. Les fauteurs de troubles étaient allés se coucher, le quartier retrouvait un peu de quiétude.

— Ça, c'est un scoop ! plaisanta Bob en lui jetant un coup d'œil amusé.

En presque trois mois de collaboration, il avait appris à l'apprécier et lui vouait un profond respect. Ophélie était une femme droite, intelligente, entière et courageuse, dépourvue d'arrogance. Elle possédait un côté naturel et spontané qui l'avait séduit d'emblée.

— J'espère que c'est un type bien. C'est tout ce que tu mérites.

— Merci, Bob, fit-elle simplement en souriant.

Elle n'en dit pas plus et Bob respecta sa réserve. Une relation faite de simplicité et de compréhension réciproques s'était installée entre eux. Ils parlaient de tout, ensemble, de sujets sérieux comme de choses futiles. En bons partenaires, ils s'entendaient à merveille et se faisaient entièrement confiance. Leur vie en dépendait. Se rappelant les consignes de son coéquipier, Ophélie s'efforça d'être plus vigilante pendant le restant de la nuit.

En rentrant chez elle, elle pensa de nouveau à Matt. Leur relation était en train de changer, une porte s'ouvrait... et ce constat faisait naître en elle une sourde angoisse. Elle ne voulait surtout pas mettre en péril leur amitié, et une relation amoureuse risquait facilement de tout gâcher si elle tournait court. Elle ne voulait pas prendre un tel risque. Au bout du compte, ils en sortiraient tous malheureux : Matt et elle, bien sûr, mais surtout Pip.

Son humeur songeuse n'échappa pas à celle-ci sur le chemin du collège, le lendemain matin.

— Quelque chose ne va pas, maman ? demanda-t-elle en allumant la radio.

Ophélie fit la grimace en entendant la musique cacophonique emplir l'habitacle. Quelle horrible façon de commencer la journée ! A l'évidence, Pip s'inquiétait moins pour sa mère ces derniers jours. Bien qu'elle ignorât toujours ce qui s'était passé le jour de Thanksgiving, sa mère semblait à peu près remise. Elle lui avait simplement annoncé qu'elles ne reverraient plus Andrea. Interloquée, Pip avait bombardé sa mère de questions auxquelles elle avait refusé de répondre, se contentant de répéter qu'elles ne verraient « plus jamais » la mère du petit William.

— Non, non, tout va bien, répondit Ophélie d'un ton peu convaincu.

Au centre, elle dut redoubler d'efforts pour rester concentrée sur ce qu'elle faisait. Même Miriam lui en fit la remarque. Et lorsque Matt appela, il comprit à sa voix que quelque chose n'allait pas.

— Ça va ? demanda-t-il, inquiet.

— Oui… je crois, répondit-elle avec une franchise qui ne fit qu'attiser l'appréhension de Matt.

— Qu'est-ce que ça veut dire ? Dois-je craindre le pire ?

A l'autre bout du fil, Ophélie esquissa un sourire.

— Non, non, ne panique pas. C'est juste que… je crois que j'ai peur.

Etait-ce une simple question de temps ou quelque chose de plus profond ? Elle l'ignorait encore.

— De quoi as-tu peur ?

Matt préféra entrer directement dans le vif du sujet. Pour sa part, il flottait sur un petit nuage depuis qu'il avait embrassée, le soir de son anniversaire. C'était tout ce dont il rêvait, sans en avoir conscience – même si, depuis quelque temps, il sentait naître en lui des sentiments qui n'étaient plus aussi anodins qu'il le prétendait.

— De quoi ai-je peur ? répéta Ophélie comme si cette question lui paraissait totalement incongrue. De toi, de moi, de la vie, du destin, des bonnes choses, des grands malheurs... des déceptions, de la trahison, de la mort... Tu veux vraiment que je continue ?

— Non, ça devrait aller... pour le moment, en tout cas. Gardes-en un peu, on en parlera quand on se verra, ajouta-t-il d'un ton empreint d'amusement.

Mais il retrouva vite son sérieux.

— Que puis-je faire pour te rassurer ? demanda-t-il avec une grande douceur.

Ophélie poussa un soupir.

— Rien, j'en ai peur. Donne-moi juste un peu de temps. Je viens de perdre mes dernières illusions concernant mon mariage. Je ne suis pas sûre de pouvoir vivre quoi que ce soit d'autre pour l'instant. Ce n'est peut-être pas le bon moment.

Matt sentit son cœur chavirer.

— Nous accorderas-tu au moins une chance ? Tu n'es pas obligée de prendre une décision. Nous avons le droit d'être heureux, tous les deux, non ? Essayons de ne pas tout gâcher avant même d'avoir commencé. Qu'en dis-tu ?

— D'accord. Je vais essayer.

C'était tout ce qu'elle pouvait lui promettre pour le moment. Au plus profond de son être, elle se demandait s'il ne serait pas plus heureux avec une autre. Une femme moins compliquée, qui n'aurait pas été blessée comme elle l'avait été encore tout récemment. Elle se sentait tellement déprimée, parfois ! Et pourtant, auprès de lui, elle goûtait à la sérénité, à l'équilibre et à la paix, et c'était énorme.

Matt vint dîner avec elles le samedi soir, et le lendemain ce fut à leur tour de le rejoindre à la plage. Robert était venu passer la journée à Safe Harbour et Matt avait hâte de faire les présentations. Ophélie tomba aussitôt sous le charme du jeune homme. Malgré toutes ces années de séparation, Robert ressemblait énormément à son père. Il avait beaucoup hérité de lui. Dans la conversation, il parla de la perfidie de sa mère. Même s'il lui en voulait, il l'acceptait telle qu'elle était et continuait à l'aimer. Il possédait une grandeur d'âme extraordinaire. Sa sœur Vanessa, en revanche, était furieuse contre leur mère, à qui elle n'avait pas adressé la parole depuis qu'ils avaient percé à jour ses manigances.

En regagnant San Francisco dans la soirée, Ophélie se sentit comme apaisée. Matt l'avait enlacée à plusieurs reprises et ils s'étaient promenés sur la plage main dans la main, mais elle n'avait senti aucune pression de sa part. Apparemment, il était prêt à lui laisser un peu de temps. Leur relation, passée, présente et future, lui importait trop pour qu'il se risque à tout gâcher bêtement. Il saurait se montrer patient.

Le lundi soir, Matt s'apprêtait à décrocher le téléphone pour appeler Ophélie lorsque la sonnerie retentit. Il espérait de tout cœur que c'était elle. Elle lui avait paru heureuse et détendue la veille, et sa voix était pleine d'entrain et de gaieté lorsqu'il l'avait appelée le soir. Comme il brûlait d'envie de lui avouer son amour ! Mais c'était encore trop tôt.

Il décrocha. Ce n'était ni Ophélie ni Pip. C'était Sally qui appelait d'Auckland. Sally, qui sanglotait au bout du fil. Saisi de panique, Matt songea aussitôt à sa fille.

— Sally ?

Ses paroles étaient incompréhensibles, mais sa voix restait reconnaissable entre mille.

— Sally ? Que se passe-t-il ? Qu'est-ce qui ne va pas ?

Il ne comprit que quelques mots dans sa réponse entrecoupée de hoquets : « un malaise... sur le court de tennis... » En proie à un soulagement mêlé de culpabilité, il réalisa qu'elle parlait de son mari et non de leur fille.

— Comment ? J'entends mal, Sally... Qu'est-il arrivé à Hamish ?

Et pourquoi l'appelait-elle, lui ?

Elle laissa échapper un sanglot déchirant, avant de répondre d'un trait :

— Il est mort. Il a eu une crise cardiaque il y a une heure, alors qu'il jouait au tennis. Ils ont essayé de le réanimer, mais c'était déjà trop tard.

Elle éclata de nouveau en sanglots. De son côté, Matt fixa le mur d'un regard vide, tandis que les dix dernières années défilaient dans son esprit. Il la revit en train de lui annoncer qu'elle partait, qu'elle allait s'installer à Auckland. Se revit comprenant qu'elle avait une liaison avec son meilleur ami et qu'elle le quittait... Le départ pour Auckland avec ses enfants... « Matt, nous allons nous marier, Hamish et moi », ces mots qu'il avait reçus comme une balle en plein cœur. Et puis les quatre années qui avaient suivi, durant lesquelles il avait multiplié les voyages à Auckland pour voir ses enfants... et enfin, les six dernières sans nouvelles d'eux parce qu'elle avait décidé de les séparer. Et aujourd'hui... aujourd'hui, elle l'appelait pour lui dire qu'Hamish était mort. Des sentiments confus l'habitaient. Que ressentait-il au juste pour cet ami qui l'avait trahi... ? Pour Sally... ? Et envers lui-même ? Il ne savait pas.

— Matt ? Tu es toujours là ?

Elle continuait à parler entre deux hoquets, évoquant l'enterrement, leurs enfants... A son avis, Robert devait-il faire le déplacement pour les funérailles ? Hamish l'aimait tellement... et puis, il y avait les enfants qu'elle avait eus avec lui... Ils étaient si petits... Au prix d'un effort, Matt se ressaisit.

313

— Oui, je suis là. Veux-tu que je prévienne Robert ? Je peux aller à Stanford, si tu crains sa réaction.

Comme le destin était étrange ! Robert perdait un père de substitution au moment où son vrai père ressurgissait dans sa vie.

— Je l'ai déjà appelé, répondit Sally, visiblement peu sensible à la réaction de son fils – c'était Sally tout craché...

— Comment a-t-il pris la nouvelle ?

— Je ne sais pas trop. Il aimait beaucoup Hamish.

— Je vais l'appeler, déclara Matt, impatient de raccrocher.

— Veux-tu venir à l'enterrement ?

Matt n'en crut pas ses oreilles. Décidément, elle n'avait pas changé : les sentiments des autres ne lui importaient guère.

— Non, répondit-il, plus sèchement qu'il n'aurait voulu.

— J'amènerai peut-être les enfants avec Vanessa pour Noël, reprit-elle d'une voix blanche. Il vaudrait mieux que tu ne viennes pas la voir cette semaine, à moins que tu ne changes d'avis pour l'enterrement.

Après six longues années de séparation, Matt devait prendre l'avion jeudi pour Auckland. Au vu des circonstances, il lui faudrait repousser son voyage.

— Tant pis, j'attendrai que les choses se soient un peu apaisées, à moins que tu ne l'envoies avant à San Francisco.

Il avait bien insisté sur le terme « envoyer », ne voulant pas que son ex-épouse projette de venir elle aussi. Il n'avait aucune envie de la voir.

— Tu dois avoir une foule de détails à régler, conclut-il d'un ton neutre.

L'enterrement à organiser, les adieux à son défunt mari, des décisions à prendre, d'autres vies à piétiner. Il n'éprouvait plus aucune sympathie pour Sally depuis que sa machination avait été révélée au grand jour grâce à la détermination de Robert. Jamais il ne lui pardonnerait ce qu'elle leur avait fait.

— Je ne sais même pas ce que je vais faire de l'agence, gémit-elle.

Le travail, toujours le travail. La priorité des priorités pour Sally... Ainsi, rien n'avait changé.

— Ce n'est pas facile, je sais, rétorqua Matt sans chercher à dissimuler son amertume. Tu n'as qu'à la vendre, Sally. C'est bien ce que j'ai fait, moi. Après tout, ce n'est pas la fin du monde, tu trouveras autre chose à faire. A quoi bon s'accrocher au passé ?

C'était presque mot pour mot ce qu'elle lui avait jeté à la figure dix ans plus tôt mais, évidemment, elle ne s'en souvenait pas. Les sentiments et le bien-être de ses proches n'avaient jamais compté pour elle.

— Tu penses vraiment que je devrais vendre ? demanda-t-elle, émergeant soudain de son abattement.

Ecœuré, Matt étouffa un soupir.

— Je n'en sais rien. Il faut que je te laisse. Toutes mes condoléances, Sally ; prends soin de tes enfants. Je te préviendrai dès que j'aurai arrêté une date pour venir voir Vanessa. Dis-lui que je l'appellerai bientôt.

Sur ce, il raccrocha puis composa le numéro de Robert, à Stanford. Le jeune homme ne pleurait pas, mais sa voix trahissait une grande tristesse.

— Je suis désolé, fiston. Je sais que tu l'aimais. Je l'appréciais beaucoup moi aussi.

« Avant qu'il brise ma vie, en partant avec ma femme », ajouta-t-il en son for intérieur.

Comme s'il avait deviné ses pensées, Robert prit la parole :

— Je sais qu'il a bousillé ton mariage avec maman, mais il a toujours été sympa avec nous. Et puis, j'ai de la peine pour maman. La pauvre ne savait plus où elle en était, au téléphone.

Elle avait pourtant recouvré ses esprits pour évoquer l'avenir de son entreprise... Ça lui ressemblait tellement, cette façon de toujours tirer son épingle du jeu. A l'époque, Hamish représentait tout ce dont elle rêvait : il était plus riche que lui, plus drôle ; il possédait plus de maisons, plus de voitures... C'est donc sans l'ombre d'une hésitation qu'elle avait abandonné son mari pour refaire sa vie avec lui. Après toutes ces années, Matt avait encore du mal à l'accepter. Il avait perdu sa femme, ses enfants ; son agence de publicité passait au second plan à ses yeux. C'était dix ans de sa vie qu'on lui avait arrachés.

— Penses-tu assister à l'enterrement ? demanda-t-il à son fils.

Robert hésita.

— Ce serait bien, au moins pour maman, mais j'ai des partiels en ce moment. J'ai eu Vanessa au téléphone ; elle m'a assuré que maman tiendrait le coup sans moi. Elle est très entourée.

Elle avait sept autres enfants : les quatre d'Hamish, Vanessa et les deux garçons qu'ils avaient eus ensemble. Même si Robert occupait une place à part, elle ne se retrouverait pas seule.

— Qu'en penses-tu, papa ?

— C'est à toi de prendre une décision, je ne peux pas le faire à ta place. Veux-tu que je vienne te voir à Stanford ?

— Non, merci, papa. Ça va aller. Je suis encore sous le choc, tu comprends... bien que ce ne soit pas non plus une surprise totale. Hamish avait déjà eu deux crises cardiaques et subi deux pontages. Il ne prenait pas suffisamment soin de lui. Maman disait souvent que ça lui pendait au nez.

A cinquante-deux ans, il fumait et buvait énormément et souffrait de problèmes de poids depuis des années.

— N'hésite pas à m'appeler si tu as besoin de quoi que ce soit, répéta Matt. On pourrait peut-être prévoir quelque chose pour le week-end, si tu es libre.

316

— J'ai des révisions samedi et dimanche. Ne t'inquiète pas, papa. Je te ferai signe. Merci.

Matt réfléchit un moment à la situation puis, sur une impulsion, composa le numéro d'Ophélie. La mort d'Hamish l'attristait, probablement parce qu'elle affectait ses enfants ou parce qu'il avait été son ami autrefois. En revanche, l'état de Sally le préoccupait moins.

Il raconta les derniers événements à Ophélie, qui s'inquiéta aussitôt de la réaction de Robert. Puis une question toute féminine lui traversa l'esprit : comment réagirait Matt, maintenant que Sally était veuve ? Il l'avait aimée jadis, passionnément, et n'avait pas complètement réussi à panser ses blessures après dix ans de séparation. A présent, son ex-femme était de nouveau libre. Même s'il était peu probable qu'ils recommencent à vivre ensemble, ce n'était pas impossible. On voyait tellement de choses bizarres ! Sally n'avait que quarante-cinq ans, elle chercherait probablement un nouveau compagnon. Elle aussi avait aimé Matt, suffisamment en tout cas pour l'épouser et fonder une famille avec lui.

La voix de Matt mit un terme à ses réflexions.

— Sally m'a dit qu'elle accompagnerait peut-être Vanessa à San Francisco pour Noël. J'espère qu'elle changera d'avis d'ici là. Ce sont mes enfants que j'ai envie de voir, pas elle.

Il était déçu de ne pas pouvoir rendre visite à sa fille comme convenu, mais le destin en avait décidé autrement. Au vu des circonstances, Vanessa serait certainement très occupée cette semaine-là. Au fond, cela faisait six ans qu'il patientait, il pouvait bien attendre encore une ou deux semaines. C'était plus sage ainsi.

— Pourquoi veut-elle venir aussi ? ne put s'empêcher de demander Ophélie, tenaillée par une sourde appréhension.

— Dieu seul le sait. C'est peut-être juste pour me contrarier, ajouta-t-il en riant.

L'entendre sangloter au téléphone l'avait retourné non parce qu'il éprouvait de la compassion mais plutô parce qu'il s'était souvenu à quel point elle l'avait rend malheureux, toutes ces années. Il n'avait aucune idée d ce qui semblait inquiéter Ophélie. Elle n'avait absolu ment rien à craindre de Sally, celle-ci ne représentait e aucun cas une menace pour leur relation naissante.

Le reste de la semaine s'avéra mouvementé pou chacun d'eux.

A l'approche des fêtes de fin d'année, l'ambiance s dégradait considérablement dans les quartiers pauvres On rencontrait davantage de drogués et d'ivrognes, d pauvres gens qui venaient de perdre leur emploi. Pou couronner le tout, le froid se faisait plus mordant. Ophé lie et ses compagnons découvrirent quatre cadavres dan les abris en carton. Plus que jamais, leur mission se révé lait à la fois nécessaire et moralement éprouvante.

Matt rendit visite à son fils sur le campus de Stanfor et parla plusieurs fois à Vanessa au téléphone. Bizarre ment, alors qu'elle devait avoir des tas de détails à régler Sally trouva le temps de l'appeler régulièrement. Mat n'appréciait guère ses coups de fil à répétition. Il n'ava aucune envie de lui servir de confident, et il confia sor agacement à Ophélie lors d'une de leurs nombreuse conversations téléphoniques.

Ils savourèrent enfin un moment de paix lors d'un dimanche après-midi ensoleillé qu'ils passèrent ensembl à la plage. Robert ne put les rejoindre, trop absorbé pa ses dernières révisions. Dans moins de deux semaines on fêterait Noël.

Heureux de se retrouver, Matt, Ophélie et Pip allèren marcher sur la plage. Matt leur parla de la maison qu'i avait louée à Tahoe, du jour de Noël jusqu'au 2 janvier Robert irait skier avec lui et il espérait que Vanessa sera là, elle aussi.

— Sally a-t-elle toujours l'intention de venir ? demand Ophélie d'un ton faussement détaché.

Elle était la première surprise par le mélange d'angoisse et de contrariété qui la submergeait chaque fois qu'elle songeait à l'ex-femme de Matt. Elle avait beau essayer de se raisonner – c'était de la paranoïa caractérisée ; Matt ne semblait pas le moins du monde intéressé par Sally... –, c'était plus fort qu'elle, elle n'y pouvait rien. Et puis, on voyait tant de choses abracadabrantes... comme son mari qui avait fait un bébé à sa meilleure amie, par exemple. Au fond, tout était possible...

— Je n'en sais rien, répondit Matt. Et je m'en moque complètement. Je demanderai à quelqu'un de conduire Vanessa à Tahoe si elle vient. Je n'ai aucune envie de voir Sally.

Il marqua une pause et se tourna vers Ophélie, rassurée par ses propos.

— En revanche, ça me ferait un plaisir immense de vous avoir avec nous, toutes les deux. Qu'avez-vous prévu pour Noël ?

Ophélie secoua la tête. A n'en pas douter, les fêtes seraient encore plus éprouvantes que l'année précédente.

— Je ne sais pas encore. Notre famille rapetisse d'année en année. Nous avions passé Noël avec Andrea, l'an dernier.

Andrea qui était alors enceinte de cinq mois. Ce souvenir la fit frémir. Dire que sa soi-disant meilleure amie portait alors le bébé de Ted et qu'elle n'en savait rien, elle, pauvre idiote ! Quelle odieuse mascarade !

— Je crois que nous allons le passer tranquillement, Pip et moi, reprit-elle, ce sera mieux comme ça. Mais j'aimerais beaucoup vous rejoindre à Tahoe, le lendemain de Noël.

Matt hocha la tête. Il savait à quel point les fêtes avaient un goût doux-amer pour Ophélie, avec tous ces souvenirs qui, bien que douloureux, méritaient qu'on les honore.

— Je crois que ça nous fera du bien d'avoir des projets pour le lendemain.

Elle se tourna vers lui et lui sourit. Comme Pip était loin devant eux, Matt ne résista pas à l'envie de l'embrasser. Une décharge électrique le parcourut aussitôt et il dut faire un effort pour refouler le désir brûlant qu'il ressentait pour elle. Il s'était passé tant de choses au cours de ces dernières semaines, il ne voulait surtout pas lui faire peur. Prudence et douceur étaient les maîtres mots de leur relation. L'idée de s'engager durablement effrayait encore Ophélie, il en était conscient ; était-ce vraiment ce qu'elle désirait ? Serait-elle capable de vivre une autre relation amoureuse ? Toutes ces questions restaient encore sans réponse. Ils avaient échangé quelques baisers, rien de plus, et Matt était disposé à attendre le temps qu'il faudrait, même si les sentiments qu'il éprouvait pour elle le plongeaient dans un état de fébrilité extraordinaire. Malgré les derniers chocs qu'elle avait subis, il sentait poindre en elle l'étincelle du désir. Le temps jouait en leur faveur. Au fil des jours, ils se sentaient plus proches, plus intimes.

Quand Pip les rejoignit, Ophélie lui parla de leur éventuel séjour à Tahoe. Evidemment, l'idée l'enchanta. L'après-midi s'écoula paisiblement et lorsqu'il fut temps pour elles de prendre congé, Ophélie se déclara prête à rejoindre Matt et ses enfants le lendemain de Noël. Avant qu'elle parte, son ami tenta de lui arracher une autre promesse.

— Je ne veux qu'une chose pour Noël, commença-t-il d'une voix empreinte de gravité.

Ils étaient assis près du feu, au salon. Ophélie posa sur lui un regard mutin. Elle avait déjà trouvé le cadeau de Pip et comptait chercher celui de Matt dans la semaine.

— Qu'est-ce que c'est ? demanda-t-elle en souriant.

— J'aimerais que tu arrêtes de travailler avec l'équipe de nuit du centre.

Ophélie poussa un soupir. Matt occupait une place grandissante dans sa vie ; elle appréciait sa délicatesse, sa patience, la compréhension infinie dont il faisait preuve à son égard. Jamais il n'exigeait d'elle des réponses ou des promesses. Jamais il ne la harcelait... sauf sur ce sujet précis.

— Tu sais bien que c'est impossible, Matt, répondit-elle, l'air contrit. C'est trop important pour moi... et pour eux aussi. J'aime ce que je fais. Sans compter qu'il est extrêmement difficile de recruter de nouveaux membres au sein de l'équipe de nuit.

— Tu sais pourquoi, j'imagine ? répliqua Matt, l'air sombre. Parce que la plupart des gens tiennent trop à la vie pour s'aventurer dans une pareille folie !

Il avait déjà parlé avec elle des envies suicidaires dont elle serait la victime inconsciente... Quelles que fussent ses vraies motivations, il ne lâcherait pas prise et ne reculerait devant rien pour la faire changer d'avis. Il ne voyait aucun inconvénient à ce qu'elle continue à travailler au centre dans la journée. Mais il ne voulait pas qu'elle sillonne les rues en pleine nuit. Ce n'était pas parce qu'il ne respectait pas ses idées altruistes, au contraire. C'était pour la sauver d'elle-même.

— Ophélie, je suis très sérieux, tu sais. Je veux que tu arrêtes cette activité. Il en va de votre bonheur à toutes les deux. Si ces gens sont assez fous pour prendre de tels risques, c'est leur droit. Tu trouveras bien d'autres manières de porter secours aux sans-abri. C'est pour toi que je me permets d'insister, Ophélie.

— L'équipe de nuit est irremplaçable, objecta-t-elle avec fermeté. Nous allons à la rencontre de tous ces pauvres gens qui n'ont plus la force de venir jusqu'à nous. Sans nous, ils seraient encore plus nombreux à périr dans la rue.

Une fois de plus, chacun campait sur ses positions, farouchement résolu à convaincre l'autre. Comme Matt secouait la tête, elle reprit la parole.

321

— Ce ne sont pas des mauvais bougres, Matt, ce son
juste des êtres brisés, misérables, qui ont désespérémen
besoin qu'on les aide. Il y a de tout, dans la rue : des gosses, des vieillards... Je ne peux pas les abandonner comme
ça. Si je ne m'investis pas, qui le fera à ma place ? Désolée
Matt, mais je me sens responsable envers eux. A part ça
que voudrais-tu pour Noël ? enchaîna-t-elle, désireuse de
changer de sujet.

Matt secoua de nouveau la tête.

— C'était tout ce que je souhaitais. Et si tu n'accèdes
pas à ma demande, le père Noël mettra du charbon dans
ta chaussette... ou des crottes de renne !

Ophélie rit de bon cœur, heureuse de la diversion. Elle
ignorait que Matt avait emballé son cadeau depuis un
petit bout de temps déjà. Il espérait de tout cœur qu'il lu
plairait. Et avec sa permission, il avait acheté à Pip un
magnifique vélo qu'elle pourrait utiliser au parc, en ville
et à la plage quand elle lui rendrait visite. En attendan
Noël, il l'avait remisé au garage, après l'avoir soigneusement recouvert d'un drap. C'était typiquement le genre
de cadeau qu'un père offrait à sa fille, et cette idée le
réjouissait. De son côté, Ophélie avait déjà écumé les
boutiques à la recherche de vêtements et de jeux de
société. A douze ans, Pip traversait une période transi-
toire délicate ; elle délaissait tout juste ses jouets de
petite fille et commençait à peine à apprécier les cadeaux
réservés aux adolescentes.

La semaine précédant Noël, Matt eut la mauvaise surprise de recevoir un coup de fil de Sally, qui lui annonçait qu'elle arrivait le lendemain en compagnie de
Vanessa et de ses deux cadets. Elle avait réservé des
chambres au Ritz. Les quatre autres enfants d'Hamish
passaient les fêtes de fin d'année avec leur mère, aussi
avait-elle décidé de venir à San Francisco, « pour te
voir », expliqua-t-elle d'un ton désinvolte qui ne fi
qu'attiser son irritation. S'il se réjouissait de la venue de
Vanessa – il avait tellement hâte de la voir enfin ! –, Matt

n'avait aucune envie de croiser son ex-épouse. Aussitôt après avoir raccroché, il appela Ophélie pour lui faire part de son amertume. Cette dernière s'apprêtait à partir au centre pour une nouvelle expédition nocturne.

— Elle m'annonce ça comme si de rien n'était, c'est tout de même incroyable ! s'insurgea-t-il, profondément contrarié. Moi, c'est Vanessa que je veux voir, pas elle ! La bonne nouvelle, c'est qu'elle vient à Tahoe avec nous. Vanessa, pas Sally, s'empressa-t-il de préciser.

La nouvelle décontenança Ophélie. Elle était beaucoup trop attachée à Matt pour ne pas se sentir menacée par le spectre de son ex-femme. Et s'il retombait amoureux d'elle ? Il l'avait aimée dans le passé. Malgré tout le mal qu'elle lui avait fait, ses sentiments renaîtraient peut-être lorsqu'il la verrait. Car malgré ses réticences, il la verrait, inévitablement. Les hommes étaient tellement naïfs dans ce domaine ! Vu la détermination de Sally, il semblait évident qu'elle concoctait quelque chose. Avec tact, Ophélie s'efforça de le mettre en garde.

— Sally ? Tenter de me séduire ? N'aie aucune crainte, Ophélie, cela fait belle lurette qu'il n'y a plus rien entre nous, répliqua Matt avec une pointe d'amusement dans la voix. La pauvre s'ennuie, elle cherche à tuer le temps, c'est tout. Elle ne sait toujours pas ce qu'elle va faire de son agence. Non, vraiment, Ophélie, tu n'as absolument aucun souci à te faire. C'est du passé, tout ça. C'est terminé.

— Tout est possible, tu sais, répliqua-t-elle, peu rassurée.

— Pas avec moi. Cela fait dix ans que nous avons divorcé. Et c'est elle qui m'a quitté, souviens-toi, pour se jeter dans les bras d'un type plus riche, plus ambitieux.

— Et maintenant, il n'est plus là, et elle a hérité de sa fortune ; elle se sent seule, l'avenir lui fait peur. Crois-moi, Matt, elle mijote quelque chose.

Matt continua à protester farouchement... jusqu'au jour où Sally l'appela du Ritz, où elle venait à peine d'arriver. D'une voix douce, elle l'invita à venir prendre le thé avec elle. Epuisée par le voyage, elle brûlait néan-moins d'envie de le voir. Il en fut si surpris qu'il ne sut que dire.

Aussitôt, les avertissements d'Ophélie résonnèrent dans son esprit, mais il les balaya bien vite. Sally essayait juste de se montrer gentille, en souvenir du bon vieux temps. Car s'il n'oubliait pas qu'elle lui avait volé ses enfants, il ne pouvait s'empêcher de réagir instinctive-ment à ses intonations langoureuses. Ces réflexes de Pavlov l'irritaient au plus haut point. Elle agissait ainsi à dessein, juste pour voir si elle pouvait encore tirer les vieilles ficelles.

— Où est Nessie ? demanda-t-il d'un ton sec, furieux contre lui et contre Sally.

— Elle est ici, avec moi. Elle est fatiguée, elle aussi.

— Dis-lui qu'elle se reposera plus tard. Je l'attendrai dans le hall de l'hôtel dans une heure.

Sally promit de transmettre le message. Impatient de retrouver sa fille, il faillit lui raccrocher au nez.

Après une douche rapide, il se rasa, revêtit un pan-talon à pinces gris, une chemise et un blazer, et se mit en route. A l'heure dite, il pénétra dans le hall du Ritz-Carlton et promena autour de lui un regard anxieux. Et s'il ne la reconnaissait pas ? Et si... Soudain, il l'aperçut au fond du hall, telle une jeune biche, avec le même visage de petite fille encadré de longs cheveux blonds sur une silhouette de femme. Ils se jetèrent dans les bras l'un de l'autre, en pleurs. Enfouissant son visage dans le cou de son père, Vanessa l'embrassa, tandis qu'il la serrait contre lui. La cruauté de leur trop longue séparation transparaissait dans leur étreinte. Matt aurait voulu la garder pour toujours dans ses bras. Au prix d'un effort, il la libéra et l'enveloppa d'un regard plein d'amour. Les yeux dans les yeux, sub-mergés par les mêmes émotions, ils rirent entre leurs larmes.

— Oh, papa... Tu n'as pas changé, tu es exactement comme dans mon souvenir, murmura-t-elle d'une voix étranglée.

Matt la dévorait des yeux, émerveillé par sa beauté. Tous les sentiments qu'il s'était efforcé d'étouffer pendant ces six longues années d'absence inondèrent son cœur. Il vivait des instants mémorables, un moment de pure félicité.

— Toi, en tout cas, tu as drôlement changé ! Waouh, je n'en reviens pas ! s'écria-t-il en riant.

Elle avait hérité de sa mère une silhouette élancée, sculpturale. Elégamment vêtue d'une courte robe anthracite, chaussée d'escarpins à talons, elle arborait un maquillage discret et raffiné. Deux minuscules diamants brillaient à ses oreilles – probablement un cadeau d'Hamish. Matt savait qu'il s'était toujours montré généreux avec ses enfants.

— Que veux-tu faire ? Veux-tu que nous prenions le thé ici ou préfères-tu que nous sortions en ville ?

Vanessa hésita. Tout à coup, Matt les aperçut, de l'autre côté du hall : Sally d'abord, puis les deux garçonnets et une autre femme qui ressemblait à une nourrice. Les années avaient été clémentes pour Sally, qui n'avait rien perdu de sa beauté, bien qu'elle fût légèrement plus enveloppée qu'autrefois. Les deux petits garçons étaient très mignons. Ainsi, ç'avait été plus fort qu'elle : au lieu de le laisser seul avec Vanessa après toutes ces années de séparation, il avait fallu qu'elle s'immisce dans leurs retrouvailles ; c'était exactement ce qu'il redoutait. Son visage s'assombrit quand il la vit approcher. Quant à Vanessa, elle foudroya sa mère du regard. Sally portait une courte robe noire à la coupe impeccable sous un manteau de vison. Des escarpins d'une délicatesse toute féminine complétaient sa tenue. Les diamants qui pendaient à ses oreilles étaient beaucoup plus gros que ceux de Vanessa – encore un cadeau de son défunt mari, à n'en pas douter...

— Excuse-moi, Matt, j'espère que tu ne m'en veux pas... mais je n'ai pas pu résister. Et puis, je voulais te présenter les garçons.

Ravalant à grand-peine son irritation, Matt salua les garçonnets, leur ébouriffa gentiment les cheveux et adressa un signe de tête poli à leur nourrice. Après tout, ils n'étaient pas responsables de l'intrusion de leur mère. Puis il se tourna vers Sally avec la ferme intention de mettre les choses au point.

— Vanessa et moi aimerions passer un peu de temps en tête à tête, si ce n'est pas trop te demander. Nous avons beaucoup de choses à nous raconter, tous les deux, après toutes ces années perdues.

— Bien sûr, je comprends, répliqua Sally d'un ton dégagé.

Mais non, elle ne comprenait rien, justement... Les aspirations et les sentiments des autres n'avaient jamais compté pour elle – et ceux de Matt encore moins. Elle ne remarquait même pas la colère évidente de Vanessa. La jeune fille n'avait pas encore pardonné à sa mère de les avoir délibérément séparés de leur père.

— J'ai promis aux garçons de les emmener voir le père Noël chez Macy's et nous irons peut-être jeter un coup d'œil aux jouets chez Schwarz au retour. Que dirais-tu de venir dîner avec nous demain soir, Matt ? Si tu es libre, bien sûr... ajouta-t-elle en le gratifiant d'un de ces sourires éblouissants qui le faisaient fondre au début de leur idylle.

Mais plus maintenant. Il savait que ce sourire masquait une hyène et il s'était fait mordre trop profondément pour retomber dans le piège. Toutefois, Sally était une merveilleuse comédienne. N'importe quel observateur l'aurait trouvée absolument charmante et sympathique. Matt, lui, la connaissait trop bien pour se laisser duper.

— Je vais y réfléchir, répondit-il vaguement avant d'entraîner Vanessa vers le salon de thé de l'hôtel.

Quelques minutes plus tard, il vit Sally, ses deux fils et la nourrice monter dans une limousine qui les attendait devant l'hôtel. Elle était à la tête d'une fortune colossale désormais. Mais Matt était parfaitement hermétique à son charme. Car si elle possédait tout ce dont on pouvait rêver – la beauté, l'intelligence, l'élégance, le talent, la richesse –, une chose, pourtant essentielle, lui faisait cruellement défaut : elle n'avait pas de cœur.

— Je suis vraiment désolée pour tout ça, papa, déclara Vanessa lorsqu'ils furent installés.

Elle comprenait la réaction de son père et admirait son tact et sa diplomatie. Robert et elle avaient longuement parlé de ce qui s'était passé ; contrairement à son frère, qui trouvait des excuses à sa mère, arguant qu'elle n'était pas consciente des conséquences de ses actes, Vanessa refusait de pardonner. Pire : elle haïssait sa mère avec toute la fougue d'une jeune fille de seize ans et ne s'en cachait pas.

— Je la déteste, maugréa-t-elle en baissant les yeux.

Matt s'abstint de tout commentaire. Il ne voulait en aucun cas alimenter la rancœur de ses enfants. De toute façon, ils étaient assez grands pour se forger leur propre opinion, et les choses avaient le mérite d'être claires, après six années de mensonges et de mascarade. Six années, presque la moitié de leur existence de jeunes adultes... Ils n'avaient plus qu'une envie : rattraper le temps perdu !

— Tu n'es pas obligé de dîner avec elle demain soir, tu sais, reprit Vanessa avec sagesse. Moi, tout ce que je veux, c'est passer du temps avec toi.

Matt esquissa un sourire.

— Moi aussi, chérie. Si je n'ai pas envie de batailler avec ta mère, je n'ai pas non plus l'intention d'en faire une amie.

— Je comprends, papa.

Ils bavardèrent trois heures durant dans le salon de thé du Ritz. Après être revenu sur les raisons de son pseudosilence, Matt bombarda sa fille de questions. Il voulait tout savoir d'elle : qui étaient ses amis, aimait-elle le lycée, à quoi ressemblait sa vie de tous les jours, quels étaient ses rêves les plus fous... Sa présence lui donnait des ailes. Un sentiment de joie et de soulagement l'envahit lorsqu'il apprit que Vanessa et Robert passeraient Noël avec lui à Tahoe sans Sally, celle-ci ayant prévu de rejoindre des amis à New York avec ses deux autres enfants. Déboussolée, elle cherchait manifestement à occuper son temps, coûte que coûte. Ne l'eût-il méprisée autant, Matt aurait peut-être été pris de compassion pour elle.

Nullement découragée par son accueil glacial, Sally l'appela le lendemain soir pour tenter de le convaincre d'accepter son invitation à dîner. Mais Matt déclina une fois de plus sa proposition, avant d'orienter habilement la conversation sur leur fille, sur laquelle il ne tarissait pas d'éloges.

— Tu l'as merveilleusement bien élevée, fit-il observer, bon prince. Elle est parfaite.

— Je n'ai pas à m'en plaindre, en effet, admit Sally.

Elle lui confia ensuite qu'elle restait encore quatre jours à San Francisco, puis enchaîna avec le plus grand naturel :

— Et toi, Matt ? Comment vas-tu ? Que deviens-tu ?

— Tout va bien, merci, éluda-t-il, peu désireux de parler de lui. Je suis sincèrement désolé pour Hamish. Comptes-tu déménager ou vas-tu rester à Auckland ?

— Je ne sais pas encore. J'ai décidé de vendre l'agence. Je suis fatiguée, tu comprends. Il est temps pour moi de faire une pause et de sentir le doux parfum des roses.

Quelle idée poétique ! Connaissant Sally, malheureusement, elle aurait plutôt tendance à les piétiner puis à jeter au feu leurs pétales veloutés !

— Ce serait une bonne chose, en effet, répondit-il simplement, résolu à garder ses distances.

— Tu peins toujours, n'est-ce pas ? Tu avais un tel talent ! ajouta-t-elle d'un ton suave.

Après avoir hésité un bref instant, elle reprit d'une voix enfantine teintée de tristesse, une voix que Matt avait presque oubliée, celle qu'elle prenait pour obtenir ce qu'elle désirait :

— Matt... Pourquoi ne veux-tu pas dîner avec moi ce soir ? Je n'attends rien de toi, tu sais. J'aimerais simplement que nous enterrions la hache de guerre.

Matt réprima un rire désabusé. Cette hache, elle l'avait plantée dans son dos, des années plus tôt, et elle s'y trouvait encore, toute rouillée, le faisant toujours souffrir.

— Ce n'est pas une mauvaise idée, mentit-il, en proie à une soudaine lassitude. Mais je n'ai pas envie de dîner avec toi. A vrai dire, je n'en vois pas l'utilité. Nous n'avons plus grand-chose à nous dire, tous les deux.

— Je pourrais peut-être te présenter des excuses... Je te dois bien ça, non ?

Sa voix douce, empreinte d'une soudaine vulnérabilité, lui déchira le cœur. Il aurait voulu la supplier d'arrêter tout de suite. C'était tellement facile de se remémorer tout ce qu'elle avait été pour lui... et à la fois tellement douloureux ! Il devait à tout prix faire attention, son équilibre en dépendait.

— Tu ne me dois rien du tout, Sally.

Malgré le temps, ils étaient restés les mêmes, et tous deux gardaient à l'esprit les bons comme les mauvais moments.

— C'est fini, tout ça.

— J'aimerais juste te voir, insista-t-elle. On pourrait peut-être devenir amis.

— Pourquoi ? Tu n'en manques pas, me semble-t-il. Nous n'avons plus rien à faire ensemble.

— Et les enfants, dans tout ça ? Ne crois-tu pas qu'il serait bon pour eux que leurs parents restent en contact ?

Matt n'en crut pas ses oreilles. Ça ne l'avait pas tracassée durant les six dernières années. Alors pourquoi maintenant ? Cela devait correspondre à ce qu'elle avait en tête. Et quoi que ce fût, Matt savait que ça la servirait, elle, mais sûrement pas lui. Son égocentrisme foncier la guidait toujours. Elle n'agissait qu'en fonction de ce qui était bon pour elle, et uniquement pour elle.

— Je n'en sais rien... Franchement, je n'en vois pas l'utilité, répondit-il simplement.

— C'est une question de pardon, d'humanité, de compassion. Nous avons été mariés pendant quinze ans. Pourquoi ne serions-nous pas amis ?

— Dois-je te rappeler que c'est toi qui m'as quitté pour épouser l'un de mes meilleurs amis, toi qui es partie vivre à des milliers de kilomètres en emmenant nos enfants, toi qui m'as empêché de les voir et de leur parler pendant six ans ? Crois-moi, Sally, ça fait beaucoup de choses à avaler, même entre amis, comme tu dis ! C'est ça, pour toi, l'amitié ?

— Je sais, Matt... je sais... j'ai commis des erreurs impardonnables. Si ça peut te consoler, enchaîna-t-elle sur le ton de la confidence, Hamish et moi n'avons jamais été très heureux ensemble. Notre mariage était loin d'être idyllique.

Matt tressaillit.

— Tu m'en vois désolé. Pour ma part, j'ai toujours eu l'impression que tout allait bien entre vous. Il me semble qu'il se montrait très généreux avec toi et les enfants.

— Ça, je ne peux pas dire le contraire. Mais il n'y a jamais eu... l'étincelle, comme avec toi. C'était un fêtard, tu sais... il buvait comme un trou ; c'est d'ailleurs ce qui l'a tué, conclut-elle d'un ton dénué d'émotion. Pour couronner le tout, notre vie sexuelle ressemblait à un vaste désert.

— Sally, je t'en prie ! Je n'ai aucune envie d'entendre ça, la rabroua Matt.

— Excuse-moi, Matt, j'avais oublié à quel point tu étais coincé, susurra-t-elle, espiègle.

330

Matt détestait aborder des sujets aussi intimes en public, elle le savait, alors même qu'il avait été un amant fabuleux. Comme il lui avait manqué ! Hamish, pour sa part, perdait rarement une occasion de raconter des blagues grivoises et lorgnait sans vergogne les poitrines plantureuses et les fesses rebondies ; mais quand il s'agissait de passer à l'acte, il préférait mille fois aller se coucher seul devant un film porno, une bonne bouteille sous le bras.

— Arrête un peu, tu veux ? On ne peut pas revenir en arrière, Sally. Nous deux, c'est du passé. C'est terminé.

— Je ne suis pas d'accord, objecta Sally. Ce n'est pas fini, tu le sais aussi bien que moi.

Même après dix ans, elle savait encore toucher ses points sensibles, c'était affolant ! Tel un requin à l'affût, elle sentait d'instinct ses faiblesses et comptait bien les utiliser.

— Je me moque de ce que tu penses. C'est fini, un point c'est tout, maugréa-t-il.

La voix rauque de Matt fit courir sur la peau de Sally mille frissons délicieux. Elle ne l'avait jamais oublié. Elle l'avait écarté de sa vie, sur un coup de tête, mais il était resté présent tout au fond de son être, ancré en elle. Bien vivant.

— Accepte au moins de prendre un verre avec moi, bon sang ! C'est ridicule, à la fin, pourquoi refuses-tu de me rencontrer ?

Parce qu'il ne voulait plus souffrir, tout simplement. Et il s'en voulait terriblement de ressentir pour elle cette même attirance, aussi irrésistible qu'effrayante.

— Je t'ai vue hier, à l'hôtel.

— C'est faux. Tu as vu la veuve d'Hamish, ses deux enfants et ta fille.

— C'est bien ce que tu es, non ? répliqua-t-il en fermant les yeux, écartelé entre des émotions contradictoires.

— Non, justement. Pas pour toi, Matt.

Un silence lourd de sous-entendus retomba entre eux. Matt étouffa un grognement. Elle le rendait fou, elle avait toujours eu cet effet sur lui. Même après leur divorce. Elle connaissait ses cordes sensibles, savait lui mettre les nerfs à vif et prenait un malin plaisir à le manipuler.

— Bon... d'accord. Une demi-heure, pas une minute de plus, abdiqua-t-il d'une voix blanche. On se voit, on enterre la hache de guerre, on se déclare amis et ensuite, tu disparais de ma vie avant de me rendre fou.

Voilà, elle avait gagné. Elle l'avait eu, comme d'habitude. C'était l'histoire de sa vie. Le purgatoire auquel elle l'avait condamné en partant.

— Merci, Matt, susurra-t-elle. Demain, 18 heures ? Je t'attendrai dans ma suite. Nous serons plus tranquilles pour discuter.

— A demain, fit Matt froidement, furieux de lui avoir cédé.

De son côté, Sally espérait qu'il n'annulerait pas leur rendez-vous d'ici là. Car elle savait qu'une demi-heure suffirait pour que tout bascule de nouveau... s'il venait la voir.

En reposant le combiné, Matt se fit la même réflexion.

24

Le lendemain, Matt se mit en route à 17 heures et arriva en ville avec un quart d'heure d'avance. Il arpenta le hall de l'hôtel d'un pas nerveux, avant de prendre l'ascenseur. A 18 heures précises, il se tenait devant la porte de la suite et appuyait sur la sonnette. Il aurait voulu être ailleurs. Pourtant, il devait à tout prix affronter Sally, une fois pour toutes. Pour son propre salut.

Elle ouvrit la porte, très élégante dans son strict tailleur noir. Des bas de soie gainaient ses jambes fuselées, mises en valeur par de fins escarpins en cuir. Sa longue chevelure blonde brillait autant que celle de sa fille. Sally était une femme extrêmement séduisante.

— Bonsoir, Matt, lança-t-elle en l'invitant à prendre place dans un fauteuil.

Elle lui proposa un martini. C'était son alcool préféré à une époque et, même s'il n'en avait pas bu depuis des années, il accepta.

Elle prépara deux verres puis vint s'asseoir sur le canapé en face de lui. Les premières minutes furent légèrement tendues, mais l'alcool les aida à surmonter leur embarras. Comme prévu, il ne leur fallut guère de temps pour ressentir de nouveau le fameux courant qui avait toujours passé entre eux. Sally, en tout cas, l'éprouva avec une intensité redoublée. Quant à Matt, il perçut des changements sensibles dans ses réactions vis-à-vis de son ex-épouse et en conçut aussitôt un vif soulagement.

— Pourquoi ne t'es-tu pas remarié ? demanda-t-elle en jouant distraitement avec les olives qui flottaient dans son verre.

— Tu m'en as fait passer l'envie, répondit-il d'un ton moqueur tout en admirant ses longues jambes, dévoilées par sa jupe courte. Je vis en ermite depuis dix ans. Un vrai moine... un artiste, si tu préfères, ajouta-t-il avec nonchalance.

Sally fronça les sourcils.

— Pourquoi as-tu choisi de mener une vie aussi austère ?

— Parce que c'est celle qui me convient. J'ai fait tout ce que j'avais envie de faire, j'ai prouvé tout ce que j'avais à prouver. J'habite au bord de la mer et je passe mes journées à peindre... quand je ne bavarde pas avec les enfants et les chiens perdus.

Un sourire naquit sur ses lèvres tandis qu'il pensait à Pip, puis à Ophélie – Ophélie qui, à sa manière, était mille fois plus belle que la femme qu'il avait devant lui. Elles étaient si différentes, toutes les deux ! Le jour et la nuit...

— Tu devrais sortir un peu de ta coquille, Matt, insista Sally. Tu n'as jamais songé à retourner à New York ?

Sally y pensait sérieusement, elle. Elle n'avait jamais aimé Auckland, ni la Nouvelle-Zélande. Désormais, elle était libre de vivre comme bon lui semblait.

— Pas une seule fois, répondit-il avec franchise.

Aussi fugitive fût-elle, sa pensée pour Ophélie l'avait aidé à se ressaisir, à reprendre ses distances.

— Alors peut-être Paris ou Londres ?

— Un jour, peut-être. Quand j'en aurai assez de vivre à Safe Harbour. Il n'est pas impossible que je m'exile en Europe, alors. Mais ce n'est pas pour tout de suite : Robert a encore quatre ans d'études à faire en Californie, il est hors de question que je m'en aille maintenant.

La veille, Vanessa lui avait confié qu'elle désirait s'inscrire à l'Université de Californie dans deux ans, ou peut-être même à Berkeley. Autant dire que Matt n'était pas près de quitter la région… Il avait tellement envie de profiter de ses enfants !

— Je suis tout de même surprise que tu ne t'ennuies pas, Matt. Tu aimais sortir et voir du monde, autrefois.

Directeur artistique d'une des plus grandes agences de publicité new-yorkaises, Matt affrétait alors des avions entiers, louait des villas et des yachts pour ses richissimes clients. Mais cela ne l'intéressait plus. Dans ce domaine aussi, il avait tourné la page.

— J'imagine que j'ai mûri. Ça nous arrive à tous, un jour ou l'autre.

— Mais l'âge ne semble pas avoir de prise sur toi, le flatta Sally, obligée de changer de tactique.

— Pourtant, je le sens. Mais merci du compliment. Toi non plus, tu n'as pas changé.

En réalité, elle était encore plus attirante. Les quelques kilos qu'elle avait pris lui seyaient à merveille, apportant à sa silhouette davantage de sensualité.

— Et toi, alors ? attaqua-t-il avant qu'elle reprenne la parole. Que comptes-tu faire, maintenant ?

— Je ne sais pas. J'essaie tant bien que mal d'y réfléchir. C'est encore tout récent.

Contrairement à Ophélie, que la disparition brutale de son mari avait totalement abattue, Sally ressemblait davantage à un détenu qu'on venait de libérer. Le jour et la nuit, vraiment…

— J'ai vaguement pensé retourner vivre à New York, reprit-elle en le regardant innocemment. Je sais que ça va te paraître fou, mais je me demandais si…

Elle plongea son regard dans le sien et ne termina pas sa phrase. C'était inutile, il la connaissait par cœur. Et c'était bien là le problème.

— Si ça ne me tenterait pas de partir avec toi, juste pour voir comment se passeraient les choses entre nous… On pourrait peut-être remonter le temps, oublier nos erreurs et tomber de nouveau amoureux, qui sait… ?

Ce serait pas mal, qu'en dis-tu ? compléta-t-il à sa place d'un ton rêveur, tandis qu'elle approuvait d'un petit signe de tête.

Matt l'avait comprise. Lui seul pouvait se targuer de lire dans ses pensées...

— Le problème, reprit-il d'une voix plus ferme, c'est que c'est exactement ce que j'ai souhaité pendant dix ans. Pas ouvertement, bien sûr. Ce n'était pas une torture quotidienne ; après tout, tu filais le parfait amour avec Hamish. Nous deux, c'était de l'histoire ancienne. Et aujourd'hui, Hamish n'est plus là, tu es libre de nouveau... et le plus drôle, Sally, c'est que je suis en train de réaliser que ce n'est plus ce que je veux, plus du tout. Tu es toujours aussi belle et si je buvais encore un ou deux martinis, il ne serait pas impossible que je te fasse l'amour passionnément... Et après ? Tu n'as pas changé, moi non plus... Ça n'a pas marché une fois, ça ne marcherait pas plus aujourd'hui. Tu t'ennuierais à mourir avec moi. Oh, bien sûr, tu continueras d'occuper une place spéciale dans mon cœur, mais je ne veux plus vivre avec toi. Le prix à payer est bien trop élevé. Je veux vivre avec une femme qui m'aime sincèrement. Je ne crois pas que tu aies éprouvé des sentiments profonds pour moi un jour. L'amour n'est pas un objet, un bien matériel qu'on négocie ; c'est un échange, un cadeau qu'on donne et qu'on reçoit... C'est ce cadeau que je veux ; je veux l'offrir et le recevoir...

Un sentiment de plénitude s'empara de lui au moment où il prononça ces paroles. Sally venait de lui offrir ce qu'il attendait depuis dix ans et il avait découvert qu'au fond ce n'était pas ce qu'il voulait. Un savoureux mélange de liberté, de déception et d'abandon, de triomphe et de paix l'envahit.

— Tu as toujours été d'un romantisme affligeant, rétorqua Sally sans chercher à cacher son agacement.

— Contrairement à toi, fit Matt en souriant. Il est peut-être là, le problème. J'ai toujours cru aux grands sentiments. Toi, tu n'écoutes que la voix de la raison. On enterre un type, on en exhume un autre. Sans parler de ce que tu as fait avec les enfants. Tu as bien failli me tuer, mais heureusement mon esprit est indemne et il flotte quelque part entre ciel et terre, enfin libre… C'est une sensation grisante, crois-moi…

— Tu es fou, Matt, dit-elle en riant. C'est ce qui me plaît chez toi. Dans ce cas, que dirais-tu d'une aventure ? enchaîna-t-elle sans transition.

Elle jouait là son va-tout. Matt fut pris d'un élan de pitié.

— Ce serait idiot et parfaitement inutile, tu ne trouves pas ? Ce serait le début des ennuis, si nous couchions ensemble. Imagine que je m'attache de nouveau à toi. Toi non, évidemment. Quelqu'un d'autre entre en scène et me voici relégué au rang de mouchoir qu'on jette à la poubelle sans l'ombre d'une hésitation. Désolé, Sally : pour avoir déjà vécu cette douloureuse expérience, ça ne me dit vraiment rien.

— Très bien. Que va-t-il se passer, alors ?

D'un geste rageur, elle se servit un autre martini – le troisième. Matt n'avait pas terminé le sien. Même sa boisson préférée n'avait plus le même goût.

— Nous allons faire exactement ce que tu avais dit, répondit-il d'un ton posé. Enterrer la hache de guerre, se considérer bons amis, se souhaiter bonne chance et se dire au revoir. Va t'installer à New York, amuse-toi, trouve-toi un autre mari, pars à Paris, Londres ou Palm Beach si tu préfères, veille bien sur tes enfants… Quant à nous, nous nous reverrons aux mariages de Robert et Vanessa.

Sally le fusilla du regard.

— Et toi, dans tout ça ? Tu comptes pourrir tranquillement dans ton coin perdu ?

— Peut-être. A moins que je ne m'enracine comme un vieil arbre robuste et que je savoure la vie auprès de ceux qui apprécient mon feuillage, sans songer un instant à me secouer dans tous les sens, encore moins à m'abattre. Tu sais, c'est parfois bon de mener une vie paisible.

Une idée parfaitement inconcevable pour Sally, qui aimait bouger, sortir, voir du monde... Elle secoua la tête.

— Pour l'amour de Dieu, Matt, tu es trop jeune pour vivre comme ça... Tu n'as que quarante-sept ans, bon sang ! Hamish en avait cinquante-deux et il avait l'énergie d'un jeune de vingt ans !

— Pour ce que ça lui a rapporté... Sans doute existe-t-il un juste milieu. Quoi qu'il en soit, nous ne partageons pas la même conception de la vie, Sally, autant se faire une raison. Je te ferais mourir d'ennui et toi, tu m'userais jusqu'à la corde. Un tableau peu réjouissant, tu en conviendras.

— Il y a quelqu'un d'autre, c'est ça ?

— Peut-être, mais ce n'est pas la question. Si j'étais vraiment amoureux de toi, je plaquerais tout pour te suivre à l'autre bout du monde s'il le fallait. Tu me connais, n'est-ce pas ? Je suis un incorrigible romantique. Le problème, c'est que je ne suis plus amoureux de toi. Je croyais l'être, pourtant, mais mes sentiments ont dû s'étioler sans même que je m'en aperçoive. J'aime nos enfants, nos souvenirs communs, et je continuerai à avoir de la tendresse pour toi. Mais je ne t'aime pas assez pour me lancer de nouveau dans l'aventure, Sally. Je ne te suivrai pas au bout du monde.

Sur ce, il se leva, s'approcha d'elle et déposa un léger baiser sur son front. Sans un mot, elle le regarda se diriger vers la porte. Elle n'esquissa pas le moindre geste pour le retenir. Elle le connaissait trop bien. Il pensait chacune des paroles qu'il venait de prononcer. Matt était ainsi : entier, sincère. Avant de partir, il se retourna et la regarda une dernière fois.

— Au revoir, Sally, murmura-t-il avec un immense soulagement. Bonne chance.

— Je te déteste, marmonna-t-elle, à moitié ivre, tandis que la porte se refermait derrière lui.

Pour Matt, le charme était rompu, enfin. Une page venait de se tourner.

25

Le 23 décembre, Matt dîna en compagnie de Pip et d'Ophélie. Elles avaient décoré un grand sapin et Ophélie avait insisté pour préparer une oie farcie, selon la tradition française. Pip détestait ce plat et elle mangerait un hamburger, mais Ophélie avait voulu un vrai Noël avec Matt, et elle ne lui avait jamais semblé aussi en forme.

Pris par leurs activités respectives, ils s'étaient à peine parlé au cours de la semaine écoulée. Matt avait passé sous silence sa visite à Sally ; pour une raison qu'il ne s'expliquait pas, il ne se sentait pas prêt à partager la conversation plutôt intime qu'ils avaient eue au Ritz. Une chose était sûre, en revanche : leur entrevue l'avait soulagé d'un poids immense et, bien qu'elle ignorât tout de ce qui s'était passé, Ophélie le sentit plus serein. Comme d'habitude, il se montra extraordinairement doux et attentionné avec elle.

Ils avaient prévu d'échanger leurs cadeaux ce soir-là. Excitée comme une puce, Pip ne put se résoudre à attendre la fin du repas. Elle offrit aussitôt le sien à Matt et insista pour qu'il l'ouvrît sur-le-champ.

— Je préférerais attendre le jour de Noël, protesta-t-il, taquin.

— Non ! Tu dois l'ouvrir maintenant ! s'écria la petite fille en sautillant et en battant des mains devant lui.

Matt s'exécuta de bonne grâce. Lorsqu'il déchira le papier d'emballage et découvrit son cadeau, il éclata de rire. C'était une paire de chaussons en peluche jaune d'or, représentant Toccata, l'oiseau géant de l'émission *Rue Sésame*.

— Je les adore ! déclara-t-il en étreignant Pip affectueusement.

Il enfila ses chaussons et les garda tout au long du repas.

— Ils sont magnifiques, fit-il. Toi et ta mère aurez intérêt à apporter Grover et Elmo à Tahoe, on les mettra tous ensemble !

Pip approuva en riant, ravie. Un peu plus tard, elle poussa un hurlement de joie en découvrant le beau vélo que lui avait offert Matt. Sans perdre un instant, elle l'enfourcha et fit le tour de la salle à manger puis du salon, manquant au passage de renverser le sapin de Noël. Surexcitée, elle demanda la permission de faire le tour du pâté de maisons pendant que sa mère mettait la dernière main au repas et disparut comme une flèche.

— Et toi, Ophélie ? fit Matt lorsqu'ils furent seuls. Es-tu prête à recevoir ton cadeau ?

Il était conscient que celui-ci était à double tranchant. Il pouvait très bien la contrarier, mais il y avait de fortes chances qu'il lui fasse un grand plaisir.

— Tu as une minute ?

Elle hocha la tête et ils prirent place au salon, pendant que Pip étrennait son nouveau vélo dans la rue. Matt était heureux d'être un peu seul avec elle. D'un air solennel, il lui tendit un grand paquet plat et rectangulaire.

— Qu'est-ce que c'est ? demanda Ophélie, intriguée.

— Ouvre, tu verras bien.

Elle déchira le papier cadeau et ouvrit la boîte cartonnée, dévoilant une double épaisseur de papier bulle qu'elle écarta avec précaution. Lorsque tous les emballages furent repoussés, elle retint son souffle. Les larmes embuèrent son regard. En proie à une vive émotion, elle porta la main à sa bouche et étouffa un petit cri. C'était Chad, et c'était tellement ressemblant ! Après lui avoir offert un portrait de Pip, Matt avait réalisé spécialement pour elle un portrait de son fils. La gorge nouée, elle se blottit contre lui, incapable de retenir ses larmes.

— Oh, mon Dieu, Matt... merci... merci du fond du cœur...

Son regard se posa sur le portrait. Pendant une fraction de seconde, elle eut l'impression que son fils se tenait devant elle, bien vivant, le visage fendu d'un sourire heureux. Il lui manquait tellement ! En même temps, le tableau adoucissait sa souffrance... c'était un grand bonheur.

— Comment as-tu fait ?

C'était tellement ressemblant, même le sourire était celui de Chad.

Avec un air de conspirateur, Matt plongea la main dans sa poche et lui tendit le cadre en argent qu'il avait subtilisé au salon, le soir où l'idée avait germé.

— Je suis désolé. Je souffre de cleptomanie.

Ophélie pouffa.

— Dire que je l'ai cherché partout ! Je me demandais bien ce qu'il était devenu... J'ai cru un moment que Pip l'avait pris, mais j'avais peur de la vexer en lui posant la question. C'était un vrai mystère, je t'assure !

Elle reposa le cadre sur la table où Matt l'avait pris.

— Matt, comment puis-je te remercier ?

— Chut. Je t'aime, Ophélie, je ne désire que ton bonheur.

Il s'apprêtait à en dire davantage mais au même instant Pip déboula dans la maison, suivie de Mousse qui courait derrière elle en aboyant.

— J'adore mon nouveau vélo ! s'exclama-t-elle.

Ophélie lui montra le portrait de Chad qui reposait sur ses genoux. Pip retrouva aussitôt son sérieux.

— C'est incroyable, on dirait qu'il est là, avec nous, murmura-t-elle en venant s'asseoir auprès de sa mère.

Ophélie prit sa main dans la sienne et elles admirèrent longuement le tableau, bouleversées. Matt aussi était ému. Ce moment de tendre complicité prit fin lorsqu'une odeur de brûlé leur parvint de la cuisine. Ophélie se leva d'un bond. L'oie semblait plus que cuite...

— Berk ! fit Pip lorsqu'ils passèrent à table un moment plus tard.

Indifférents à sa moue dégoûtée, Matt et Ophélie savourèrent l'oie, sauvée in extremis. Tous trois passèrent une merveilleuse soirée. Ophélie attendit que Pip aille se coucher pour offrir son cadeau à Matt. C'était un choix important pour elle, lourd de signification, et elle espérait de tout cœur que Matt l'apprécierait. Son vœu fut exaucé : lorsqu'il ouvrit l'écrin en cuir, l'émotion se peignit sur son visage. C'était une montre Breguet des années cinquante, qui avait appartenu à son père. Elle l'avait conservée précieusement dans l'espoir de l'offrir à Chad, un jour. A présent, c'était à Matt qu'elle avait envie de la donner. Ce dernier la mit aussitôt avec des gestes emplis de respect. Il semblait aussi touché qu'elle devant le portrait de Chad.

— Je ne sais pas quoi dire, murmura-t-il en admirant la montre de collection qui enserrait son poignet.

Il se pencha vers elle et prit ses lèvres.

— Je t'aime, Ophélie, ajouta-t-il à mi-voix.

Il avait toujours rêvé d'une relation comme celle qu'il était en train de vivre. Des liens solides se tissaient entre eux, doucement, sans brusquerie. Il se sentait prêt à tout pour elle et pour Pip. Ophélie était une femme exceptionnelle. Il avait une chance inouïe d'avoir croisé son chemin. Ils s'apportaient mutuellement tendresse, respect et sécurité. C'était comme si rien ne pouvait les atteindre dans le cocon solide et douillet qu'ils s'étaient fabriqué.

— Je t'aime aussi, Matt... Joyeux Noël, chuchota-t-elle avant de l'embrasser avec toute la passion qu'elle éprouvait pour lui.

342

Lorsqu'il prit congé ce soir-là, il portait la montre du père d'Ophélie ; couchée dans son lit, le visage éclairé d'un sourire, celle-ci se perdit dans la contemplation du portrait de Chad ; dans la chambre voisine, le beau vélo rouge reposait contre le lit de Pip, profondément endormie. Tous trois avaient goûté à la magie de Noël.

Le « vrai » réveillon de Noël s'avéra nettement moins joyeux pour Pip et Ophélie. Malgré leurs efforts, les absents hantèrent tristement la journée. En plus de l'absence douloureuse de Ted et Chad, celle d'Andrea se fit également sentir. Dans l'après-midi, Ophélie eut soudain envie de lever les mains au ciel et de leur crier de sortir, que le petit jeu avait assez duré. Mais non, il ne s'agissait pas d'une partie de cache-cache ; ils n'étaient plus là et ne reviendraient pas. En outre, les beaux souvenirs de son mariage avaient été irrémédiablement entachés par la trahison d'Andrea et la naissance du bébé.

Ce fut avec un soulagement à peine dissimulé qu'Ophélie et Pip virent la journée toucher à sa fin. Elles décidèrent de passer la nuit ensemble, uniquement réconfortées par l'idée de rejoindre Matt et ses enfants à Tahoe, le lendemain. Pip avait déjà rangé leurs chaussons Grover et Elmo au fond du sac de voyage. A 22 heures, elle dormait comme un bébé dans les bras de sa mère, qui mit plus de temps à trouver le sommeil.

Globalement, les fêtes s'étaient mieux déroulées que l'année précédente. Presque malgré elles, elles commençaient à s'habituer à l'idée qu'elles n'étaient plus que toutes les deux. Mais en même temps, c'était plus dur car elles prenaient conscience que ce changement était définitif. La vie de famille qu'elles avaient connue et chérie avait disparu pour de bon. Pip et Ophélie goûteraient de nouveau au bonheur, c'était plus que probable, mais ce ne serait plus jamais pareil.

Heureusement, la présence de Matt leur apportait un précieux réconfort. Andrea ne s'était pas manifestée, au grand soulagement d'Ophélie, qui l'avait définitivemen rayée de sa vie. Pip avait mentionné son nom une fois mais en voyant le visage de sa mère s'assombrir, elle avai compris que le sujet était désormais tabou et n'en avai plus jamais parlé.

Les pensées d'Ophélie se tournèrent naturellemen vers Matt. Il lui avait fait un merveilleux cadeau avec le portrait de Chad. Et il était tellement généreux avec Pip Sa gentillesse les comblait. Elle était en train de tombe amoureuse de lui, elle le sentait de jour en jour, tou comme l'attirance qu'elle éprouvait pour lui s'intensifiai au fil du temps. Pourtant, le doute subsistait encore dan son esprit. Serait-elle prête un jour à accueillir un autre homme dans son cœur ? Elle l'ignorait. Ce n'était plus l'amour qu'elle avait porté à Ted qui posait problème Depuis ce qu'elle avait découvert le jour de Thanksgiving, elle ne croyait plus à l'amour en général. Dans son esprit, il était lié à trop de déceptions et de souffrances et elle n'avait pas envie de revivre tout ça, même s l'immense tendresse et le profond respect de Matt lu réchauffaient le cœur. C'était un humain, après tout, elle avait vu ce que les êtres humains sont capables de se faire subir, au nom de l'amour. Ophélie n'était pas sûre de pouvoir encore accorder sa confiance à un homme – pas même à Matt – et cette crainte la rongeait. Matt méritai mieux qu'une femme indécise, après ce qu'il avait vécu avec Sally.

Le sommeil la terrassa enfin, et Pip et elle se levèren d'excellente humeur le lendemain matin. Elles se miren en route sans tarder. Ophélie avait emporté des chaînes au cas où il neigerait en chemin. Mais les routes étaien parfaitement dégagées jusqu'à Truckee et, grâce aux indications de Matt, elle atteignit sans encombre la Squaw Valley où il avait loué une superbe maison de cinq chambres.

Vanessa et Robert étaient partis skier lorsqu'elles arrivèrent. Matt les attendait au salon où un beau feu crépiait dans la cheminée. Du chocolat chaud et une assiette de sandwichs reposaient sur la table basse. Vêtu d'un pantalon de ski noir et d'un gros pull en laine gris chiné, il était plus séduisant que jamais et Ophélie fut un instant désarçonnée par le désir qui monta en elle lorsqu'elle le vit. Il était encore temps de rebrousser chemin... Matt serait déçu, certes, mais ne valait-il pas mieux prendre les choses en main tout de suite plutôt que de s'exposer à d'inévitables souffrances futures ? En même temps, l'idée de s'abandonner dans ses bras n'était pas pour lui déplaire, bien au contraire... En réalité, il était déjà trop tard ; elle ne pouvait plus concevoir la vie sans lui. Et malgré son angoisse, elle savait qu'elle l'aimait.

— Vous n'avez pas oublié vos chaussons magiques, j'espère... ? lança Matt en adressant un clin d'œil complice à Pip.

Celle-ci secoua la tête en riant.

— Super ! Parce que j'ai pris les miens aussi.

Pris d'un fou rire, ils enfilèrent leurs énormes chaussons en peluche et s'assirent devant la cheminée. Une douce musique d'ambiance emplissait la pièce. Une heure plus tard, Vanessa et Robert arrivèrent. Vanessa se prit aussitôt d'affection pour Pip, éprouvant pour Ophélie une admiration teintée de respect. La mère de Pip dégageait une douceur et une gentillesse qui la séduisirent sur-le-champ. Elle confia ses premières impressions à son père en l'aidant à préparer le dîner, alors que Pip et Ophélie étaient en train de ranger leurs affaires dans leurs chambres.

— Je comprends mieux pourquoi tu l'apprécies autant, papa. Elle est vraiment très gentille. Et puis, elle a l'air si triste, parfois... même quand elle sourit. On a envie de la prendre dans ses bras pour la consoler.

Matt hocha la tête d'un air rêveur. C'était exactement ce qu'il ressentait.

— Quant à Pip, elle est tout simplement adorable !

Les deux filles sympathisèrent rapidement, au point que Vanessa invita Pip à venir dormir dans sa chambre pour la plus grande joie de la fillette. En enfilant son pyjama, elle confia à sa mère combien, Vanessa était « fabuleuse, super belle et vraiment trop cool » ! Après que les jeunes soient allés se coucher, Ophélie et Matt s'installèrent devant la cheminée et discutèrent pendant des heures, jusqu'à ce qu'il ne reste dans l'âtre que quelques braises rougeoyantes. Ils parlèrent d'art et de musique, de politique française, de leurs enfants, de la passion de Matt pour la peinture et de leurs rêves. Ils évoquèrent les personnes qui avaient marqué leur vie, se souvinrent des animaux de compagnie qu'ils avaient eus étant enfants. Avides de tout savoir l'un sur l'autre, ils se dévoilèrent avec bonheur dans une ambiance détendue. Avant de gagner chacun leur chambre, Matt l'embrassa longuement. Aucun d'eux ne semblait pressé de se séparer. Tout ce qu'ils avaient échangé au cours de la soirée renforçait encore leur désir d'être ensemble.

Le lendemain matin, ils quittèrent le chalet tous les cinq et se dirigèrent vers les télésièges. Robert devait retrouver des amis de l'université qu'il avait croisés la veille ; Vanessa prit Pip sous son aile et Matt proposa à Ophélie de skier avec elle.

— Je ne voudrais surtout pas te retenir, dit-elle timidement.

Elle portait une élégante combinaison de ski noire qu'elle avait depuis des années et une grosse toque en fourrure qui apportait à l'ensemble une note raffinée. Ses talents de skieuse n'égalaient pas l'élégance de sa tenue, plaisanta-t-elle lorsque Matt la complimenta.

— Ne t'inquiète pas, la rassura-t-il, cela fait cinq ans que je n'ai pas skié... C'est surtout pour les enfants que j'ai loué le chalet. Je t'en prie, Ophélie, tu me rendrais service en acceptant de skier avec moi. Il n'est pas impossible que tu sois obligée de venir à mon secours au beau milieu d'une piste !

346

Au grand soulagement d'Ophélie, Matt et elle possédaient à peu près le même niveau, et ils passèrent une agréable matinée sur les pistes. A l'heure du déjeuner, ils s'arrêtèrent au restaurant ; les enfants ne tardèrent pas à les rejoindre, les joues rougies par le froid, rayonnants. Pip s'était « amusée comme une folle », déclara-t-elle en ôtant ses gants et son bonnet. Vanessa semblait également heureuse de sa matinée. Elle avait repéré des garçons qui l'avaient suivie sur les pistes. Mais c'était juste pour rire. Contrairement à sa mère qui était déjà très volage à son âge, Vanessa gardait les pieds sur terre.

Après le repas, les enfants repartirent skier. D'un commun accord, Matt et Ophélie descendirent une dernière piste, puis rentrèrent à la maison alors qu'il commençait à neiger. Matt mit de la musique et alluma un feu, pendant qu'Ophélie préparait deux grogs. Puis ils s'installèrent sur le canapé avec une pile de livres et de magazines. De temps en temps, ils levaient les yeux de leur lecture et se souriaient. La compagnie de Matt procurait à Ophélie une incroyable sensation de bien-être ; il était tellement facile à vivre par rapport à Ted, qui, plus compliqué, plus exigeant, cherchait souvent l'affrontement. Elle ne put s'empêcher d'en faire la remarque à son compagnon. Subtil mélange de respect, de passion à peine contenue et de profonde affection, leur relation la comblait de bonheur. Outre le fait qu'ils étaient aussi les meilleurs amis du monde…

— J'avoue que ça me fait le plus grand bien, à moi aussi, approuva Matt.

Sur une impulsion, il décida de lui raconter sa rencontre avec Sally au Ritz.

— Tu n'as rien ressenti pour elle ? demanda Ophélie lorsqu'il eut terminé.

Elle prit une gorgée de rhum chaud et le dévisagea avec intensité, à la recherche d'indices qui pourraient lui apporter une réponse. Le retour de Sally l'avait inquiétée, elle ne pouvait le nier.

— Beaucoup moins de choses que je ne l'imaginais, avoua Matt. En allant la voir, j'avais peur de retomber dans ce que j'avais éprouvé pour elle. J'y suis allé comme on se prépare au combat. Mais ça ne s'est pas du tout passé comme ça. Ce fut à la fois triste et cocasse... Sally n'avait qu'une idée en tête : me séduire pour parvenir à ses fins, comme d'habitude. En l'occurrence, elle s'imaginait que nous pourrions essayer de recoller les morceaux, tous les deux... Mais ce n'est pas de l'amour que je ressens pour elle, seulement une profonde pitié. C'est une femme désabusée. Sans compter qu'elle a perdu son mari il y a moins d'un mois. La loyauté n'aura décidément jamais fait partie de ses valeurs.

— Il semblerait que non, en effet, murmura Ophélie choquée par l'incroyable culot de son ex-femme.

Après le mal qu'elle lui avait fait, elle ne doutait vraiment de rien ! Heureusement, Matt avait vu clair dans son jeu. Un immense soulagement s'empara d'elle.

— Pourquoi ne m'avais-tu pas dit que tu l'avais vue ? demanda-t-elle à brûle-pourpoint.

— J'avais besoin de mettre un peu d'ordre dans mes idées. Mais, pour la première fois depuis dix ans, je me suis senti incroyablement libre. C'est une bonne chose que je sois allé la voir... une excellente chose, même, conclut-il en cherchant le regard d'Ophélie.

Elle lui sourit, heureuse de partager cette victoire personnelle.

— J'en suis ravie, murmura-t-elle, sincère.

Si seulement elle avait pu balayer aussi aisément ses propres fantômes ! Mais elle n'avait personne à qui s'adresser, personne avec qui se disputer, personne qui aurait pu lui expliquer pourquoi son mariage avait dérapé, pourquoi Ted avait agi ainsi. Il ne lui restait qu'une solution : tenter d'accepter les choses, dans la solitude et le silence, en laissant le temps faire son œuvre.

Ce soir-là, Ophélie prépara le dîner puis tous s'installèrent autour de la cheminée pour bavarder. Vanessa parla de ses nombreuses conquêtes d'Auckland, sous le regard admiratif de Pip. Robert, pour sa part, ne se lassait pas de les taquiner. Cette scène de vie familiale toucha beaucoup Matt et Ophélie. C'était exactement ce dont Matt avait rêvé tout au long de ces années passées loin de ses enfants, et c'était ce qui manquait cruellement à Ophélie depuis la disparition de Ted et Chad. Tous deux éprouvaient une merveilleuse sensation de plénitude, à se tenir là devant le feu, entourés de leurs enfants, gais et détendus. Jamais ils n'avaient connu cela auparavant, même s'ils en rêvaient.

— C'est sympa, n'est-ce pas ? fit Matt lorsqu'ils se croisèrent dans la cuisine.

Ophélie était en train de disposer des cookies sur une assiette pour les enfants, tandis que Matt emplissait deux verres de vin.

— Très sympa, répondit-elle dans un sourire.

Comme un rêve qui devient réalité. Matt aurait aimé que cette soirée ne prenne jamais fin. Il savait qu'Ophélie devait résoudre ses problèmes, dépasser ses craintes – comme il l'avait fait – pour qu'ils puissent enfin se retrouver et former un couple à part entière. Mais il devait être patient car elle mettrait longtemps à se libérer de ce que Ted lui avait fait subir. Matt était bien placé pour savoir combien ce serait difficile. La route serait encore longue mais, pour le moment au moins, dans leur cocon douillet de Tahoe, ils se sentaient libres et sereins.

Le soir du 31 décembre, ils dînèrent au restaurant, puis s'arrêtèrent dans un hôtel où la fête battait son plein. Les gens étaient en pantalons de ski et gros pulls aux couleurs éclatantes. Seules quelques femmes, dont Ophélie, portaient de la fourrure. Elle était très chic dans sa combinaison en velours noir, sa veste en renard et sa toque assortie.

« Tu ressembles à un champignon noir, maman », avait gémi Pip en la gratifiant d'un regard réprobateur. Vanessa, elle, avait trouvé sa tenue « très cool ». Insensible aux goûts plutôt conventionnels de sa fille, Ophélie s'habillait au gré de ses envies, pour le plus grand bonheur de Matt, qui la trouvait toujours ravissante. Malgré son anglais irréprochable, elle ne pouvait renier ses origines françaises. Il y avait toujours un petit détail qui la trahissait, que ce soit un foulard en soie, une paire de boucles d'oreilles ou le vieux sac Hermès qu'elle avait eu pour ses dix-neuf ans.

En souvenir de ses origines justement, et aussi parce que l'ambiance festive s'y prêtait, elle permit à Pip de boire un peu de champagne durant la soirée. De son côté, Matt en fit autant avec Vanessa et il proposa un peu de vin à Robert.

Lorsque retentirent les douze coups de minuit, tous s'embrassèrent joyeusement sur les deux joues, à la française, en se souhaitant une bonne et heureuse année. De retour à la maison, Matt attendit que les enfants soient couchés pour offrir à Ophélie un baiser plus passionné. Blottis sur le canapé devant le feu, ils s'embrassèrent longuement. Ils avaient passé une soirée exquise. Les enfants s'entendaient à merveille, Matt ne s'était jamais senti aussi heureux de sa vie. Quant à Ophélie, elle appréciait pleinement le sentiment de sérénité qui commençait à l'envelopper. C'était comme si les fardeaux qui l'accablaient depuis plus d'un an étaient en train de se dissoudre, un à un.

— Heureuse ? chuchota Matt en la serrant contre lui.

Ils parlaient à voix basse dans la pièce plongée dans la pénombre. Les enfants étaient allés se coucher sans se faire prier, épuisés par leur longue journée. Pip dormait dans la chambre de Vanessa, qu'elle considérait comme la grande sœur qu'elle aurait tant aimé avoir. Quant à Vanessa, qui n'était entourée que de garçons, elle se réjouissait d'avoir trouvé une jeune confidente.

— Très heureuse, murmura Ophélie.

Auprès de lui, elle se sentait toujours aimée et protégée, comme si rien ne pouvait lui arriver tant qu'elle res-

ait dans ses bras. De son côté, Matt ne demandait que
a : veiller sur elle, apaiser ses craintes et la réconforter.
C'était un échange extraordinaire.

Il reprit ses lèvres, d'abord avec tendresse, puis avec
rdeur, et Ophélie se serra contre lui, avide de ses bai-
ers. Une vague de désir la submergea tandis que Matt
caressait passionnément son corps. Sa féminité, sa sen-
ualité qu'elle avait crues mortes à jamais après la dispa-
ition de Ted renaquirent sous les caresses de son
compagnon. Emportés par la même passion, ils s'allongèrent sur le canapé et se pressèrent l'un contre l'autre.

— On risque d'avoir de petits ennuis si on reste ici,
murmura soudain Matt en s'écartant légèrement.

Ophélie partit d'un rire gêné, telle une jeune fille
imide. Forçant son courage, Matt posa la question qui
ui brûlait les lèvres. Le moment était venu, lui semblait-
l...

— Veux-tu venir dans ma chambre ? lui demanda-t-il
lans le creux de l'oreille.

Elle hocha la tête et il crut que son cœur allait exploser
le joie. Cela faisait si longtemps qu'il rêvait secrètement
le cet instant magique !

Ils se levèrent, Matt la prit par la main et l'entraîna
vers sa chambre. Ils marchaient sur la pointe des pieds
pour ne pas réveiller les enfants. Ophélie réprima un rire
amusé. Avaient-ils vraiment besoin d'être aussi prudents ? Le reste de la maisonnée dormait du sommeil du
uste. Après avoir fermé à clé la porte de sa chambre,
Matt la souleva dans ses bras et la porta jusqu'au grand
it. L'instant d'après, il s'allongeait près d'elle.

— Je t'aime tellement, Ophélie, murmura-t-il avant de
capturer ses lèvres.

La lune nimbait la pièce d'une clarté opalescente.
Avec douceur et volupté, ils se déshabillèrent et se glis-
sèrent sous les couvertures. Puis Matt l'enlaça. Il la sentit
rembler tout contre lui.

351

— Je t'aime aussi, Matt, articula-t-elle d'une voix à peine audible.

Devinant ses angoisses, il resserra son étreinte.

— Tout va bien, ma chérie… Tu n'as rien à craindre avec moi… Je ne te ferai jamais aucun mal, je te le promets…

Il sentit le goût salé de ses larmes sur ses lèvres.

— J'ai tellement peur, Matt…

— Il ne faut pas, Ophélie… Je t'aime comme un fou… Je veillerai sur toi, ne t'inquiète pas…

Ophélie le croyait, mais c'était de la vie qu'elle se méfiait, de la vie et de ses douloureux aléas. Il se passerait encore des choses terribles si elle s'abandonnait à lui. Elle le perdrait peut-être, ou il la tromperait, ou pire encore, la mort l'emporterait loin d'elle. Rien n'était sûr ni définitif sur cette terre. Elle ne pouvait se permettre de lui accorder sa confiance… pas à ce point, en tout cas. Comment avait-elle pu croire le contraire ?

— Matt… Je ne peux pas… J'ai trop peur, confessa-t-elle d'une voix étranglée.

Elle ne pouvait pas faire l'amour avec lui, c'eût été s'exposer à de nouvelles désillusions qu'elle n'aurait plus la force de surmonter. Elle l'aimait trop pour prendre de tels risques.

Matt hocha gravement la tête.

— Je t'aime, Ophélie. Nous attendrons… Il n'y a pas d'urgence… Je ne compte pas m'en aller, tu sais… Je serai là, près de toi… Tout va bien, mon amour.

Le sens de ce mot si doux prenait une autre dimension dans sa bouche. Jamais Ted n'y avait mis autant de tendresse. Elle se sentait terriblement malheureuse d'avoir déçu Matt, mais elle n'était pas prête ; le serait-elle un jour ? Elle ne le savait pas. Quoi qu'il en soit, Matt l'attendrait, et cette pensée lui réchauffa un peu le cœur.

Il la garda un long moment dans ses bras, heureux de sentir son corps contre le sien. Si c'était tout ce qu'elle pouvait lui offrir pour le moment, il s'en contenterait.

L'aube pointait quand Ophélie se libéra de son étreinte. Elle s'était endormie dans ses bras, finalement apaisée. Sans bruit, elle se leva et s'habilla.

Matt l'embrassa, avant de la laisser regagner sa chambre où elle sombra dans un profond sommeil. Au réveil, un poids familier lui écrasait de nouveau la poitrine. Mais c'était différent, cette fois. Ce n'était ni à cause de Ted ni à cause de Chad mais à cause d'elle, à cause de ce qu'elle n'avait pas pu offrir à Matt, la nuit passée. Elle avait l'horrible impression de l'avoir trompé et s'en voulait de l'avoir déçu de la sorte. En proie à une appréhension grandissante, elle prit une douche et s'habilla. Sa nervosité se dissipa dès qu'elle posa les yeux sur Matt, un moment plus tard. Souriant, il vint à sa rencontre et glissa un bras sur ses épaules, comme pour la rassurer. C'était incroyable. Etrangement, Ophélie eut l'impression d'avoir fait l'amour avec lui. Elle se sentait encore plus à l'aise en sa compagnie. N'était-elle pas idiote d'avoir cédé à la panique ? D'un autre côté, elle lui était profondément reconnaissante de s'être montré patient.

Ils passèrent le premier jour de l'année sur les pentes enneigées et n'évoquèrent pas une seule fois ce qui s'était passé la nuit précédente. Ils rirent, bavardèrent, s'amusèrent comme des enfants et rentrèrent en fin d'après-midi pour dîner tous ensemble, une dernière fois. Vanessa prenait l'avion pour Auckland le lendemain, au grand dam de Matt. Mais il avait déjà prévu de lui rendre visite en février. Pip et Ophélie se mettraient également en route le lendemain matin ; Pip reprenait l'école le surlendemain. Quant à Robert, qui avait encore deux semaines de vacances devant lui, il partait skier avec une bande d'amis à Heavenly. Matt, lui, allait retrouver son bungalow du bord de mer. Les fêtes de fin d'année étaient terminées, tous avaient passé un merveilleux séjour à la montagne. Les fantômes se dressaient toujours entre Matt et Ophélie, mais tous deux n'étaient pas pressés. Si Matt s'était mis en colère, s'il avait tenté de la convaincre, la belle aventure aurait pris fin sur-le champ. L'amour qu'il vouait à Ophélie le rendait sage. Il se dirent au revoir le lendemain matin sans rien se promettre, échangeant simplement en secret leur amour et leur formidable espoir. C'était déjà plus que ce qu'ils possédaient lorsqu'ils s'étaient rencontrés, quelques mois plus tôt, et c'était amplement suffisant pour chacun d'eux. En attendant...

26

Matt passa voir Ophélie et Pip après avoir déposé Vanessa à l'aéroport où elle venait d'embarquer pour Auckland. Il se sentait un peu perdu et accepta volontiers une tasse de thé, avant de retourner à sa vie solitaire à Safe Harbour. Il n'aspirait plus qu'à une chose, dorénavant : vivre tous les jours les scènes à la fois simples et merveilleuses qui avaient fait son bonheur au cours de la semaine passée. La solitude commençait à lui peser, il voulait retrouver une vraie vie de famille. Mais pour le moment, il n'avait pas le choix. Ophélie n'était pas encore prête à lui offrir davantage que ce qu'ils partageaient pour le moment, à savoir une profonde amitié teintée de passion et pleine de promesses. Il attendrait patiemment que le déclic se produise... et si ce jour-là n'arrivait pas, il saurait se contenter de leur belle amitié. La vie ne s'encombrait pas d'obligation de résultat, il avait appris la leçon par le passé.

En entrant au salon, il fut heureux de voir que les portraits de Pip et Chad occupaient chacun une place de choix.

— Ils sont beaux, n'est-ce pas ? fit Ophélie en esquissant un sourire empreint de fierté.

Elle le remercia de nouveau, avant de prendre des nouvelles de Vanessa. Elle éprouvait une profonde affection pour les deux enfants de Matt. A l'instar de leur père, ils étaient charmants, courtois et attentionnés.

— Elle était triste de devoir partir si tôt, répond
Matt.

Au prix d'un effort, il refoula le souvenir de la nu
qu'il avait passée avec Ophélie, son corps nu contre l
sien. Avec un peu de chance, le temps ferait son œuvr
et elle accepterait bientôt de se donner à lui, en tout
confiance.

— Plus que quelques semaines et je serai de nouvea
auprès d'elle, ajouta-t-il d'un ton empreint de mélanco
lie. Elle vous apprécie beaucoup, Pip et toi.

— Elle a su gagner notre cœur, elle aussi, répond
Ophélie avec douceur.

Lorsque Pip monta faire ses devoirs, elle envelopp
Matt d'un regard peiné.

— Je suis vraiment désolée pour ce qui s'est passé
Tahoe, commença-t-elle timidement. J'ai honte, Mat
En France, on me traiterait d'*allumeuse*. Le terme anglai
est encore plus méprisant, me semble-t-il. Toujours est
il que je me suis conduite comme une idiote. Ce n'éta
pas dans mes intentions de t'attirer de la sorte. A dir
vrai, je crois que je me suis menti à moi-même. Je pen
sais être prête alors qu'en réalité je ne le suis toujour
pas.

Matt n'avait pas voulu aborder le sujet, de peur d
l'embarrasser ; en outre, la question lui semblait déli
cate : il ne voulait surtout pas qu'elle se sente piégée o
harcelée. Il désirait par-dessus tout la laisser libre de pro
gresser à son rythme, sans stress ni contrainte. En atten
dant, il continuerait à lui témoigner son amour, dans le
limites de leur relation.

— Tu ne m'as pas aguiché, Ophélie, ne le crois surtou
pas. Le temps est une chose bizarre, tu sais. On ne peu
ni le définir, ni l'acheter, ni prévoir les effets qu'il aur
sur les gens. Je t'en prie, prends tout ton temps, nous n
sommes pas pressés.

— Et s'il ne se passe rien ? fit Ophélie, d'un ton qu
trahissait son angoisse.

Elle avait tellement peur de ne jamais pouvoir surmonter la peur qui la paralysait !

— S'il ne se passe rien, je continuerai malgré tout à l'aimer, répondit calmement Matt.

C'était tout ce qu'elle voulait entendre. Comme l'habitude, elle se sentait sereine et détendue en sa présence. En sécurité. La compagnie de Matt évoquait toujours pour elle une longue promenade à la plage, à pas lents et tranquilles. Et cette quiétude convenait parfaitement à son état d'esprit.

— Cesse de te torturer, je t'en prie, reprit-il à mi-voix. Tu as suffisamment de choses à régler comme ça. Ne me ajoute pas à ta liste. Je suis très heureux ainsi.

L'instant d'après, il se pencha au-dessus de la table et prit ses lèvres. Ophélie se sentit fondre. Elle l'aimait, oui... elle l'aimait, elle ne pouvait le nier. Simplement, elle ne pouvait envisager l'avenir. Même aux côtés de Matt qu'elle aimait de tout son cœur. C'était comme si Ted avait détruit quelque chose d'essentiel en elle : sa capacité à croire au bonheur auprès d'un homme qui l'aimerait sans arrière-pensée, sans faux-semblant. Après ce qu'il lui avait fait, elle doutait que ce fût possible. Voilà où elle en était dans ses réflexions, tiraillée entre doutes, questions et incertitudes.

— Tu as prévu quelque chose pour ce soir ? demanda Matt en s'apprêtant à partir.

Elle ouvrit la bouche mais la referma lorsque leurs regards se croisèrent. Le visage de Matt s'assombrit.

— Tu vas rejoindre l'équipe de nuit ?

— Oui, répondit-elle en posant les tasses vides dans l'évier.

— Comme je voudrais que tu arrêtes ça ! Le problème, c'est que je ne sais pas par quel moyen t'en dissuader. Un jour ou l'autre, Ophélie, il y aura un pépin, c'est inévitable. Je ne veux pas qu'il t'arrive quelque chose. La chance est avec vous pour le moment, mais tu sais comment ça se passe, la roue tourne. Vous prenez

beaucoup trop de risques, tous les quatre. Tôt ou tard
la chance vous tournera le dos.

— Ne t'inquiète pas, Matt, tout ira bien, lui assur
Ophélie.

Mais, comme d'habitude, ses paroles ne le convainqui
rent pas. Ophélie travaillait avec l'équipe de nuit depui
le mois de septembre. Au fil des missions, elle avai
acquis une bonne expérience du terrain et accomplissai
ses tâches en toute confiance, sans songer au pire. Se
coéquipiers lui avaient prouvé à maintes reprises leur
compétences et leur sens des responsabilités. C'étaien
peut-être des cow-boys, comme ils se plaisaient à le dire
mais des cow-boys vigilants qui connaissaient bien leu
environnement et ses dangers. Ophélie était vraiment de
leurs, désormais.

A 19 heures, les deux fourgonnettes quittèrent le centre
Ils avaient fait le plein de colis, complétant les lots de vic
tuailles, de médicaments, de vêtements chauds et de boîte
de préservatifs. Un grossiste les fournissait régulièremen
en vestes et blousons matelassés. Les fourgons étaien
chargés à bloc ce soir-là. Un froid vif balayait la ville. Ave
un sourire espiègle, Bob lui fit remarquer qu'elle aurait d
mettre un caleçon long sous son pantalon.

— A part ça, quoi de neuf ? ajouta-t-il en reportant so
attention sur la route. Tu as passé un bon Noël ?

— Dans l'ensemble, oui. Le 25 fut assez éprouvant..
mais on est allées rejoindre des amis à Tahoe, le lende
main. C'était très sympa.

Bob hocha la tête.

— On était montés à Alpine l'an dernier. J'aimerai
bien y emmener les enfants cette année, mais ça reste u
peu cher.

Ophélie acquiesça. Elle, au moins, n'avait pas ce
soucis-là. Avec son maigre salaire, Bob avait trois bou
ches à nourrir et il faisait des pieds et des mains pou
pouvoir offrir le meilleur à ses enfants. Ils se connais

aient bien désormais et bavardaient toujours à bâtons
ompus entre deux haltes.

— Au fait, et ton petit copain, que devient-il ? reprit-il
n lui lançant un clin d'œil.

— Quel petit copain ? fit Ophélie d'un ton candide.

Il lui donna un coup de coude.

— Arrête ton cinéma, idiote. Il y a à peu près deux
nois de ça, tu avais des étoiles plein les yeux... On aurait
lit que Cupidon t'avait touchée en plein cœur... Alors,
jue s'est-il passé depuis ?

Bob aimait beaucoup sa coéquipière. Elle était tolé-
ante, généreuse et ne manquait ni de courage ni
l'audace, il avait eu maintes fois l'occasion de le remar-
juer en travaillant à son côté. Nuit après nuit, elle était
à, fidèle au poste, et s'impliquait autant qu'eux dans
eur mission. En peu de temps, elle avait su conquérir
eur respect et leur affection.

— Dis-moi tout, allez, insista-t-il en prenant la direc-
ion de la Mission.

— J'ai peur, confia Ophélie. C'est idiot, je sais, mais je
'y peux rien. Matt est un type fantastique, je l'aime,
nais je ne me sens pas prête à m'engager dans une rela-
ion durable. Pas encore, en tout cas. Il s'est passé trop
le choses en trop peu de temps.

Elle n'avait pas parlé à Bob de la lettre qu'elle avait
rouvée le jour de Thanksgiving, ni de la liaison de son
nari avec sa meilleure amie... ni du bébé qui en était
né... ni des terribles accusations d'Andrea concernant sa
nanière d'éduquer Chad, son fils malade... A un
noment donné, elle s'était même demandé si Andrea
'avait pas raison : son attitude de mère poule n'avait-
elle pas exacerbé les troubles de son fils ? Lasse de ces
nterrogations stériles, elle avait fini par jeter la lettre au
'eu. Ainsi, Pip ne risquerait pas de tomber dessus.

— Je sais, je sais, fit Bob en hochant la tête. Moi aussi,
l m'est arrivé pas mal de galères après la mort de ma
'emme. J'ai encore du mal à expliquer comment, mais tu

verras, on s'en sort. Un beau jour, on tourne la page e on repart de zéro. A propos, enchaîna-t-il d'un to désinvolte, je vais bientôt me marier.

Ophélie se tourna vers lui, incrédule. Puis elle pouss un hurlement de joie.

— C'est génial, Bob ! Toutes mes félicitations ! Et te enfants, qu'en pensent-ils ?

— Ils sont aux anges... C'est la belle-mère idéale, pou eux.

Après le décès de sa femme, Bob s'était rapproché d la meilleure amie de celle-ci, un phénomène assez cou rant chez les jeunes veufs.

— Quand doit avoir lieu la cérémonie ?

— Ah ça, je n'en sais rien ! Comme c'est son premie mariage, elle aimerait une belle et grande fête avec plei d'invités. Personnellement, je préférerais un passag rapide à la mairie et basta.

— Bob, ne sois pas aussi rabat-joie ! Profite au contrair de ce beau jour. Avec un peu de chance, ce sera ton der nier mariage.

— J'espère bien. C'est une femme merveilleuse... e plus d'être ma meilleure amie.

— C'est l'idéal, renchérit Ophélie en songeant à Matt Quelle tristesse qu'elle ne puisse pas surmonter se fichues angoisses ! Elle enviait la nonchalance de Bob, s capacité à vivre au jour le jour, sans se torturer le méninges. Mais sa femme était morte depuis plus long temps que Ted. Un jour, peut-être, elle aussi serait libé rée de ses démons et goûterait le bonheur auprès d Matt.

Ils contournèrent les abords de la Mission et distribuè rent leurs colis à Hunters Point, sans le moindre pro blème. Matt n'avait décidément aucune raison de se fair du mauvais sang, songea Ophélie en rejoignant Jeff e Millie pour leur petite collation du milieu de la nuit. Le gens qu'ils secouraient dans la rue étaient tellemen désespérés qu'ils les accueillaient à bras ouverts, sans aucune malveillance.

— Nom d'un petit bonhomme, il fait un froid de canard ce soir, marmonna Bob lorsqu'ils remontèrent dans la fourgonnette.

Comme d'habitude, ils parcoururent les docks et les voies de chemin de fer, les passages souterrains et les contre-allées. Puis ils remontèrent les 3e, 4e, 5e et 6e Rues. Bob n'aimait pas ces quartiers. Un nombre impressionnant de dealers traînaient dans les coins, faisant leur petit trafic, et leur présence était souvent ressentie comme une menace, même s'ils cherchaient uniquement à venir en aide aux plus démunis et n'avaient aucune envie de s'immiscer dans des histoires de drogue. Il arrivait parfois que la confusion s'installe et qu'on les prenne pour ce qu'ils n'étaient pas. Malgré tout, Jeff aimait ce quartier ; ils y venaient en aide aux sans-abri allongés dans leurs refuges en carton, au fond d'une ruelle ou sous une porte cochère.

Ils s'engagèrent dans une allée baptisée Jesse, qui reliait la 5e à la 6e Rue. Millie avait repéré deux silhouettes tout au fond et elle quitta le fourgon avec Jeff. Bob et Ophélie patientèrent. Il n'y avait pas grand monde, leurs coéquipiers pouvaient se débrouiller seuls. Mais, quelques instants plus tard, Jeff leur fit un signe de la main. Ils avaient besoin de vestes et de sacs de couchage. Ophélie sortit la première.

— J'y vais ! lança-t-elle par-dessus son épaule.

Avant que Bob ait le temps de réagir, elle remontait l'allée, les bras chargés de duvets et de vêtements.

— Attends-moi ! cria-t-il en lui emboîtant le pas.

L'allée semblait déserte. Seul un abri en carton se dressait au bout. Jeff et Millie s'en approchaient. Ophélie les avait presque rejoints quand un grand maigre surgit d'une porte cochère et la saisit par le bras. Ayant vu la scène, Bob se mit à courir vers eux. L'homme l'agrippait fermement mais, bizarrement, Ophélie ne ressentit aucune peur. Comme elle l'avait appris, elle le regarda droit dans les yeux et lui sourit.

— Voulez-vous un duvet et un blouson ?

Elle vit aussitôt qu'il avait pris de la drogue, sans doute du crack ou de l'héroïne. Elle continua néanmoins à le fixer d'un air impassible, pour bien lui faire comprendre qu'il ne l'effrayait pas.

— Non, chérie, je veux rien de tout ça. Qu'est-ce que t'as d'autre à me proposer ? Quelque chose qui pourrait m'intéresser ?

Ses yeux aux pupilles dilatées roulaient dans tous les sens.

— J'ai de la nourriture, des médicaments, des vêtements, des imperméables, des duvets, des écharpes, des bonnets, des chaussettes, des bâches...

— Et tu vends tout ce merdier ? lança-t-il d'un ton hostile.

Au même instant, Bob arriva à leur hauteur.

— Non, nous les distribuons gratuitement, répondit calmement Ophélie.

— Pourquoi ?

Bob se tint légèrement en retrait, craignant de briser le fragile équilibre qui semblait s'être instauré entre eux.

— Parce que nous pensons que vous pourriez en avoir besoin.

— C'est qui, ce type, là ? fit-il soudain en lui prenant le bras et en la serrant. C'est un flic ?

— Non. Nous travaillons pour le centre Wexler. Que puis-je vous proposer ?

— Une bonne pipe, salope. C'est tout ce qui me fait envie.

— Ça suffit, maintenant, intervint Bob en s'efforçant de garder son calme.

A l'autre bout de l'allée, Jeff et Millie approchaient lentement dans leur direction, conscients qu'il se passait quelque chose.

— Lâche-la, mec, reprit Bob d'un ton ferme.

362

— T'es qui, toi ? Son mac ?

— Laisse-nous tranquilles, on ne te veut pas d'histoires. Allez, laisse-la partir, ordonna-t-il en détachant chaque syllabe.

Pour une fois, Bob regretta de ne pas être armé. La seule vue d'une arme à feu aurait suffi à faire peur à cet homme. Jeff et Millie les rejoignirent enfin. Le visage tordu par la haine, le dealer attira brusquement Ophélie vers lui.

— C'est quoi, ce bin's ? Vous êtes des flics en civil, c'est ça ?

— Non, nous ne sommes pas de la police, martela Jeff. Je suis un ancien des commandos de marine et je vais te botter le cul si tu ne la lâches pas tout de suite !

L'homme avait poussé Ophélie sous une porte cochère où deux autres types l'attendaient, apparemment sur les nerfs. C'était le genre d'incident qu'ils redoutaient le plus : ils venaient d'interrompre un deal entre drogués.

— On n'en a rien à foutre de vos trafics, lança Bob, qui sentait la situation leur échapper dangereusement. Nous, on se contente de distribuer des médicaments, des vêtements et de la nourriture aux gens qui en ont besoin. Vous n'en voulez pas, parfait, retournez à votre business, on retournera au nôtre. C'est pas plus compliqué que ça.

Ils devaient parler le même langage que leurs interlocuteurs quand les choses commençaient à mal tourner. C'était leur seule défense, leur seul moyen de se faire entendre. Malheureusement, cela ne sembla pas convaincre le dealer, qui retenait Ophélie par le bras.

— Et elle, c'est qui, là-dedans ? aboya-t-il en pointant le menton en direction de Millie. Elle a tout d'un flic, si vous voulez mon avis.

Ophélie garda le silence. Millie n'avait jamais réussi à se débarrasser de son image d'officier de police.

— Elle s'est fait virer de la police pour des histoires de prostitution, répliqua bravement Jeff.

— Tu te fous de ma gueule ou quoi ? tonna l'autre excédé. Elle pue le flic, oui, comme celle-ci, d'ailleurs !

Sur ce, il lâcha le bras d'Ophélie et la repoussa violemment vers eux. Déséquilibrée, elle trébucha et manqua tomber. Au moment où elle se redressait, des coups de feu éclatèrent. Aucun d'eux n'avait vu le dealer sortir une arme. Vif comme l'éclair, celui-ci s'enfuit en courant.

Jeff s'élança à sa poursuite, mais Bob le rappela. Entre-temps, ses deux acolytes s'étaient volatilisés. Tout s'était passé à une vitesse incroyable. Jeff courait toujours derrière le dealer, talonné par Millie qui lui criait de revenir. Ils n'étaient pas armés, à quoi bon le poursuivre ? S'ils le rattrapaient, ils couraient le risque de se faire tirer dessus. Ils n'étaient pas de la police, bon sang ! Bob, lui, n'avait qu'une envie : déguerpir d'ici, au plus vite. Il fit volte-face pour dire à Ophélie de courir jusqu'au fourgon. Les mots moururent sur ses lèvres. Ophélie gisait sur le bitume, dans une mare de sang. C'était elle que l'homme avait visée.

— Merde, Opie... Qu'est-ce qui s'est passé ? murmurat-il en s'agenouillant près d'elle.

Il voulut la soulever dans ses bras, priant pour qu'il ne s'agisse que d'une blessure superficielle. Mais il vit aussitôt qu'elle était trop mal en point pour être transportée. Autour d'eux, les dealers reprenaient leur trafic. Le coin devenait dangereux.

Bob se mit à hurler de toutes ses forces. Millie fut la première à se retourner. Il lui adressa un signe de détresse et elle appela Jeff. En voyant Ophélie dans les bras de Bob, agenouillé au milieu de l'allée, ils se mirent à courir. Jeff sortit son téléphone portable de sa poche et composa le numéro des urgences. Quelques instants plus tard, ils rejoignaient leurs coéquipiers. Bob était pâle comme un linge. Ophélie gisait dans ses bras, inconsciente. Son pouls battait encore, mais très faiblement.

364

— Merde, lâcha Jeff en se laissant tomber à côté d'eux.

Millie continua à courir pour indiquer le chemin à l'ambulance qui ne tarderait plus à arriver.

— Tu crois qu'elle va s'en sortir ?

— Je n'en suis pas sûr, répondit Bob entre ses dents.

Il était furieux contre Jeff. Jamais ils n'auraient dû s'aventurer dans cette contre-allée. C'était le premier faux pas qu'ils faisaient depuis longtemps. Il se maudissait aussi d'avoir laissé Ophélie le devancer. Mais que pouvaient-ils faire dans ce genre de situation, alors qu'ils n'étaient pas armés ? Ils avaient pensé à porter des gilets pare-balles mais avaient finalement rejeté cette idée, arguant qu'ils n'en avaient pas besoin. Jusqu'à ce soir.

— Elle est veuve, elle élève sa fille toute seule, marmonna Bob, les yeux rivés sur le visage d'Ophélie.

— Je sais, vieux… je sais… merde, mais qu'est-ce qu'ils foutent ?

— Ils arrivent, j'entends la sirène, fit Bob en gardant les doigts sur le pouls qui battait de plus en plus imperceptiblement.

Quelques minutes s'étaient écoulées depuis les coups de feu, mais c'était comme une éternité. Le hurlement de la sirène se rapprocha. L'instant d'après, Millie fit de grands signes. L'ambulance s'immobilisa et trois infirmiers se précipitèrent vers eux.

Avec des gestes précis et rapides, deux d'entre eux allongèrent Ophélie sur une civière, tandis qu'un troisième la perfusait.

— Combien de coups de feu y a-t-il eu ? demanda l'un d'eux à Jeff, qui les suivait au pas de course.

Bob regagna le fourgon en courant ; il suivrait l'ambulance jusqu'au General Hospital. Dieu merci, il possédait le meilleur service de traumatologie de toute la ville. Il s'entendit prier à mi-voix, tandis qu'il tournait la clé de contact et faisait demi-tour.

— Trois, répondit Jeff alors qu'ils glissaient la civière dans l'ambulance et montaient à bord.

Ils démarrèrent sur les chapeaux de roue dès que l[a] portière fut refermée. Jeff rejoignit sa camionnette. Milli[e] était déjà au volant. Les deux véhicules suivirent l'ambu[-] lance à vive allure. C'était la première fois qu'un tel acci[-] dent se produisait... Piètre consolation.

— Tu crois qu'elle va s'en sortir ? demanda Millie e[n] se frayant un passage entre les voitures, les yeux rivés su[r] la route, le pied sur l'accélérateur.

Jeff inspira profondément, avant de secouer la tête.

— Non, murmura-t-il à contrecœur. Elle a reçu troi[s] balles tirées à bout portant. Personne ne survit à ça[.] Encore moins une femme.

— J'ai bien survécu, moi, rétorqua gravement Millie.

Elle avait mis un temps fou à se remettre et ne pouvai[t] plus exercer au sein de la police, frappée d'invalidité[,] mais elle s'en était sortie. Le coéquipier qui travaillai[t] avec elle ce jour-là n'avait pas survécu, lui. Comme quoi[,] c'était vraiment une question de chance.

Ils atteignirent l'hôpital en moins de sept minutes e[t] bondirent tous trois des fourgons pour suivre la civière[.] Pendant le trajet, les infirmiers avaient découpé les vête[-] ments d'Ophélie et elle gisait à demi nue, couverte de sang[,] un masque à oxygène plaqué sur le visage. Quelques ins[-] tants plus tard, elle disparut derrière les portes du servic[e] de traumatologie. Sous le choc, ses trois co-équipiers pri[-] rent place dans la salle d'attente. Un silence de mort s'étai[t] abattu sur eux. Que faire, maintenant ? Il fallait bien pré[-] venir sa fille... ou du moins la baby-sitter. C'était affreux.

— Que décidons-nous, les gars ? lança Jeff à la canto[-] nade.

C'était lui le responsable du groupe mais, pour un[e] fois, il répugnait à assumer ses fonctions.

— Mes enfants apprécieraient qu'on les avertisse[,] répondit Bob.

Ils étaient au bord de la nausée. Jeff se dirigea vers l[a] cabine téléphonique du hall d'entrée. Il s'immobilis[a] soudain et se tourna vers Bob.

— Quel âge a sa fille ?

— Douze ans. Elle s'appelle Pip.

— Veux-tu que je l'appelle à ta place ? proposa Millie.

Peut-être serait-ce moins effrayant si une femme se chargeait d'annoncer la terrible nouvelle. Mais au fond, quelle importance ? Les faits étaient là, alarmants : la maman de Pip avait reçu deux balles dans la poitrine et une dans le ventre. Jeff secoua la tête et se remit en marche, pendant que Bob et Millie patientaient devant la porte du service de traumatologie. Personne n'était venu leur annoncer le pire. Mais Bob savait, en son for intérieur, qu'ils n'auraient pas longtemps à attendre.

A 2 heures du matin, la sonnerie du téléphone retentit dans le bungalow de Safe Harbour. Matt se réveilla en sursaut. Il s'était couché à minuit, mais il se redressa rapidement dans son lit. A présent qu'il avait retrouvé ses enfants, il ne débranchait plus le téléphone et s'inquiétait dès que quelqu'un l'appelait à une heure incongrue. Etait-ce Robert ? Ou Vanessa qui téléphonait d'Auckland ?

— Allô ? fit-il d'une voix ensommeillée.

— Matt.

C'était Pip. Sa voix tremblait.

— Quelque chose ne va pas ? demanda-t-il tandis qu'une vague de terreur l'envahissait.

— C'est maman. On lui a tiré dessus. Elle est à l'hôpital. Tu peux venir ?

— J'arrive tout de suite, répondit-il en rabattant les couvertures. Comment est-ce arrivé ?

— Je ne sais pas. C'est Alice qui a répondu. Mais l'homme que j'ai eu m'a dit qu'elle avait reçu trois balles.

— Elle est vivante ? fit-il d'une voix étranglée.

— Oui, répondit Pip, secouée de sanglots.

— Est-ce qu'il t'a expliqué ce qui s'était passé ?

— Non. Tu vas venir, hein ?

— J'arrive aussi vite que possible.

— Tu pourras m'emmener à l'hôpital ?

Il attrapa un jean, l'enfila à la hâte.

— Oui. Prépare-toi. Je me mets en route tout de suite. Où l'a-t-on emmenée ?

— Au General Hospital. Ça vient juste d'arriver. C'est tout ce que je sais.

— Je t'aime, Pip, tiens bon. A tout à l'heure, fit-il avant de raccrocher.

Il termina de s'habiller, ramassa son portefeuille, ses clés de voiture et sortit en trombe de la maison. Sans prendre le temps de fermer la porte à clé, il courut jusqu'à la voiture et démarra. En route, il appela l'hôpital. Ophélie se trouvait au bloc opératoire, dans un état critique. Ce furent les seuls renseignements qu'il réussit à obtenir.

Dans la montagne, Matt conduisit aussi vite que la prudence le lui permettait ; une fois sur l'autoroute, il enfonça la pédale de l'accélérateur, traversa le pont à toute allure, jeta littéralement les pièces de monnaie à l'employée du péage et se gara devant la maison de Pip et Ophélie vingt-quatre minutes après son appel. Il klaxonna. Presque aussitôt, Pip dévala les marches du perron, vêtue d'un jean et d'un anorak. Une peur panique crispait son petit visage blême.

— Ça va aller ? demanda Matt, inquiet.

Elle hocha la tête, incapable d'articuler le moindre son. La peur l'empêchait même de pleurer. Elle semblait sur le point de s'évanouir et Matt pria pour qu'elle tînt le coup. Puis il pria avec une ferveur redoublée pour Ophélie. Ses pires craintes s'étaient concrétisées... Comme il aurait préféré se tromper du tout au tout ! Il y avait peu de chance qu'Ophélie s'en sorte, Pip et lui en étaient conscients. Peu de gens survivaient à trois balles tirées à bout portant.

Ils se rendirent à l'hôpital en silence. Matt gara la voiture sur un emplacement réservé aux ambulances, puis

ous deux se précipitèrent à l'intérieur. Jeff, Bob et Millie
es aperçurent dès qu'ils franchirent la porte et surent
aussitôt qui ils étaient. Si l'on exceptait ses boucles rousses, la fillette était le portrait de sa mère.

— Pip ? murmura Bob en lui tapotant légèrement
l'épaule. Je suis Bob.

— Je sais, répondit Pip qui avait l'impression de tous
es connaître grâce à ce que lui en avait dit sa mère. Où
est ma maman ?

Matt se présenta, l'air sombre. Il n'avait pas le droit de
eur en vouloir, c'était Ophélie qui avait choisi de travailler avec eux... Mais c'était plus fort que lui. Il était
furieux. Furieux et désespéré.

— Ils l'ont emmenée au bloc pour extraire les balles,
expliqua Millie.

— Comment va-t-elle ? demanda Matt en se tournant
vers Jeff qu'il devinait être le responsable de l'équipe.

— Nous n'en savons rien. Ils ne nous ont rien dit
depuis notre arrivée.

Au bout d'un moment, ils finirent par s'asseoir. Bob
alla chercher du café. Assise entre Matt et Millie, Pip les
enait tous les deux par la main. Un silence tendu régnait
sur le petit groupe. Aucune parole n'aurait suffi à justifier, expliquer ou réconforter. Il y avait peu d'espoir, tous
le savaient.

— Est-ce qu'ils ont arrêté le type qui lui a tiré dessus ?
demanda finalement Matt.

— Non, mais nous l'avons vu de près. S'il possède un
casier, nous n'aurons aucun mal à l'identifier. J'ai essayé
de le rattraper, mais il m'a filé entre les pattes, expliqua
Jeff.

Matt hocha la tête. Et même si la police l'arrêtait,
quelle différence cela ferait-il ? Aucune pour lui ; aucune
pour Pip. Rien ne ramènerait Ophélie à la vie, si elle suc-
combait à ses blessures.

Il se rendit plusieurs fois au bureau des infirmières pour
prendre des nouvelles, mais on lui répondit invariablement

qu'Ophélie n'était toujours pas sortie du bloc. Elle y rest:
sept heures.

Entre-temps, Jeff avait prévenu le centre ; quelque:
journalistes avaient appelé le standard pour s'enquéri
de l'état d'Ophélie mais aucun d'eux ne s'était déplacé
A 9 h 30, un chirurgien s'approcha d'eux. Matt et Pip
qui se tenaient toujours par la main, levèrent sur lui de:
regards angoissés.

— Elle est en vie, annonça aussitôt le chirurgien. Nou:
ne pouvons pas encore nous prononcer sur la suite de:
événements. La première balle a traversé un poumon, l:
seconde a frôlé sa colonne vertébrale avant de transper
cer son cou. La troisième a emporté un ovaire et l'appen
dice, endommageant au passage les intestins. Nou:
étions quatre chirurgiens autour d'elle. Dans son mal
heur, elle a eu de la chance, mais elle n'est pas encor:
sortie d'affaire.

— Est-ce que nous pouvons la voir ? demanda Pip
d'une toute petite voix.

Le chirurgien secoua la tête.

— Pas encore. Elle est aux soins intensifs du service d:
chirurgie. Vous pourrez la voir dans une heure ou deux
si son état se stabilise. Elle est encore sous anesthésie e
devrait se réveiller dans quelques heures. Elle sera groggy
à cause des calmants.

— Est-ce qu'elle va mourir ? risqua Pip en serrant l:
main de Matt de toutes ses forces.

Ce dernier retint son souffle. Le médecin plongea sor
regard dans celui de la petite fille.

— Nous espérons que non, mais ses blessures sont trè:
graves. Elle a résisté au choc et à l'intervention, c'est déj:
ça. Elle est robuste. Nous ferons tout pour la sauver.

— Réussissez, murmura Bob en priant pour Ophélie.

Pip se rassit et ne bougea plus, telle une statuette d:
bois. Tous restèrent où ils étaient, dans l'attente. A midi
une infirmière vint les prévenir qu'ils pouvaient monte
aux soins intensifs. C'était un service impressionnant

Ophélie reposait dans une espèce de cage en verre remplie d'appareils, d'écrans de contrôle et de perfusions. Trois infirmières s'affairaient autour d'elle et elle disparaissait presque entièrement sous les aiguilles, les tubes et les pansements. Son visage était d'une pâleur cadavérique.

Matt et Pip pénétrèrent dans la pièce.

— Je t'aime, maman, murmura celle-ci en s'avançant au pied du lit.

A côté d'elle, Matt s'efforça de refouler les larmes qui lui piquaient les yeux. Il fallait absolument qu'il soit fort pour Pip... Il aurait aimé tendre la main vers Ophélie et caresser sa joue, comme pour lui insuffler un peu de vie et d'énergie. Autour d'eux, les infirmières continuaient à surveiller les appareils, alors qu'Ophélie restait parfaitement immobile. Bientôt, une infirmière les pria de bien vouloir quitter la chambre. Une visite de cinq minutes était autorisée toutes les heures, pas davantage. Pip s'écarta du lit à contrecœur, en larmes. L'idée qu'elle puisse perdre sa mère la terrifiait. Elle n'avait plus qu'elle au monde. Comme si elle avait perçu sa détresse, Ophélie ouvrit brusquement les yeux et les regarda à tour de rôle, elle et Matt. Puis elle esquissa un pâle sourire et referma les yeux.

— Maman ? murmura Pip, bouleversée. Tu m'entends ?

Ophélie hocha faiblement la tête. C'était la seule partie de son corps qui ne la faisait pas souffrir. Un masque à oxygène couvrait son nez. Au prix d'un effort, elle rouvrit les yeux.

— Je t'aime, Pip, articula-t-elle avec peine.

Puis elle chercha le regard de Matt et lui fit comprendre qu'elle savait ce qu'il pensait. C'était la dernière pensée qu'elle avait eue avant de perdre connaissance : « Matt avait raison. » Et maintenant, il était là, auprès d'elle, et elle redoutait sa colère. En même temps, elle se réjouissait de le voir avec Pip.

— Salut, Matt, chuchota-t-elle avant de sombrer de nouveau dans le sommeil.

Tous les deux pleuraient en quittant la pièce, mais c'étaient des larmes de soulagement. Ophélie leur avait donné l'impression qu'elle pouvait s'en sortir, même s'ils étaient conscients que la bataille n'était pas encore gagnée.

— Comment va-t-elle ? demandèrent les autres dès qu'ils les rejoignirent dans la salle d'attente des soins intensifs.

Les larmes de Pip et Matt ravivèrent leur inquiétude. Ophélie avait-elle succombé à ses blessures pendant qu'ils étaient auprès d'elle ?

— Elle nous a parlé, annonça Pip en essuyant ses joues.

— C'est vrai ? s'écria Bob, incrédule. Qu'a-t-elle dit ?

La petite fille esquissa un sourire attendri.

— Qu'elle m'aimait.

Dans l'après-midi, les coéquipiers d'Ophélie retournèrent au centre. Ils promirent de repasser dans la soirée au cours de leur patrouille. Une réunion de crise avait été organisée, pour débattre des questions de sécurité de leur unité. L'accident avait plongé tout le personnel dans la stupeur. Bob et Jeff avaient déjà décidé de porter des armes à compter de ce jour, puisqu'ils possédaient des permis en règle. Millie approuva leur décision. Restait une autre question, aussi essentielle que douloureuse : fallait-il permettre à des bénévoles de se joindre à la patrouille de nuit ? Non, c'était désormais évident. Mais c'était aussi trop tard pour Ophélie.

Matt et Pip passèrent l'après-midi à l'hôpital. Ils revirent Ophélie à deux reprises. La première fois, elle dormait profondément, et la seconde, elle semblait souffrir de ses blessures. On lui administra de la morphine dès qu'ils eurent quitté son chevet. Matt essaya de convaincre Pip de rentrer à la maison pour une ou deux heures. Cela leur ferait le plus grand bien de manger et de se

372

eposer un peu. Pip accepta avec réticence, une fois qu'on eut administré les calmants à sa mère.

A leur arrivée, Mousse leur fit la fête. Matt se rendit directement dans la cuisine, où il prépara des œufs brouillés et du pain grillé. Il y avait deux messages sur le répondeur, tous deux du collège de Pip. Le directeur et les professeurs exprimaient leur émoi et leur compassion. Alice avait dû les prévenir avant de rentrer chez elle dans la matinée. Elle avait laissé un petit mot sur la table de la cuisine, invitant Pip à l'appeler si elle avait besoin de quoi que ce soit. Elle précisait aussi sur un autre mot qu'elle était passée dans l'après-midi pour sortir Mousse.

Matt alla lui faire faire une courte promenade, avant de passer à table. Finalement, Pip et lui se retrouvèrent dans la cuisine, tels deux rescapés d'un naufrage. Pip était tellement fatiguée qu'elle toucha à peine à son assiette. Quant à Matt, son estomac était trop noué pour qu'il puisse avaler quoi que ce soit.

— Tu crois qu'on devrait y retourner tout de suite ? demanda-t-elle fébrilement.

Elle redoutait qu'il se passe quelque chose – de bon ou de mauvais – pendant leur absence.

— Que dirais-tu de prendre une douche d'abord ? suggéra Matt avec douceur.

Tous deux étaient éreintés. Pip accepta à contrecœur. Mais lorsqu'il lui proposa de faire une petite sieste avant de repartir, elle secoua la tête avec véhémence, arguant qu'elle n'était pas fatiguée. Matt n'insista pas. Après tout, lui aussi mourait d'envie de retourner auprès d'Ophélie.

A l'hôpital, ils prirent place dans la salle d'attente des Soins intensifs. L'infirmière les informa que les amis d'Ophélie étaient passés la voir un peu plus tôt, mais celle-ci dormait profondément. Elle était toujours dans un état critique. Terrassée par la fatigue, Pip ne tarda pas à s'endormir sur le canapé de la salle d'attente. Matt la contempla, perdu dans ses pensées. Que deviendrait-elle,

si Ophélie mourait ? Cette simple idée lui était insuppor
table, et pourtant... Si on lui en accordait le droit, i
prendrait Pip chez lui ou viendrait vivre avec elle à San
Francisco. Il était plongé dans ces sombres réflexion
lorsqu'une infirmière s'approcha de lui. Il était 2 heure
du matin. Matt céda à la panique en apercevant son
visage empreint de gravité.

— Votre femme désire vous parler, déclara-t-elle sim
plement.

Sans prendre la peine de rétablir la vérité, Matt repos
doucement la main de Pip et la suivit à l'intérieur du ser
vice. Dès qu'elle le vit, Ophélie lui fit signe d'approcher
Elle avait les yeux grands ouverts et semblait impatiente
de lui parler. Matt sentit une boule lui nouer la gorge
Pressentait-elle que la fin était proche ? Etait-ce pou
cette raison qu'elle l'avait fait venir ? Sans un mot, il se
pencha vers elle et effleura sa joue.

Elle prit péniblement la parole. Elle avait encore du
mal à respirer.

— Je suis désolée, Matt... Tu avais raison... Je suis ter
riblement désolée... Est-ce que tu prendras soin de Pip ?

Matt ferma brièvement les yeux. C'était exactement ce
qu'il craignait. Ophélie avait peur de mourir, elle désirai
prendre des dispositions concernant Pip avant de partir
Il savait qu'elle n'avait plus que quelques cousins éloi
gnés à Paris. A part lui, personne ne s'occuperait de Pip

— Tu sais bien que oui... Je t'aime, Ophélie... Ne par
pas, chérie. Reste avec nous, je t'en prie... On a besoin
de toi... Il faut que tu tiennes le coup...

— C'est promis, murmura-t-elle avant de se rendor
mir.

L'infirmière lui fit alors signe de quitter la pièce.

— Comment va-t-elle ? demanda-t-il d'un ton inquiet
Est-ce que son état a évolué ?

— Elle s'accroche, le rassura l'infirmière, impression
née par le courage de cet homme et de cette fillette, qu
avaient passé toute une journée et une nuit à l'hôpital.

C'était souvent le genre de chose qui faisait la différence. Nombre de gens se souciaient peu de rester auprès de leurs parents malades ! Mis à part leur brève absence de deux heures, Pip et Matt n'avaient pas bougé de la salle d'attente et, quand l'équipe de jour remplaça celle de nuit, ils étaient encore là. Ophélie semblait aller un peu mieux.

Matt conduisit Pip chez elle et prépara le petit déjeuner. Il songeait à repartir chez lui pour prendre quelques affaires, à moins qu'il n'achète des vêtements en attendant. Ils en parlèrent au cours du repas et décidèrent de s'arrêter chez Macy's en retournant à l'hôpital. A l'évidence, Pip n'avait aucune envie qu'il la laisse seule, ne fût-ce que quelques heures.

Il prévint Robert, puis contacta Alice qui lui promit de sortir régulièrement Mousse. Il appela ensuite le collège de Pip ; après avoir témoigné toute sa sympathie et son soutien, le directeur lui assura que Pip était tout excusée. Il espérait de tout cœur que Mme Mackenzie se rétablirait vite. Les responsables du centre Wexler avaient laissé plusieurs messages inquiets sur le répondeur, mais Matt n'eut pas le cœur de les rappeler.

Après une brève halte chez Macy's, ils arrivèrent à l'hôpital et regagnèrent leur poste de garde aux soins intensifs. Dans la soirée, l'état d'Ophélie s'était encore amélioré. Bob, Jeff et Millie passèrent la voir et constatèrent également un léger mieux. Après leur départ, Matt borda Pip avec la couverture qu'une infirmière leur avait gentiment prêtée. Elle chercha son regard.

— Je t'aime, Matt.

— Je t'aime aussi, Pip, répondit-il à mi-voix.

— Est-ce que tu aimes aussi ma maman ?

Elle ne savait pas exactement ce qu'il y avait entre Matt et sa mère ; tous deux s'étaient toujours montrés très discrets.

— Oui, je l'aime aussi.

Ils échangèrent un sourire complice.

— Est-ce que tu la demanderas en mariage, quand elle ira mieux ?

Matt apprécia l'usage du futur à la place du conditionnel. L'avenir lui sembla tout à coup plus réel. La petite voix de Pip l'arracha à ses pensées.

— Elle a besoin de toi, Matt. Et moi aussi, tu sais.

Cette confidence le bouleversa. Mais que pouvait-il lui répondre ? Avant l'accident, Ophélie se débattait avec ses angoisses et ses incertitudes, même si lui était sûr de ses sentiments.

— Rien ne pourrait me faire plus plaisir, Pip, répondit-il du fond du cœur. Je crois qu'on devrait lui poser la question, qu'en penses-tu ?

— Moi, je suis sûre qu'elle t'aime. Mais elle a peur. Papa n'était pas toujours très gentil avec elle. Il criait beaucoup, surtout à cause de Chad. Chad était malade, tu sais, il faisait des trucs terribles... Il a même essayé de se suicider. Mon père, lui, ne croyait pas à sa maladie, il en voulait à maman et s'emportait souvent contre elle, raconta-t-elle avec ses mots à elle. Elle a peut-être peur que tu sois méchant avec elle, même si c'est idiot puisque tu as toujours été gentil. Enfin, je ne sais pas, elle a peut-être peur que tu changes si elle se marie avec toi. Et puis, elle a sûrement peur de te perdre, aussi. Elle aimait beaucoup mon père, même s'il était souvent de mauvaise humeur, toujours pris par son travail. On le voyait rarement, mais je crois qu'il nous aimait quand même, à sa manière... Tu crois qu'elle dirait oui, si tu promettais d'être toujours gentil avec nous ?

Partagé entre le rire et les larmes, il se pencha vers elle et l'embrassa sur le front.

— Tu sais ce que je crois ? Je crois que c'est toi que j'épouserai si elle dit non. Tu es pleine de sagesse, Pip. Voilà ce que je crois.

Elle gloussa. Cette nuit encore, ils étaient seuls dans la salle d'attente des Soins intensifs.

— Tu es trop vieux pour moi, Matt, protesta-t-elle en criant. Même si tu es encore beau, pour un vieux... enfin, je veux dire, comme père.

— Toi aussi, tu es plutôt mignonne.

Pip émit un petit rire, avant de retrouver son sérieux.

— Alors, tu lui poseras la question ?

— J'essaierai. Mais si tu veux mon avis, on devrait attendre qu'elle aille un peu mieux, non ?

Pip réfléchit. Un pli soucieux barra son front.

— Il ne faudrait tout de même pas attendre trop longtemps. En plus, elle se sentira peut-être mieux quand tu l'auras demandée en mariage. Ça lui fera un projet auquel elle pourra s'accrocher, tu ne crois pas ?

— Peut-être bien.

A moins que ça ne l'effraie encore plus... Il se souvint de la nuit qu'ils avaient passée ensemble, à Tahoe ; elle avait été si terrifiée qu'elle n'avait pu s'abandonner... Le mariage n'était peut-être pas la solution, même si, tout comme Pip, il en rêvait. Heureuse de s'être confiée à lui, celle-ci sombra dans un sommeil bien mérité. Matt la contempla un long moment, un sourire aux lèvres.

Puis il rappela Robert, comme convenu, pour lui communiquer les dernières nouvelles. Son fils avait proposé de venir à l'hôpital le matin même, mais Matt l'en avait dissuadé. Il ne pourrait pas voir Ophélie, alors autant attendre que les choses évoluent. Robert fut soulagé d'apprendre que son état s'était légèrement amélioré. La nouvelle l'avait profondément choqué.

Ce soir-là, tous les journaux télévisés relatèrent la fusillade qui avait failli coûter la vie à une bénévole du centre Wexler ; elle avait été hospitalisée au General Hospital de San Francisco et se trouvait encore dans un état critique.

A minuit, Jeff fit son apparition. L'auteur de l'attentat venait d'être arrêté, confia-t-il à Matt pendant que Pip dormait paisiblement sur le divan. Convoqués par la police, ses coéquipiers et lui-même n'avaient eu aucun mal

à identifier le coupable. Il avait été arrêté alors qu'il étai
en train de vendre de la drogue à trois pâtés de maisons d
l'allée Jesse. Il portait encore sur lui l'arme du crime. Le
officiers de police avaient organisé une confrontation l
lendemain, mais il n'y avait aucun doute sur son identité
Avec un casier judiciaire long comme le bras, il encourai
une lourde peine. C'était une bonne nouvelle, même s
Ophélie luttait toujours sur son lit d'hôpital.

Lorsqu'ils se rendirent à son chevet le lendemain matin
elle leur sourit et leur demanda si elle pourrait sortir bientôt. Le chirurgien qui la suivait la déclara « sortie
d'affaire », même si la convalescence serait longue e
éprouvante. Un immense soulagement envahit Pip e
Matt. D'un air faussement sévère, Ophélie leur ordonn
d'aller se reposer à la maison. Elle était encore très pâle
mais elle s'exprimait avec davantage de facilité et souffrai
moins. Matt obéit docilement, non sans lui avoir promi
de revenir dans l'après-midi. En sortant de l'unité de soin
intensifs, Pip le regarda d'un air complice.

— Tu ne crois pas que le moment est venu de parler
maman du sujet qui nous préoccupe ? demanda-t-elle
sibylline.

Matt haussa les sourcils.

— Maintenant ? Personnellement, je pense qu'or
devrait attendre encore un peu. Laissons-la reprendr
des forces. Elle sera plus réceptive quand elle souffrir
moins.

— Au contraire... Ce serait peut-être mieux de lu
poser la question tant qu'elle est sous l'effet des calmants, objecta Pip d'un air si sérieux que Matt ne pu
s'empêcher de rire.

— A t'entendre, on croirait qu'elle n'acceptera jamai
de m'épouser si elle a toute sa tête, répliqua-t-il, taquin.

— Disons que tous les médicaments qu'elle prend
pourraient influencer sa décision dans le bon sens... Tu
sais à quel point elle est têtue... Et puis, l'idée de se
remarier la terrifie, elle me l'a dit l'autre jour.

— Ne t'inquiète pas, je saurai trouver les bons arguments, fit Matt d'un ton léger.

Leurs regards se croisèrent et ils rirent de bon cœur. De retour à la maison, Mousse, heureux de retrouver enfin des visages familiers, leur réserva un accueil des plus chaleureux. Matt prépara le repas puis alla se reposer, épuisé par ses deux nuits blanches. Pendant ce temps, Pip déambula dans la maison, rassérénée par la présence de Matt qui avait promis de lui tenir compagnie jusqu'au retour de sa mère.

Ils se rendirent à l'hôpital plus tard que prévu. Ophélie passait une soirée agitée. Il n'y avait là rien d'anormal, au dire de l'infirmière ; il s'agissait du choc post-opératoire et on venait de lui administrer une forte dose de morphine pour apaiser ses souffrances. Malgré tout, son état était de plus en plus satisfaisant et ses capacités de récupération surprenaient toute l'équipe. Matt décida de ramener Pip chez elle. Une bonne nuit dans un vrai lit leur ferait le plus grand bien. La petite fille accepta avec réticence. Elle embrassa sa mère sur la joue avant de partir, mais Ophélie dormait profondément, sous l'empire des antalgiques. Ils franchirent le seuil de la maison à 21 heures ; une demi-heure plus tard, ils dormaient tous les deux, Pip dans son lit et Matt dans celui d'Ophélie.

Après avoir dormi d'une traite, ils prirent leur petit déjeuner et retournèrent à l'hôpital. A leur grand soulagement, Ophélie avait retrouvé un peu de couleurs, et le tube nasal qui la gênait tant avait été retiré. Son état était jugé stable et elle se plaignait de tout, ce qui était un excellent signe, selon l'infirmière. Un sourire éclaira son visage lorsqu'elle les aperçut.

— Alors, vous deux, quoi de neuf ? demanda-t-elle comme si elle venait de subir une intervention bénigne.

Pip et Matt sourirent à leur tour.

— Matt a préparé du pain perdu pour le petit déjeuner, annonça fièrement Pip. Et il paraît qu'il sait faire de délicieux pancakes.

— Super. Apportez-m'en la prochaine fois, dit-elle d'un ton léger.

Mais tous savaient qu'elle resterait sous perfusion encore un certain temps. Ayant recouvré son sérieux, elle se tourna vers Matt.

— Merci beaucoup d'avoir veillé sur Pip. Je suis désolée que tout cela soit arrivé. C'est ma faute, je suppose...

Mais elle ne regrettait pas son travail au sein de l'équipe de nuit.

— Je ne te dirai pas que je t'avais prévenue, tu connais mon opinion à ce sujet. Jeff m'a expliqué qu'ils ne recruteront plus de bénévole dans leur équipe. Ça me semble logique. C'était une belle idée, Ophélie, mais c'était bien trop risqué.

— Je sais. Tout s'est passé si vite, l'autre soir. Je n'ai pas compris ce qui m'arrivait, quand je me suis écroulée.

Ils en parlèrent encore un moment et pendant tout ce temps, Pip lui adressa des regards entendus et des grimaces éloquentes qu'il feignit de ne pas voir. Ils en discutèrent tous les deux un peu plus tard, alors qu'ils déjeunaient ensemble.

— Je ne peux tout de même pas la demander en mariage en ta présence, fit Matt en esquissant une moue contrite.

— Débrouille-toi comme tu veux, mais ne perds pas de temps, rétorqua-t-elle, menaçante.

Il éclata de rire.

— Pourquoi ? Elle ne risque pas de s'échapper, tu sais. Il n'y a pas d'urgence.

— Oui, mais moi, je veux que vous vous mariiez ! insista Pip d'un air buté.

— Et si elle refuse ?

— Très bien. Dans ce cas, je t'épouserai, même si tu es trop vieux. C'est dingue d'être aussi lent !

Lorsque arriva l'heure de la visite suivante, Pip le laissa entrer seul.

— Je ne te promets rien, je te préviens, fit Matt devant la mine menaçante de la petite fille. Je vais d'abord voir comment elle se sent, tâter un peu le terrain…

— Tu n'es qu'une poule mouillée ! lança Pip tandis que Matt s'éloignait en riant.

Ophélie attendait leur visite. Elle avait l'air calme et reposée.

— Où est Pip ? demanda-t-elle aussitôt en le voyant seul.

— Elle dort sur le canapé de la salle d'attente, mentit Matt, vaguement mal à l'aise.

Tout à coup, une pensée le traversa, lumineuse : et si Pip avait raison ? Si cet accident avait changé la donne ? Après tout, la vie était trop courte pour passer à côté de l'essentiel ; et l'essentiel, en l'occurrence, n'était-il pas l'amour qu'ils se portaient l'un à l'autre ? L'heure était peut-être venue de dévoiler ses sentiments et ses aspirations les plus profondes. Le jeu en valait la chandelle.

— Je suis vraiment désolée de vous avoir fait subir tout ça, confia Ophélie d'un ton coupable. Je ne pensais vraiment pas que ça pourrait arriver.

— Pour moi, les dangers étaient évidents. Je vivais avec la peur au ventre chaque fois que tu partais en mission le soir.

— Je sais. Tu avais raison, murmura-t-elle.

Il lui prit la main et lui caressa tendrement les cheveux.

— J'ai souvent raison… et je me trompe souvent aussi.

Ophélie plongea son regard dans le sien.

— Tu ne t'es pas beaucoup trompé, depuis que nous nous sommes rencontrés.

Un sourire étira les lèvres de Matt.

— Je suis ravi de te l'entendre dire.

— Tu ne peux pas savoir à quel point je suis heureuse que Pip soit tombée sur toi à la plage, cet été.

Ils rirent, complices.

— Si mes souvenirs sont bons, tu ne pensais pas vraiment la même chose au tout début…

— Je te prenais pour un pédophile, répliqua Ophélie. Mauvaise pioche de nouveau.

Elle sourit, puis ferma les yeux quelques instants. Lorsqu'elle les rouvrit, elle rencontra le regard de Matt. Elle semblait incroyablement sereine, après tout ce qu'elle venait de traverser. Son courage forçait l'admiration. Une bouffée d'amour gonfla le cœur de Matt.

— Et maintenant, que suis-je pour toi ? demanda-t-il dans un souffle.

— Tu es le meilleur ami que j'aie jamais eu... Je t'aime, Matt, ajouta-t-elle à mi-voix. Je t'aime énormément, en fait...

— Je t'aime aussi, Ophélie...

Il pensa soudain à Pip qui l'attendait de pied ferme à quelques mètres de là. Un sourire flotta sur ses lèvres. Puis, forçant son courage, il se jeta à l'eau.

— M'aimes-tu assez pour devenir ma femme ?

La stupéfaction se peignit sur le visage d'Ophélie.

— Ai-je bien entendu ou les médicaments me joueraient-ils des tours ?

— Les deux, peut-être. Alors, qu'en penses-tu ?

Rivé à celui de Matt, son regard s'embua. Elle avait encore peur, certes, mais plus autant qu'avant. Elle avait failli tout perdre, en frôlant la mort... Qu'y avait-il de plus important que la vie, que l'amour ? Elle n'aurait rien à perdre auprès de Matt, au contraire.

— J'avoue que l'idée me plaît bien, répondit-elle dans un murmure tandis qu'une larme glissait sur sa joue. Mais je t'en prie, Matt, ne pars pas sans moi... Je ne le supporterais pas, cette fois...

— C'est promis, assura-t-il en se penchant pour l'embrasser. Pas avant longtemps, en tout cas. De mon côté, j'aimerais bien que tu évites de te faire tirer dessus de nouveau. Ce n'est pas moi qui ai failli mourir, ici.

Il se tut, avant de reprendre d'un ton grave :

— J'en mourrais si je devais te perdre, Ophélie... Je t'aime tellement...

— Moi aussi, souffla-t-elle.

Il reprit ses lèvres. Leur baiser fut interrompu par l'arrivée d'une infirmière. La visite touchait à sa fin. Ils avaient juste eu le temps d'échanger une promesse.

— Alors, c'est officiel ? demanda-t-il avant de partir. Tu veux bien m'épouser ?

— Oui, répondit Ophélie avec force.

Le déclic s'était enfin produit. Elle se sentait prête.

— Je peux l'annoncer à Pip ? fit-il encore, tandis que l'infirmière lui montrait gentiment la porte.

— Oui... bien sûr ! répondit Ophélie en esquissant un sourire radieux. Je suis fiancée, ajouta-t-elle à l'adresse de l'infirmière dès que Matt eut disparu.

La jeune femme haussa un sourcil surpris.

— Je croyais que vous étiez mariée.

— Je le suis... enfin, je l'étais... je le suis presque, expliqua-t-elle confusément.

Un doux vertige l'habitait. Dire qu'il avait fallu qu'elle frôle la mort pour se jeter à l'eau... Le destin était décidément fantaisiste.

— Félicitations, déclara l'infirmière en relevant sa température.

Au même instant, Matt pénétrait dans la salle d'attente. Pip le dévisagea avec intensité, s'efforçant de deviner ce qui s'était passé.

— Alors, tu t'es dégonflé ? demanda-t-elle d'un ton anxieux.

Matt resta de marbre.

— Non.

Les yeux de Pip s'arrondirent de surprise.

— Tu l'as demandée en mariage ?

— Oui.

— Et qu'est-ce qu'elle a dit ?

Elle retint son souffle, dans l'expectative. Matt la prit dans ses bras, tandis qu'un sourire illuminait son visage. Pip était presque sa fille, à présent.

— Elle a dit oui.

Un flot de larmes embua son regard. Ç'avait été une journée riche en émotions !

— C'est vrai ? s'écria Pip, folle de joie. Waouh ! On va t'épouser ! Oh, Matt !

Elle l'étreignit et Matt la fit virevolter dans la pièce.

— Tu as réussi ! Tu as réussi !

— Nous avons réussi ! Merci pour l'idée, le courage et le coup de pied aux fesses. Si tu ne m'avais pas poussé, j'aurais sans doute attendu une année de plus...

— Après tout, cet accident n'est peut-être pas une si mauvaise chose, enfin, je veux dire... tu sais, hein... fit Pip d'un ton rêveur.

— Non, je ne sais rien du tout. Et si jamais elle s'expose de nouveau à de tels dangers, je l'étranglerai de mes propres mains !

— Je t'aiderai ! renchérit Pip tandis qu'ils prenaient place sur le canapé, complices.

Tout s'était déroulé à merveille, grâce à Pip. Il ne restait plus qu'à choisir une date.

27

Ophélie séjourna trois semaines à l'hôpital. Pendant ce temps, Matt resta avec Pip, qui retourna à l'école une semaine après l'agression. Matt passait ses matinées à l'hôpital avec Ophélie, puis il récupérait Pip à l'école et la ramenait à l'hôpital. Lorsque Ophélie fut enfin autorisée à rentrer chez elle, Matt la porta avec précaution à l'étage où elle retrouva sa chambre. Les médecins lui avaient recommandé un repos complet de six semaines.

Ils avaient réussi à sauver son poumon et à réparer les dégâts causés aux intestins. Elle pouvait parfaitement vivre avec un seul ovaire et même envisager d'autres maternités si elle le désirait. Quant à l'appendice, elle en était débarrassée. Tous s'accordaient à dire qu'elle avait eu une chance inouïe. Louise Anderson, la responsable du centre Wexler, était venue lui rendre visite et s'était excusée de l'avoir exposée à de tels dangers. Ophélie lui assura qu'elle n'y était pour rien ; ç'avait été son choix de travailler avec l'équipe de nuit, personne ne l'y avait contrainte. Louise lui expliqua qu'ils ne prendraient plus de bénévoles pour cette mission. Ophélie approuva leur décision. Elle promit à Louise de revenir travailler au centre dans quelques mois, de jour évidemment, si Matt n'y voyait pas d'inconvénient. Traumatisé par son agression, ce dernier hésitait. Après tout, elle aurait de quoi s'occuper entre lui, Pip et la maison...

Après le retour d'Ophélie, il s'installa dans l'ancien bureau de Ted à l'étage, désireux d'être près d'elle si elle avait besoin de lui. Sa présence la rassurait. Quant à Pip, elle était aux anges.

Leur projet de mariage progressait rapidement. Ils avaient décidé de s'unir au mois de juin, lorsque Vanessa pourrait venir. Vanessa et Robert avaient accueilli la nouvelle avec un enthousiasme sincère.

« Nous allons de nouveau former une vraie famille », fit observer Pip, tout sourire, lorsque sa mère rentra de l'hôpital. Cette idée les enchantait. Ophélie avait mis du temps avant de franchir le pas, mais elle flottait à présent sur un petit nuage. Matt et elle parlaient d'aller passer leur lune de miel en France, peut-être avec les enfants – pour le plus grand bonheur de Pip.

Six semaines après la fusillade, Ophélie se reposait tranquillement dans son lit, comme tous les après-midi. Matt était allé chercher Pip à l'école. Elle reprenait des forces, lentement mais sûrement, mais ne pouvait pas encore conduire. Elle n'était sortie que rarement de la maison. Le simple fait de pouvoir descendre pour prendre ses repas à la cuisine la réjouissait.

Ses anciens coéquipiers du centre étaient passés la voir à plusieurs reprises et elle pensait à eux lorsque le téléphone sonna. Elle décrocha aussitôt. Une voix douloureusement familière se fit entendre à l'autre bout du fil. C'était Andrea. Alors qu'elle s'apprêtait à raccrocher, Andrea la supplia d'écouter ce qu'elle avait à lui dire.

— Je t'en prie, commença-t-elle d'une voix étrangement faible. J'ai quelque chose à te dire... C'est important.

Elle avait appris ce qui était arrivé à Ophélie et s'était beaucoup inquiétée pour elle.

— Je voulais t'écrire, poursuivit-elle, mais j'étais également à l'hôpital.

Son ton morne alerta Ophélie.

— Que s'est-il passé ? Tu as eu un accident ? demanda-t-elle froidement, alors même qu'une sourde angoisse l'envahissait – elles avaient été amies pendant si longtemps !

— Non.

Andrea marqua une pause avant de poursuivre.

— Je suis malade.

— De quoi souffres-tu ?

Un long silence accueillit sa question. Finalement, Andrea répondit d'une voix étonnamment posée :

— J'ai un cancer. Les médecins l'ont diagnostiqué il y a deux mois. Il n'est pas récent. Ça fait à peu près un an que je souffre de maux d'estomac, mais je croyais que c'était nerveux. Il semblerait que la tumeur soit partie des ovaires, puis elle a touché mes poumons, et s'attaque maintenant à mes os. La maladie progresse vite.

Elle parlait d'un ton à la fois triste et résigné. A l'autre bout du fil, Ophélie était sous le choc. Des larmes lui piquaient les yeux. Malgré tout ce qu'elle reprochait à Andrea, jamais elle ne lui aurait souhaité un tel sort.

— Tu as fait de la chimio ?

— Je suis en train d'en faire. J'ai déjà subi deux opérations et ils comptent me faire des rayons après la chimio, mais je ne crois pas que... je ne crois pas que je tiendrai jusque-là. Je ne me fais pas d'illusions... Je sais que tu n'as probablement pas envie de me voir, mais il faut que je te pose une question... Accepteras-tu de prendre William ?

Elles pleuraient toutes les deux au téléphone, unies par la même tristesse.

— Tout de suite ? articula Ophélie.

— Non, quand je ne serai plus là. Je crois que je n'en ai plus pour longtemps. Quelques mois, tout au plus.

Ophélie étouffa un sanglot. La vie était tellement imprévisible, tellement injuste. Pourquoi le destin s'acharnait-il ainsi ? Il y avait eu Ted et Chad... et maintenant Andrea. Ses pensées se tournèrent alors vers

387

Matt ; comme elle avait eu de la chance de le rencontrer ! La maladie d'Andrea la bouleversait. Elle ne méritait pas ça, mais c'était pourtant ce qu'elle semblait croire.

— C'est peut-être Dieu qui me punit pour t'avoir blessée, Ophélie, reprit-elle d'une voix brisée. Je sais bien que mes excuses ne répareront pas le mal que je t'ai fait, mais je suis sincèrement désolée. J'y ai pensé tellement souvent... Excuse-moi, Ophélie... Veilleras-tu sur Willie, quand je serai partie ? demanda-t-elle de nouveau.

Ophélie sanglota de plus belle. Comme la vie était cruelle !

— Oui, je m'occuperai de lui, répondit-elle à travers ses larmes.

Elle songea à ce qu'avait fait Matt pour Pip quand elle était à l'hôpital, alors qu'elle le connaissait depuis neuf mois à peine. Andrea n'avait personne d'autre sur qui compter. Ophélie était la marraine du petit William, elle ne pouvait en aucun cas rejeter le garçonnet sous prétexte qu'il était aussi le fils de son défunt mari. Après tout, l'enfant n'y était pour rien.

— Où est-il en ce moment ? As-tu quelqu'un pour t'aider ?

— J'ai pris une jeune fille au pair, répondit Andrea d'un ton las. Je veux le garder près de moi, jusqu'au bout.

Elle parlait de sa mort comme d'une fatalité inéluctable. C'était à la fois incroyable et pathétique. Elle n'avait que quarante-cinq ans. Le petit William ne connaîtrait aucun de ses deux parents.

Matt la rejoignit alors qu'elle était encore au téléphone. Il l'enveloppa d'un regard intrigué, avant de s'éclipser discrètement.

— Y a-t-il quelque chose que je puisse faire pour toi ? demanda Ophélie.

— J'aurais aimé te voir, répondit Andrea d'une voix à peine audible. Mais je souffre de violentes nausées, à cause de la chimio.

— Et je ne peux pas sortir pour le moment. Je viendrai te voir dès que j'irai mieux.

— Je veux rédiger un nouveau testament, dans lequel il sera clairement stipulé que je te confie la garde de William. Tu es sûre que ça ira ? Tu ne le détesteras pas à cause de ce que je t'ai fait ?

— Je ne te déteste pas, Andrea. J'étais juste triste et peinée.

Tout au fond d'elle, elle comprit qu'elle avait pardonné. Andrea n'était pas la seule responsable de ce chaos ; Ted avait joué un rôle, lui aussi. Mais il s'était passé tant de choses depuis...

— Je te rappellerai pour te donner de mes nouvelles, reprit Andrea. Et j'ajouterai tes coordonnées sur mon dossier médical. Je donnerai aussi ton numéro à la jeune fille au pair, au cas où il m'arriverait quelque chose et que je n'aie pas le temps de te prévenir.

— Tiens bon, Andrea, je t'en prie. Accroche-toi.

Elle aurait tant aimé pouvoir lui rendre visite ! En même temps, elle se sentait encore fragile, et une entrevue avec Andrea l'aurait forcément bouleversée. Mieux valait attendre un peu.

— Je t'appellerai, ne t'inquiète pas, promit-elle. Et donne-moi de tes nouvelles, toi aussi.

— Oui, murmura Andrea en pleurs. Merci, Ophélie. Je sais que tu prendras bien soin de lui.

— C'est promis.

Sur une impulsion, elle ajouta :

— Au fait, je vais me marier au mois de juin. Avec Matt.

Il y eut un long silence puis Andrea poussa un soupir, comme si on venait de l'absoudre. Ophélie avait enfin tourné la page ; une nouvelle vie l'attendait...

— Je suis heureuse pour toi. C'est un type bien. Je vous souhaite beaucoup de bonheur.

— Merci. Je t'appellerai bientôt. Prends soin de toi, Andrea.

— Je t'aime... et je suis désolée, chuchota Andrea avant de raccrocher.

Ophélie venait de reposer le combiné lorsque Matt entra dans la pièce.

— Qui était-ce ? demanda-t-il, inquiet.

Elle leva les yeux sur lui.

— Andrea.

— C'est la première fois que tu lui parles depuis Thanksgiving ?

Elle hocha la tête.

— Je parie qu'elle t'a suppliée de lui pardonner. C'est la moindre des choses, lança-t-il, encore furieux contre Ted et l'ex-amie d'Ophélie.

Cette dernière songea tout à coup qu'elle aurait dû lui demander son avis avant d'accepter de s'occuper de William. De toute façon, cela n'aurait rien changé. Que cela leur plaise ou non, le petit garçon était le demi-frère de Pip et le fils de Ted.

— Elle est en train de mourir.

Matt la fixa d'un air interdit.

— Que lui est-il arrivé ?

— Les médecins ont diagnostiqué un cancer, il y a deux mois. La tumeur est partie des ovaires, puis les métastases sont allées dans les poumons et dans les os. Il ne lui reste plus que quelques mois à vivre. Elle voudrait me confier la garde de son fils. Enfin... nous confier. J'ai accepté, ajouta-t-elle tout de go. Qu'en penses-tu ? Je lui ai dit que nous allions nous marier, je peux encore me rétracter si tu ne te sens pas prêt. Mais elle n'a personne d'autre à qui le confier. Alors, qu'en dis-tu ?

Il s'assit au pied du lit et réfléchit un moment. Ce serait certes un gros changement dans leur vie, mais existait-il une autre solution ? Si Ophélie se sentait assez forte pour faire face à cette situation insolite, il la soutiendrait, sans l'ombre d'une hésitation.

— Il semblerait que notre famille s'agrandisse de jour en jour, tu ne trouves pas ? fit-il d'un ton délibérément

390

éger. Je ne vois pas pourquoi nous ne le prendrions pas avec nous. Crois-tu vraiment qu'elle va mourir bientôt ?

— J'en ai peur. Elle paraissait terriblement lasse au téléphone.

— Alors nous n'avons pas le choix. En plus, il est mignon comme tout, conclut-il en se penchant vers elle pour l'embrasser.

Le soutien inconditionnel de Matt lui réchauffa le cœur. Ils convinrent de ne rien dire à Pip pour le moment. C'était beaucoup trop déprimant et la petite fille était encore sous le choc de ce qui était arrivé à sa mère. Il était trop tôt pour lui annoncer qu'Andrea était mourante.

Dans les jours qui suivirent, celle-ci envoya un petit mot à Ophélie. Elle la remerciait du fond du cœur. Puis elle n'eut plus de nouvelles. Il ne se passa pas un jour sans qu'Ophélie ait envie de l'appeler, mais elle se sentait elle-même faible et lasse et remettait à chaque fois son appel.

Deux semaines plus tard, Matt emmena Pip et Ophélie à la plage avec Mousse. Ils se promenèrent un peu au bord de l'eau, puis s'assirent un moment au soleil. On se serait presque cru en été, alors qu'on était seulement au mois de mars. Ils parlèrent du mariage. La cérémonie aurait lieu ici, à Safe Harbour, en présence de leurs enfants. Matt connaissait un prêtre de Bolinas qui bénirait leur union. C'était tout ce dont ils avaient envie : une célébration paisible et intime.

Deux jours plus tard, ils retournèrent à la plage tous les deux. C'était une belle journée ensoleillée. Ils préparèrent un pique-nique puis se mirent en route. Dès leur arrivée au bungalow, Matt posa le panier sur la table et mit un peu de musique. Ophélie avait deviné ses intentions ; cette fois, elle était prête. Cela faisait longtemps qu'ils attendaient ce moment.

Matt s'approcha d'elle. Il la prit tendrement dans ses bras et l'embrassa. Elle leva les yeux sur lui, éperdue de désir, et le suivit sans appréhension jusqu'à la chambre où il la déshabilla avec une infinie douceur. Puis elle s'allongea sur le lit et il la rejoignit. Leurs corps affamés l'un de l'autre s'unirent enfin jusqu'à ce qu'une vague de passion les emporte. Ce fut l'union de deux vies, de deux êtres, de deux cœurs. A Safe Harbour, tendrement enlacés, leur rêve devint enfin réalité.

28

Deux semaines s'étaient écoulées depuis l'appel d'Andrea, et Ophélie pensait à elle tous les jours, sans pour autant trouver un moment pour prendre de ses nouvelles. Elle dut d'abord rattraper tout le retard qu'elle avait accumulé dans la gestion de ses affaires pendant son séjour à l'hôpital. Puis il lui fallut se rendre au tribunal où se tenait une audience exceptionnelle dans le cadre du procès de son agresseur, la défense ayant déposé une motion destinée à l'empêcher de venir témoigner au cours de l'audience. Après une matinée éprouvante, son avocat obtint finalement gain de cause : la motion de la défense fut rejetée. Elle se sentait fatiguée, mais elle s'était promis d'appeler Andrea dans l'après-midi, avant le retour de Pip. Par une étrange coïncidence, elle s'apprêtait à décrocher le téléphone lorsque la jeune fille au pair d'Andrea appela.

— Oh, j'étais justement sur le point d'appeler Andrea, fit Ophélie d'un ton enjoué. Comment va-t-elle ? Je suis heureuse de vous entendre.

Un silence gêné s'installa à l'autre bout du fil. Finalement, la jeune fille prit la parole d'une voix triste.

— Elle est morte dans la matinée, un peu avant midi.

Ophélie eut l'impression de recevoir un coup de poing dans le ventre.

— Oh, mon Dieu, non... Je suis désolée... Je ne pensais pas que... Je croyais... Elle m'avait dit qu'il lui restait encore quelques mois à vivre… Je n'imaginais pas qu'elle partirait si vite…

La mort était ainsi, imprévisible, exigeante. Elle se revit soudain, un an plus tôt, dans la salle de travail, aux côtés d'Andrea qui était alors sur le point d'accoucher. Elles avaient partagé un moment excitant et heureux, tellement émouvant. C'était l'image qu'elle souhaitait garder de son amie. En cet instant précis, elle se réjoui de ne pas l'avoir vue à l'agonie. Après une amitié de presque vingt ans, leurs chemins s'étaient séparés, le destin en avait décidé ainsi. Andrea avait fait un faux pas qui avait profondément blessé Ophélie, mais un enfant était né et il allait venir vivre auprès d'elle. La vie était décidément pleine de surprises.

— Y aura-t-il un enterrement ? demanda Ophélie.

Au moment où elle posait la question, une autre surgit dans son esprit : qui organiserait la cérémonie ? En tant que marraine, Ophélie avait organisé elle-même le baptême de son filleul et maintenant elle allait devoir s'occuper de l'enterrement de sa mère. Mais la jeune fille au pair lui expliqua qu'Andrea avait demandé à être incinérée. Les pompes funèbres étaient déjà venues. Selon ses dernières volontés, ses cendres seraient dispersées en mer. Il n'y aurait ni messe, ni prières, ni pierre tombale, juste la mémoire de ses proches. C'était ce qui lui avait semblé la meilleure solution et, pour une fois, Ophélie partagea son opinion. Au vu des circonstances, ce serait en tout cas moins douloureux pour tout le monde.

Andrea avait également veillé à vendre son appartement et à régler ses affaires de son vivant. Elle avait tout légué à son fils. La jeune fille au pair proposa à Ophélie de lui amener le petit garçon en fin d'après-midi. Il était grand temps d'avertir Pip.

Elle attendit dans la cuisine que celle-ci rentre de l'école avec Matt. Pip remarqua aussitôt son air abattu. Matt était déjà au courant. Elle l'avait appelé alors qu'il était sur le chemin de l'école. Il avait promis de faire son possible pour les soutenir dans cette nouvelle épreuve.

— Que se passe-t-il, maman ? Quelque chose ne va pas ? demanda Pip, affolée par cette expression qui lui rappelait de si mauvais souvenirs, même si elle ne l'avait pas vue depuis longtemps sur le visage de sa mère.

Ophélie s'empressa de la rassurer. Elle-même se portait bien, simplement... elle avait une mauvaise nouvelle à lui annoncer.

— C'est Mousse, c'est ça ? voulut savoir Pip.

Le labrador était dans le jardin, elle ne l'avait pas vu en rentrant. Ophélie la gratifia d'un pâle sourire.

— Non, c'est Andrea. Elle est morte aujourd'hui.

Pip fixa sur sa mère un regard incrédule.

— Elle était très malade. Elle m'a appelée il y a deux semaines, mais je n'ai pas voulu t'en parler tout de suite.

— Est-ce que tu étais encore en colère contre elle ? demanda Pip d'une voix teintée de tristesse.

— Plus vraiment, non. Nous avons fait la paix le jour où elle m'a appelée pour me dire qu'elle était malade.

— Qu'est-ce qu'elle t'avait fait ?

Ophélie et Matt échangèrent un regard. Matt approuva en silence la réponse qu'elle donna à sa fille, après une brève hésitation.

— Je te raconterai un jour, quand tu seras plus grande, mais c'est encore trop tôt.

— Ça devait être sacrément grave, en tout cas, commenta Pip, qui avait toujours admiré la tolérance et la générosité de sa mère.

— C'est ce que je croyais.

Un jour, Pip apprendrait aussi que le petit William était son demi-frère. Comme si elle avait deviné ses pensées, la petite fille demanda justement :

— Et William, que va-t-il devenir ?

— Il va venir vivre avec nous, répondit Ophélie d'un ton calme.

Les yeux de Pip s'arrondirent de surprise.

— C'est vrai ? Quand ?

— Aujourd'hui même.

A l'évidence, la nouvelle réjouit Pip, et Matt esquiss:
un sourire. C'était encore un étrange revirement du des
tin ; la vie était ainsi, insaisissable, déroutante. Quelque
semaines auparavant, Ophélie était entre la vie et l:
mort. Elle aurait pu succomber à ses blessures. Au lieu
de quoi, ils allaient bientôt se marier et accueillaient dan
leur nouvelle famille l'enfant d'une autre, le fils de Ted
Qui aurait pu imaginer pareil dénouement ?

Comme convenu, la jeune fille au pair amena le peti
William et toutes ses affaires en fin d'après-midi. Pip e
Ophélie l'attendaient avec impatience. Ce fut ui
moment émouvant pour tous, et davantage encore pou
Ophélie. Cela faisait quatre mois qu'elles ne l'avaient pa
vu et il avait beaucoup changé. Après en avoir touché
quelques mots à Matt, qui approuva aussitôt son idée
Ophélie proposa à la jeune fille de travailler chez eux
Celle-ci accepta volontiers. La maison se remplissait :
vue d'œil et Ophélie ne se sentait pas encore la force de
tout assumer seule. S'occuper d'un enfant en bas âge
demandait beaucoup d'énergie et elle ne voulait pas s'ei
charger au détriment de Pip et de Matt.

Le soir même, Matt s'installa dans la chambre
d'Ophélie et celle-ci prépara l'ancien bureau de Tec
pour William et la jeune fille au pair. C'était la solutior
la plus fonctionnelle, pour le moment en tout cas. L:
chambre de Chad était encore considérée comme une
sorte de sanctuaire que nul n'aurait songé à violer. Mai:
Matt et Ophélie projetaient d'emménager bientôt dan:
une maison plus grande, où Robert et Vanessa auraien
aussi leurs chambres. En attendant, Vanessa dormirai
avec Pip lorsqu'elle viendrait leur rendre visite – ce qu
réjouissait d'ores et déjà la petite fille. Quant au bungalow de Safe Harbour, avec son unique chambre et sor
charmant petit salon, il servirait désormais de refuge

omantique à Matt et Ophélie. L'idée leur paraissait très
éduisante.

Tard ce même soir, alors que William et la jeune fille
u pair dormaient profondément, ainsi que Pip et
Mousse, Matt s'allongea près d'Ophélie et lui sourit tendrement.

— Il semblerait que les choses évoluent vite ici, n'est-
ce pas, mon amour ?

— C'est le moins qu'on puisse dire ! Imagine que je
ombe enceinte !

Elle plaisantait, bien sûr. Avec l'arrivée du petit
William, la famille semblait bien assez grande et elle
n'avait pas l'intention de l'augmenter, ni maintenant ni
plus tard. Avant de se laisser gagner par le sommeil, elle
remercia encore Matt pour sa patience et sa compréhension.

— Les jours se suivent et ne se ressemblent pas avec
toi, murmura-t-il d'un ton rieur. Je crois que je commence à y prendre goût.

— Moi aussi, renchérit-elle en se blottissant contre lui.

Quelques minutes plus tard, tous les occupants de la
maisonnée de Clay Street dormaient paisiblement.

29

Un soleil lumineux inondait la côte, le jour de leu
mariage. C'était une journée idéale : une légère bris
rafraîchissait agréablement l'atmosphère, le ciel étai
d'un bleu lumineux, des petits bateaux de pêche flot
taient à l'horizon et la plage semblait avoir été fraîche
ment balayée. Safe Harbour paraissait avoir revêtu s:
tenue d'apparat spécialement pour l'occasion.

Le prêtre arriva à 11 h 30, une demi-heure avant l
début de la cérémonie. Ophélie portait une longue rob
en dentelle blanche et un bouquet de roses. Vanessa e
Pip avaient choisi de jolies robes en lin blanc. Quant ;
Matt et Robert, ils étaient très élégants dans leurs costu
mes impeccablement coupés. Dans les bras de la jeun
fille au pair, le petit William babillait joyeusement, vêt
d'un costume marin bleu et blanc. Il commençait tou
juste à marcher et arborait pour l'occasion sa premièr
paire de chaussures. Au grand soulagement d'Ophélie, i
ressemblait de plus en plus à sa mère, même si un œi
averti décelait un air de famille avec Pip. Lorsque le
gens en faisaient la remarque, la petite fille s'en réjouis
sait. Ophélie lui révélerait un jour son véritable lien d
parenté avec William, mais elle n'était pas pressée.

Le petit groupe était d'excellente humeur ; ils par
taient tous en France le lendemain. Ils avaient prévu d
passer une semaine à Paris puis séjourneraient deu
semaines au Cap d'Antibes, à l'hôtel Eden Roc. Mat

vait insisté pour leur offrir à tous cette luxueuse « lune de miel »... Depuis combien d'années n'avait-il pas eu 'occasion de dépenser autant d'argent ? Et dès leur etour, Ophélie et lui commenceraient à chercher une nouvelle maison.

Matt avait pris son fils comme témoin ; Vanessa avait été nommée première demoiselle d'honneur et Pip demoiselle d'honneur de la mariée... Ils avaient songé un moment à confier les alliances à William, mais celui-ci perçait une nouvelle dent et aurait été capable d'avaler es anneaux avant la fin de la cérémonie !

Le prêtre prononça un discours à la fois bref et émouvant sur le rapprochement des vies et des familles, sur la ésurrection de l'esprit et la guérison des blessures. Il parla d'espoir, de joie, de partage et de famille et de 'amour qui permettait aux familles de rester unies. Tout en l'écoutant, Ophélie laissa son regard glisser jusqu'à 'endroit où Matt peignait le jour où Pip avait fait sa connaissance, presque un an plus tôt. Ce jour-là avait été une véritable bénédiction pour chacun d'entre eux. Tout cela grâce à une petite fille qui errait sur la plage en compagnie de son chien.

Matt suivit le regard d'Ophélie et devina ses pensées. Leurs regards s'unirent, débordants d'amour. Si la chance avait été à l'origine de leur rencontre, ils avaient dû faire preuve de sagesse et de courage avant d'être enfin réunis. Ils avaient avancé pas à pas et s'étaient agrippés l'un à l'autre, contre vents et marées. Il eût été tellement plus facile de se dérober, de courir se cacher, de crainte de dévoiler ses blessures. Au lieu de quoi, ils avaient osé, ils avaient affronté le froid et l'obscurité, défié leurs démons, combattu leurs angoisses, résisté jusqu'au bout. Au-delà de la marque d'amour qu'ils célébraient ce jour-là, c'était aussi un acte de courage, de foi, d'espoir et de ténacité. Les fils s'étaient entrelacés peu à peu pour tisser l'étoffe de leur nouvelle vie. C'était avant tout un choix qu'ils avaient fait de leur plein gré, celui de prendre la vie à bras-le-corps. Un choix difficile, parfois douloureux. Tels deux funambules, Ophélie et Mat avaient avancé petit à petit sur la corde raide, vers la sérénité et l'équilibre. Ils s'étaient battus pour trouver ce trésor et l'avaient enfin atteint, ce petit port paisible, ce refuge épargné par les tempêtes.

Lorsque, se tournant vers Ophélie, le prêtre lui demanda si elle acceptait de prendre cet homme pour époux et de l'aimer jusqu'à la fin de ses jours, Pip murmura en même temps que sa mère : « Oui, je le veux. »

Vous avez aimé ce livre ?
Vous souhaitez en savoir plus sur Danielle STEEL ?
Devenez, gratuitement et sans engagement,
membre du **CLUB DES AMIS DE DANIELLE
STEEL,** et recevez une photo en couleur dédicacée.

Il vous suffit de renvoyer ce bon accompagné d'une
enveloppe timbrée à vos nom et adresse, au *CLUB DES
AMIS DE DANIELLE STEEL — 12, avenue d'Italie —
75627 PARIS CEDEX 13.*

CLUB DES AMIS DE DANIELLE STEEL
12, avenue d'Italie — 75627 Paris Cedex 13
Monsieur — Madame — Mademoiselle
NOM :
PRENOM :
ADRESSE :
CODE POSTAL :
VILLE :
Pays :
Age :
Profession :

La liste de tous les romans de Danielle Steel publiés
aux Presses de la Cité se trouve au début de cet ouvrage.
Si un ou plusieurs titres vous manquent, commandez-les
à votre libraire. Au cas où celui-ci ne pourrait obtenir le
ou les livres que vous désirez, si vous résidez en France
métropolitaine, écrivez-nous pour le ou les acquérir par
l'intermédiaire du Club.